Gloires et passions

Patricia HAGAN

Gloires et passions

ROMAN

*Traduit de l'américain
par Julie Huline-Guinard*

Au vrai Travis Coltrane,
qui existe sûrement quelque part.

Titre original
LOVE AND GLORY

Éditeur original
Avon Books

© Patricia Hagan, 1982

Pour la traduction française
© Éditions J'ai lu, 1992

1

Il était grand, mince et bien bâti. Son dos nu luisait sous l'écrasant soleil. L'effort bandait ses muscles sous le pantalon de toile, tandis que, derrière la mule, il suivait obstinément le sillon creusé dans la terre aride. Des mouches bourdonnaient autour de l'homme et de l'animal. Il n'y avait pas un souffle d'air et la chaleur, oppressante, les enveloppait comme un linceul.

Quelle étuve ! songea Travis Coltrane. Son torse offert aux impitoyables rayons ne brûlerait pas. Très vite, sa peau prendrait la couleur du cuivre. Travis était un créole français, au teint naturellement mat. La sueur coulait de son front dans ses yeux gris. Il s'essuya le visage du revers de la main. Des ampoules s'étaient déjà ouvertes dans ses paumes, mais il ne sentait pas la douleur. Bientôt, elles formeraient des cals.

Soudain, la charrue heurta un monticule de terre. Un nid de guêpes. L'essaim furieux se jetait déjà sur Travis, qui lâcha les rênes et s'enfuit. Il traversa le champ en agitant les bras et parvint à atteindre le sous-bois avec une seule piqûre à l'épaule. Il avait eu de la chance.

Il s'adossa contre le tronc d'un grand chêne, les

yeux fermés. Oh, comme cette existence lui pesait. Et l'avenir ne s'annonçait guère moins morose.

Deux ans. Il secoua la tête. Seulement ? Seigneur, ces deux années lui avaient semblé autant de décennies. La fastidieuse besogne de la ferme avait relégué tout autre souvenir comme appartenant à une vie antérieure.

Si ma vie se résume à cela, se dit Travis, rongé par le désespoir, alors pourquoi ne suis-je pas mort dans cette maudite guerre ?

Gettysburg. Antietam. Bull Run. Il avait participé à toutes les batailles. Le capitaine Travis Coltrane, disait-on, était l'un des meilleurs officiers de cavalerie de l'armée de l'Union. La terreur des Rebelles... Toute l'armée nordiste le respectait et l'admirait.

Dans la quiétude de cette chaude journée de printemps, l'odeur du soufre et de la fumée revenait aux narines de Travis. Il lui semblait presque entendre les cris de ses hommes en train de charger, le cliquetis des sabres, les coups de feu. Et c'était lui qui avait si bien dirigé ces soldats. Lui qu'ils vénéraient et...

A quoi bon ?

Ses yeux aux reflets d'acier s'assombrirent tandis qu'une vague d'amertume et de rage l'emportait. Allait-il devenir comme tous ces bonshommes qui passaient leurs journées assis devant le tribunal de Goldsboro à raconter leurs exploits guerriers en les magnifiant ? Certains portaient encore leurs uniformes confédérés rapiécés, bien que la guerre fût terminée depuis maintenant quatre ans.

Les gens, et notamment les vieux soldats, avaient décidé d'effacer des mémoires les souvenirs douloureux. Et Dieu sait si cette guerre infernale en avait causé, des douleurs. A présent, on pouvait oublier tout le reste pour ne plus songer qu'à la gloire.

Allait-il finir comme eux, gaspiller le reste de sa vie à ressasser les glorieux souvenirs ?

Il regarda au-dessus de lui la voûte formée par les feuillages, comme pour y trouver une réponse. Pourquoi devait-il mener cette existence méprisée ? Mois après mois, il avait travaillé cette maudite terre, planté du tabac et du maïs, redouté la sécheresse, les insectes... La vie se réduisait-elle à cela ? Travis prit le ciel à témoin.

Il eut un petit rire méprisant. Prier ! Bon Dieu, non, Travis Coltrane ne priait jamais. Il se contentait de jurer lorsque les choses ne se déroulaient pas comme il l'espérait. Les fermiers priaient pour leurs récoltes. Travis ne se considérerait jamais comme un fermier.

Il regarda, de l'autre côté du champ, la maisonnette qu'il avait construite de ses propres mains sur les ruines carbonisées. Les voisins avaient brûlé la première ferme construite sur ce terrain, car les patriotes sudistes du comté de Wayne n'avaient pas supporté que le vieux John Wright parte combattre du côté des Yankees.

La maison comportait deux pièces. Elle était rudimentaire, mais Travis en était fier. Il l'avait bâtie seul, à la force des poignets. Les murs et les planchers étaient du blond doux du chêne qu'il avait lui-même poli pour John et Kitty.

Une pièce pour dormir et s'aimer. Une autre pour vivre et se nourrir. Et une petite terrasse à l'arrière, couverte de vigne vierge, sous laquelle ils s'asseyaient pour regarder le soleil se coucher... en se tenant la main, rêvant de promesses d'avenir.

Travis serra les poings et se promit d'améliorer et d'agrandir leur habitation. John et Kitty méritaient mieux qu'une cabane de deux pièces.

John.

Il sourit. Le petit garçon lui ressemblait tellement qu'il avait parfois l'impression de se voir lui-même à l'âge de trois ans. Mais, songea-t-il, John n'avait pas son tempérament. Il avait la vitalité de Kitty, mais ne semblait pas avoir hérité des caractères de cochon de ses parents. C'était un enfant serein, un peu trop adulte, peut-être, pour son âge. Il avait l'habitude de jouer seul, dans un coin de la cuisine. Il y avait peu de jeunes enfants à Goldsboro. Et, les voisins n'ayant jamais pardonné sa trahison à John Wright, son grand-père, il n'était pas plus mal qu'il ne fût pas exposé à leur haine.

Le visage de Travis s'adoucit lorsque ses pensées se tournèrent vers Kitty. Elle était toujours aussi belle. Le simple fait de songer à elle éveilla son désir. Comme il était bon d'être en elle, de caresser sa chair tendre et consentante.

Kitty. La femme de sa vie. Son épouse. La mère de son enfant.

Ils avaient traversé les pires épreuves, ensemble et séparément. Ils évitaient habituellement d'évoquer le passé. Aucun n'avait envie de se remémorer la tristesse et la douleur. Mais, subitement, les souvenirs affluèrent à l'esprit de Travis.

Nathan Collins. Le premier amoureux de Kitty s'était avéré être un lâche et une ordure. Il avait tué le père de Kitty d'un coup de fusil dans le dos. Travis avait vengé la mort de John Wright en tuant Nathan. Les gens du comté de Wayne n'oublieraient jamais que Travis Coltrane, officier de l'Union, avait assassiné leur héros.

Obstinée et impétueuse, Kitty avait refusé de quitter la terre du père qu'elle avait adoré. Elle avait relevé la tête et choisi d'y vivre et d'y élever son fils.

Corey McRae. Une autre vision vint hanter Travis. Lorsqu'il avait quitté sa bien-aimée pour repartir avec le général Sherman, Travis ignorait qu'elle attendait un enfant de lui. Il ignorait aussi que Corey McRae, pour parvenir à se faire épouser d'elle, avait intercepté les courriers que s'étaient envoyés Travis et Kitty. Ne recevant aucune nouvelle de Kitty, Travis, blessé et déçu, avait ajouté foi aux commérages lorsqu'il était revenu à Goldsboro. On lui avait laissé croire que Kitty avait épousé Corey McRae, un riche et puissant *carpetbagger*, pour ne pas perdre sa précieuse terre. Il avait cru, aussi, qu'elle avait donné un fils à son mari. Comment aurait-il pu savoir que l'enfant était de lui ?

C'était en qualité de shérif que Travis était revenu dans le comté avec son vieil ami Sam Bucher. Ils avaient pour mission de faire cesser « la guerre des terres » entre Corey McRae et Jerome Danton, qui se disputaient les mêmes biens. Danton était une autre crapule, et, comme le découvrit Travis, le chef du Ku Klux Klan.

La querelle opposant Danton et McRae avait dégénéré, et Danton avait tué McRae la nuit même où Travis avait appris que le fils de Kitty était aussi le sien. Il avait enlevé l'enfant et fui vers sa Louisiane natale pour y trouver la paix. Mais Kitty était venue lui reprendre leur fils, et s'était enfuie dans les marais qui entouraient la maison de Travis, au milieu des bayous. En se lançant à sa poursuite, Travis s'était enlisé dans les sables mouvants... Kitty lui avait sauvé la vie, et Travis avait compris enfin qu'elle l'aimait vraiment.

Ils étaient retournés en Caroline du Nord pour y recommencer une nouvelle vie.

Bon Dieu ! Ça paraissait si simple, alors. Ils avaient leur fils, et ils s'aimaient.

Et maintenant, pour Kitty, il menait cette existence exécrée. C'était cela qu'elle voulait, cultiver la terre de son père, *sa* terre, y vivre malgré la haine de ses voisins.

Quant à Travis... Dieu sait s'il avait essayé; il s'était attelé à la tâche à corps perdu, sans renâcler à la besogne. Mais il n'était pas un fermier et n'en serait jamais un, et il avait beau aimer de tout son cœur Kitty et le petit John, et souhaiter leur bonheur, cette existence le rendait malheureux comme les pierres. Il commençait même à se demander comment il allait continuer à vivre ainsi.

Il poussa un long soupir et se leva. Cette vie lui était peut-être insupportable, pourtant il n'avait pas le choix. Il ne devait pas laisser Kitty et John deviner les tourments qu'il endurait. Comment réagirait Kitty si elle connaissait son désespoir ? Serait-elle prête à tout abandonner, ou lui dirait-elle de partir vivre comme il l'entendait sans elle, sans leur fils ?

Il quitta l'ombre du sous-bois et cligna des yeux en levant la tête vers le haut de la petite colline. Kitty était là, derrière les pêchers et les pacaniers, à gauche du champ. Elle arrachait des mauvaises herbes autour de la tombe de son père, comme elle le faisait chaque jour. Il la regarda disposer un petit bouquet de fleurs blanches sous la croix de bois. Des fleurs de cornouiller, sans doute, les bois d'alentour en étaient tout égayés.

Elle se redressa et lissa sa vieille robe jaune. Ses cheveux avaient des éclats d'or sous le soleil. Elle ramassa son chapeau de paille défraîchi, se tourna et, le voyant, lui adressa un signe. Le cœur de Travis battit plus vite. Seigneur, songea-t-il, ébloui, a-t-on jamais vu créature plus adorable ?

Elle traversa précautionneusement le champ fraîchement labouré. En voyant la mule à l'autre bout, elle s'inquiéta et cria :

— Travis, que se passe-t-il ? Pourquoi l'as-tu lais-sée aller ?

Elle pressa le pas, courant presque, à présent.

— Travis, réponds-moi ! Qu'y a-t-il ?

En approchant, elle remarqua la piqûre sur son épaule, qui avait enflé et rougi. Dans sa hâte, elle tré-bucha et lâcha son panier d'osier. Il la rattrapa au vol et la serra tendrement contre lui.

— Ce n'est rien, le soc de la charrue a dérangé un essaim de guêpes.

Leurs lèvres se rencontrèrent. Ce fut elle qui s'écarta enfin en rougissant délicieusement. Elle ramassa son panier et se dirigea vers le sous-bois qu'il venait de quitter.

— Je t'ai apporté de quoi déjeuner. John fait la sieste. Il ne tenait pas en place, ce matin, j'ai cru que je n'arriverais jamais à le faire dormir. Il y a du pou-let, des galettes aux ignames, et je t'ai préparé de la limonade.

— Ce n'est pas de nourriture que j'ai faim, Kitty.

Elle inclina légèrement la tête de côté et répondit, les yeux brillants :

— Travis Coltrane ! Tu ne veux tout de même pas faire la sieste, toi aussi ?

— Et pourquoi pas ? murmura-t-il d'une voix rauque.

Il la prit par la main et ils s'enfoncèrent davantage dans le bois, jusqu'à un doux matelas d'aiguilles de pin. Il déboutonna sa robe et caressa les seins géné-reux qui s'offrirent à lui. Il embrassa chaque mame-lon avant de s'agenouiller par terre et d'attirer Kitty contre lui.

Lorsqu'elle fut nue, il se dévêtit à son tour et s'allongea au-dessus d'elle. Elle sentait son membre durci vibrer contre son ventre.

— Travis, lui dit-elle doucement tandis qu'il plon-

11

geait son regard dans le sien, les yeux voilés par la passion. Ce sera toujours aussi merveilleux, nous deux ?

Il ne répondit pas, préférant laisser son corps parler pour lui. Il souleva les jambes de Kitty jusqu'à ce qu'elles soient enlacées autour de son cou. Il aimait savourer chaque instant, prolonger l'extase aussi longtemps que possible. Mais ce n'était pas chose aisée : une fois dans les replis veloutés de Kitty, il avait toutes les peines du monde à ne pas exploser de plaisir. Et tout particulièrement lorsqu'elle était ainsi accrochée à lui.

Il l'embrassa de nouveau, et la sentit qui ondulait de bonheur. Il s'enfonça en elle. Lorsqu'il l'emplit de sa semence, ils gémirent ensemble, leurs deux corps frissonnants. Puis, il la berça longuement dans ses bras. Plus tard, il passa sa main sur la joue de Kitty et murmura :

— Oui, princesse. Ce sera toujours aussi merveilleux pour nous deux.

Elle enfouit sa tête contre la toison sombre de sa poitrine, et il la serra contre lui.

— Tu m'appartiens, dit-il d'une voix étrange. Je tuerais celui qui voudrait te prendre à moi. Tu seras toujours mienne.

— Travis, tu me fais mal !

Il se rendit compte qu'il la serrait avec une force insoupçonnée et relâcha son étreinte en souriant.

— Je me suis laissé emporter.

Elle posa un doigt sur ses lèvres pour qu'il l'embrasse.

— C'est si bon, Travis. Je me sens chaque fois... entièrement possédée par toi.

— Tu l'es, répondit-il avec un petit sourire. Je te possède. Ne l'oublie jamais.

12

Elle joua avec ses boucles brunes, puis s'assit et se rhabilla.

— Maintenant que tu as satisfait l'un de tes appétits, il est temps de songer à celui de ton estomac. Va te rafraîchir dans le ruisseau pendant que j'installe le déjeuner.

Lorsqu'il revint, elle avait déployé une nappe sur le sol. Il prit un morceau de poulet. Kitty le regarda manger un instant, songeuse, puis lui dit d'une voix hésitante :

— Tu n'as pas beaucoup avancé, ce matin, Travis. Après le déjeuner, si tu me laissais t'aider ? Je pourrais labourer pendant que tu commencerais à semer.

— Bon sang, je t'ai déjà dit non !

Il jeta l'os de poulet et la considéra avec colère.

Les larmes montèrent aux yeux de Kitty. La seule chose qui lui faisait peur était la colère de Travis. Il ne lui avait jamais fait de mal mais, lorsque ses yeux gris lançaient des éclairs, il avait quelque chose de terrifiant. Elle baissa la tête pour cacher ses larmes et sa crainte, et croisa les bras.

Immédiatement contrit, il prit entre les siennes l'une des mains de Kitty et l'obligea à le regarder tandis qu'il murmurait :

— Pardonne-moi, ma chérie, mais tu connais mon opinion. Je ne supporterais pas que ma femme travaille aux champs. Cela me fend déjà le cœur de te voir t'escrimer comme tu le fais. Je préfère être pendu que de te laisser labourer la terre comme une vulgaire fille de ferme.

— Le travail ne me fait pas peur.

— Nous le savons tous les deux. Mais tant que tu seras ma femme, tu ne travailleras pas dans les champs. Or, tu es destinée à rester mon épouse toute ta vie, par conséquent le sujet est clos.

Elle leva le menton, geste qui lui était familier pour exprimer sa colère.

— Presque toutes les femmes aident leur mari aux champs, ici. Les gens disent que je ne le fais pas parce que je suis trop fière pour ça. Ils me trouvent hautaine, ils disent que je me comporte encore comme si j'étais mariée à l'homme le plus riche du comté de Wayne.

Les yeux gris étincelèrent de nouveau. Travis était furieux.

— Corey McRae n'était pas l'homme le plus riche du comté, puisqu'il a obtenu par le vol ou la ruse tout ce qu'il a jamais possédé. Quand apprendras-tu à te moquer de ce que tes voisins ignares peuvent dire de nous ? C'est moi qui décide, dans cette maison, et tu n'as pas à te soucier du reste.

— Je ne suis pas ton esclave ! s'écria-t-elle avec irritation.

Mais elle savait qu'il était inutile de discuter avec son mari.

— Eh bien, soupira-t-elle, nous ferons des semis tardifs, des moissons tardives et, de toute façon, vu ce que nous allons récolter...

Elle se leva et serra les lèvres.

— Je rentre à la maison.

— Non, dit-il en lui saisissant le poignet. Mange ton déjeuner ou reste là à bouder, si tu préfères.

Sans rien dire, elle se rassit avec froideur, replia consciencieusement ses jupes et garda le menton levé, provocant.

Lorsqu'il eut fini son repas, Travis lui demanda si elle avait l'intention de manger quelque chose. Elle secoua la tête et il éclata de rire.

— Comme tu voudras. Il n'est pas difficile de deviner d'où John tire sa ténacité. Jamais je n'ai vu quelqu'un capable de...

14

Il s'interrompit en entendant au loin les sabots d'un cheval claquer sur le sol. Quelqu'un traversait le champ. Il se leva à la hâte et fit signe à Kitty de ne pas bouger. Il sortit son couteau de sa botte. Il continuait à n'avoir confiance en personne et son arme ne le quittait jamais.

Soudain, un large sourire éclaira son visage. Il rangea prestement le couteau et agita les mains au-dessus de sa tête.

— Sam ! Nous sommes ici ! Qu'est-ce qui t'amène ?

Sam approcha, mit pied à terre et embrassa la joue de Kitty avant de serrer chaleureusement la main de Travis.

— C'est curieux, je vous trouve toujours cachés dans les bois, tous les deux ! s'écria-t-il en riant. Pendant la guerre, dès que je tournais les yeux, vous aviez disparu dans un nid d'amour.

— Sam, vous exagérez, protesta Kitty.

— Je sais, je sais, mon petit, fit Sam. Mais j'aime bien vous faire marcher, Kitty, et voir vos joues roses s'empourprer.

Malgré sa gêne, Kitty éclata de rire à son tour. Ils ne pouvaient rien cacher à Sam. Il était entré dans la vie de Kitty en même temps que Travis, et tous trois avaient connu plus de tristesse que de bonheur. Sam avait été là lorsque Travis avait tué Nathan. Il avait aidé Travis à creuser la tombe de John Wright et murmuré les prières de repos pour le père de Kitty.

Elle l'observa de plus près. Il n'avait pas beaucoup changé, hormis quelques cheveux gris supplémentaires dans sa barbe. Des sourcils broussailleux surmontaient ses yeux chauds et sensibles. Il avait pris quelques livres autour de la ceinture, perpétuel sujet de plaisanteries, mais c'était toujours le bon vieux Sam.

— Comment va le petit ?

— Il dort. Je n'aurais jamais cru qu'un enfant de trois ans puisse posséder une telle énergie. Et il est aussi têtu que son père, hélas, ajouta-t-elle avec un regard en direction de Travis.

— Ma fille, Travis n'est pas le seul à être têtu ! A vous deux, vous battez tous les records, étonnez-vous ensuite que John ait reçu sa part !

— A propos d'obstination, fit Travis avec un sourire qui mit Kitty hors d'elle, assieds-toi et déjeune. Kitty a préparé un repas pour deux, mais elle a décidé de bouder et ne veut rien avaler. Avec le mal qu'on se donne pour trouver de quoi manger, ne gaspillons pas tout cela.

Sam s'assit avec gratitude.

— Je n'ai jamais pu dire non à la cuisine de Kitty. Pourquoi boudez-vous, mon petit ? ajouta-t-il en lui lançant un coup d'œil. S'il ne vous traite pas bien, vous pouvez toujours vous enfuir avec moi.

— Kitty s'imagine qu'elle peut abattre le travail d'un homme, répondit sèchement Travis.

— Eh bien, c'est vrai, elle l'a prouvé, non ? fit Sam en haussant un sourcil surpris. Pendant la guerre, elle a réalisé des exploits dans les infirmeries pendant que bon nombre de représentants du sexe masculin tournaient de l'œil.

— C'était différent. C'était la guerre. Maintenant, la voilà qui veut pousser la charrue. Il n'est pas question que ma femme travaille aux champs.

Kitty eut un geste implorant.

— Sam, qu'y a-t-il de mal à aider son mari ? Connaissez-vous beaucoup de femmes de fermiers qui ne participent pas à la besogne ?

— Comme si cela ne lui suffisait pas de partir sans arrêt au milieu de la nuit pour aller mettre des bébés au monde, poursuivit Travis sans permettre à Sam de s'exprimer. Je m'étonne qu'elle ne me laisse pas

16

John toute la journée pour aller travailler à l'hôpital de Goldsboro.

— Travis, tu es injuste ! s'écria Kitty en ravalant furieusement ses larmes.

La voyant bouleversée, Sam lui tapota l'épaule.

— Allons, ma grande, ne vous mettez pas dans tous vos états. Vous êtes beaucoup trop jolie pour rester dehors en plein soleil, de toute façon. Et puis, vous le savez aussi bien que moi, une fois que votre fichu bonhomme a décidé quelque chose, il est inutile de discuter.

Kitty regarda froidement Travis. Sam avait raison. Travis avait une volonté de fer, comme elle, mais c'était généralement lui, l'homme, qui l'emportait, chose qu'elle n'avait jamais pu accepter. Et malgré tout l'amour qu'elle éprouvait pour lui, cela la révolterait toujours.

— Si je la laissais faire, elle soignerait tout le comté, reprit Travis. Et peu lui importe que ces individus la détestent.

— Pas tous ! répliqua-t-elle. Il y a des gens bien, comme Mattie Glass et ses deux garçons.

— Mais tu n'es pas médecin, et tu es ma femme.

— Kitty a toujours eu un don pour soigner son prochain, Travis, intervint Sam, et...

— Qu'est-ce qui t'amène par ici, Sam ? coupa Travis. Comment vont les choses ?

— En ville, c'est plutôt calme, répondit-il. Peut-être trop calme. Je commence à avoir la bougeotte.

Kitty posa les yeux sur l'étoile dorée qui brillait sur la large poitrine de Sam.

— Votre poste de shérif vous plaît-il toujours ? lui demanda-t-elle.

— Oh, oui, ça va, ça va. Quand Travis a quitté la Louisiane pour venir s'installer ici, je n'avais plus très envie d'y retourner tout seul. Je le considère pratiquement comme un frère. Ou peut-être devrais-je dire un fils, je suis un vieux tromblon, vous savez.

Il se servit un verre de limonade.

— Mais il faut bien vivre sa vie. On vient de me proposer du travail pour quelque temps et, bien que ça signifie m'éloigner d'ici, je ne peux pas laisser passer l'occasion.

— Tu t'en vas ? s'écria Travis. Sam, hormis Kitty et le petit, tu es la seule personne qui compte pour moi.

— Je ne resterai absent que quelques mois, dit doucement Sam. On me propose d'aller à Haïti et à Saint-Domingue pour le compte du gouvernement, et j'ai envie de connaître ce monde-là.

Travis écarquilla les yeux.

— Haïti et Saint-Domingue ? Mais pourquoi ?

— Dis donc, tu vis si retranché du monde que tu ne sais plus ce qui s'y passe ? le taquina Sam.

Kitty vit les prunelles de Travis s'éclairer tandis que Sam lui racontait ce qui se passait : la guerre civile avait fait comprendre aux officiers de marine que des bases américaines étaient nécessaires dans les Caraïbes. Le secrétaire d'Etat Seward avait plus ou moins pris l'initiative d'accélérer les choses.

— Il y a eu un vaste débat à la Chambre des Représentants en janvier, expliqua Sam. Seward a persuadé le président Johnson de suggérer au Congrès que les Etats-Unis incorporent Saint-Domingue et Haïti, mais le Congrès a refusé. Maintenant, Grant vient d'être élu et il va remettre le sujet sur le tapis. Il envoie là-bas une commission chargée d'analyser la situation.

— Et tu y vas ? souffla Travis.

Le visage de Sam s'enorgueillit d'un large sourire.

— Le général William Tecumseh Sherman lui-même m'a recommandé. Grant l'a nommé commandant en chef de l'armée, tu sais.

— Oui, et j'en suis fier. J'éprouve le plus profond respect pour Sherman.

Kitty plissa le nez avec dégoût.

— Ce boucher ! Quand je pense à ce qu'il a fait au Sud !

Travis plaça une main sur les siennes.

— C'était nécessaire, Kitty, dit-il tendrement, et elle sut que leur querelle était dissipée. Le général Sherman est un bon soldat.

— Et il te tient en très haute estime, dit Sam.

Il jeta un coup d'œil nerveux à Kitty avant de poursuivre :

— D'après ce que l'on m'a expliqué, il y a deux chefs en République dominicaine, qui s'échangent régulièrement la présidence depuis pas mal de temps, maintenant. L'un s'appelle Pedro Santana, l'autre Buenaventura Baez. Santana est espagnol.

Travis écoutait, concentré, les narines palpitantes et les yeux brillants. Kitty souffrit de le voir ainsi captivé. Elle savait qu'il enviait Sam grisé par la perspective d'une aventure aussi exaltante.

— Après une série de combats, l'Espagne a fini par retirer ses troupes. Baez est venu soumettre un plan à notre gouvernement, pour solliciter notre protection. Je ne suis pas au courant de tous les détails, mais je sais que le président Grant est favorable à l'annexion, et c'est la raison pour laquelle il mandate une commission d'enquête sur place.

Il eut une petite grimace.

— Sherman m'a recommandé et l'on m'a contacté. Voilà.

Travis garda un moment le silence, contemplant le champ labouré. Enfin, il demanda avec calme :

— Combien de temps resteras-tu absent, Sam ?

— Environ six mois, je pense. Un nouveau shérif arrive ici la semaine prochaine, ensuite j'irai à Washington pour en savoir plus sur ma mission. Nous devrions embarquer d'ici la fin du mois.

Il les regarda alternativement, lut les expressions sur leurs visages et se dit qu'il s'était montré un peu trop enthousiaste. Il haussa les épaules comme si tout ceci n'avait aucune importance, et déclara :

— Bof, je suis peut-être un peu cinglé d'aller là-bas. Il se passe de drôles de trucs, en Haïti. Il y a des gens qu'on appelle les zombis, des espèces de revenants. Vous savez, les morts que des médecins-sorciers ramènent à la vie. Ça peut être dangereux, ce genre de choses. Je ne devrais peut-être pas accepter.

— Tu serais fou de rater une occasion pareille, Sam, répondit Travis d'une voix lointaine, le regard perdu dans le champ. Et quand tu reviendras, le gouvernement te proposera sûrement quelque chose de très intéressant ailleurs. Pourquoi moisir ici ? Rien ne te retient.

— Si, vous, fit Sam, sur la défensive. (Puis il décida de changer de sujet et se tourna vers Kitty.) Où est le petit diable ? Il fait la sieste ? Allons voir s'il est réveillé, il faut que je rentre en ville bientôt et j'aurais voulu lui dire au revoir avant de partir.

— Reste dîner, proposa Travis d'une voix presque triste. Cela fait longtemps que nous n'avons pas eu de vraie visite, et apparemment nous ne sommes pas près de te revoir.

— Je te remercie, mais je dois retourner en ville. Je ne veux pas que mon successeur arrive ici pour trouver que je n'ai pas fait mon boulot. J'ai des tas de choses à régler avant son arrivée.

— Eh bien, tâche de passer nous voir avant de partir, fit Travis en s'éloignant, toujours absent, comme hypnotisé.

Kitty saisit le bras de Sam et chuchota en faisant un signe de tête vers Travis :

20

— Il meurt d'envie d'aller avec vous. Cela crève les yeux, il ne tient plus en place, Sam. Il m'aime, et il aime John, mais il hait la vie qu'il mène ici.

— Il ne s'en est jamais plaint à moi, répondit Sam, mal à l'aise. Il serait malheureux loin de vous et de son fils, vous le savez très bien. Rangeons ce pique-nique et allons voir John, d'accord ?

Kitty ne bougea pas. Elle regardait Travis s'approcher de la mule d'un pas traînant, les épaules affaissées, comme un vieillard.

— Il le cache, vous le savez bien. Il ne parle jamais de sa tristesse parce qu'il ne veut pas me causer de soucis. Mais je m'en rends bien compte. Et vous aussi, Sam.

Sam l'observa attentivement. A quoi bon jouer la comédie ?

— C'est vrai, sans doute. Mais il fait de son mieux, ma grande. Il fait tout ce qu'il peut. Et jamais il ne vous quittera, même si l'envie de bouger le démange.

Les larmes montèrent aux yeux de Kitty.

— Je le savais depuis le début. Je ne cessais d'espérer que les choses changeraient. J'ai prié le ciel pour que cette existence lui suffise, mais c'est impossible. Il ne pourra jamais être heureux ainsi. Il fait des efforts, Sam, mais... Je ne supporte pas de le voir si malheureux, termina-t-elle en se mettant à pleurer.

Sam la prit dans ses bras et la laissa sangloter contre sa poitrine.

— Il ne vous quittera pas, dit-il d'un ton bourru. Vous savez que vous n'avez pas à vous en faire de ce côté, alors tâchez de le rendre heureux. Il vous aime, Kitty.

Elle s'écarta brutalement en essuyant ses larmes d'un geste rageur. Elle détestait céder à de tels accès de faiblesse.

— Je sais qu'il m'aime, sacrebleu ! Et je l'aime aussi. Trop pour le laisser se morfondre. Sam, dit-elle en prenant une profonde inspiration, Sam, emmenez-le avec vous. A Haïti.

Sam la regarda, stupéfait.

— Vous ne parlez pas sérieusement, Kitty !

Elle releva le menton dans ce geste de défi que Sam connaissait aussi bien que Travis.

— Si, je parle sérieusement. Ce n'est que l'affaire de quelques mois. Cela lui fera du bien de s'éloigner. Peut-être le général Sherman lui trouvera-t-il à son retour un travail qui lui permettra de vivre au rythme qui est le sien. Je l'attendrai ici, avec notre fils. Beaucoup d'hommes vont par le monde et reviennent auprès de leur femme. Si cela peut rendre mon mari heureux, je suis prête à mener ce genre d'existence.

Sam prit ses mains fines entre les siennes et les pressa avec force.

— Ecoutez-moi, Kitty. Si j'avais eu le courage de partir sans vous dire au revoir, je ne serais même pas venu ici vous raconter mes projets à tous les deux, car je redoutais exactement ce qui vient de se produire. Je sais qu'il a envie de partir, mais il ne le fera pas, à cause de vous. Pour tout vous avouer, Kitty, le général Sherman nous a choisis tous les deux, Travis et moi, pour cette mission, et Travis en premier. Je ne peux pas le lui dire, je ne veux pas qu'il ait à décliner cette offre.

— Sherman a aussi pressenti Travis ? répéta Kitty, pétrifiée. Oh, Sam, il sera honoré !

— Je ne lui dirai rien. Et vous non plus. Il refuserait et n'en souffrirait que davantage.

Ils se turent et se tournèrent tous deux vers Travis, qui reprenait son travail, la tête courbée derrière la charrue.

— Il n'a plus aucune âme, murmura Kitty avec émotion. Je ne supporte pas de le voir dans cet état, Sam. Jamais je ne l'avais compris aussi bien que maintenant. Il faut que je le laisse partir.

— N'en parlons plus, il ne voudra jamais vous quitter. Venez, rentrons, Kitty.

Il la poussa gentiment, mais elle continua à observer son mari. Cet homme n'était pas fait pour avancer derrière une mule, songea-t-elle, le cœur en déroute. C'était un meneur, un battant. Un aventurier. Et elle lui avait mis un harnais autour du cou. Il était prisonnier, exactement comme cette vieille mule.

— Envoyez un câble au général Sherman, dit-elle lentement d'une voix égale. Dites-lui que Travis fera partie de la commission d'enquête et sera prêt à partir en même temps que vous.

Sam jeta son chapeau par terre avec colère.

— Bon sang de bois, Kitty ! C'est absurde, c'est une perte de temps. Je vous répète qu'il ne vous quittera pas !

Elle leva vers lui ses yeux lavande, brillants de détermination.

— Il ira, Sam. Je saurai l'en convaincre. Mais il reviendra, et alors il ne m'en aimera que davantage de l'avoir laissé partir.

— Vous êtes folle. Je ne veux pas entrer dans votre machination. Travis me tuerait.

— Si, vous m'aiderez, parce que vous savez que j'ai raison, Sam Bucher. Et maintenant, faites ce que je vous demande, s'il vous plaît, et je vous interdis d'en dire un mot à Travis. Laissez-moi m'occuper de tout, et je vous promets qu'il partira en même temps que vous.

Elle rangea rapidement les reliefs du repas dans le panier et, d'un pas décidé, elle se dirigea vers la maison.

Sam resta quelques instants en retrait avant de la suivre. Il savait par expérience que Kitty tiendrait sa promesse et qu'il ne pourrait l'en dissuader. Il espérait seulement qu'elle se rendait compte de ce qu'elle faisait et que, une fois libre, Travis lui reviendrait.

Mais tel était le risque à courir lorsqu'on ouvrait au cheval la porte de l'écurie. Parfois, il revenait.

Parfois, il continuait sa course.

2

Les deux dernières semaines avaient été extrêmement pénibles pour Kitty. Il lui était cruel de décider Travis à la quitter alors que l'idée d'une séparation la déchirait. Mais il fallait qu'elle le libère. Elle l'aimait trop pour le garder captif en un lieu où il dépérissait à vue d'œil.

Reviendrait-il ? Elle ne pouvait que prier le ciel pour qu'il comprenne qu'elle l'attendrait toujours, qu'elle le laissait libre d'étancher sa soif d'aventure, et pour qu'il l'en aime davantage encore.

Elle contempla son reflet dans le miroir et sourit avec amertume. Une robe si coûteuse dans cette maison plus que modeste relevait du grotesque... Un jour, peut-être, ils posséderaient une belle plantation. Mais, lorsqu'ils avaient rendu tout ce qu'avait volé ou escroqué Corey McRae, il ne leur était plus rien resté.

La soie vert sombre était magnifique, et les larges plis partant des épaules mettaient admirablement en valeur son profond décolleté. Travis n'aimerait pas voir sa poitrine ainsi exposée, mais de toute façon, la seule perspective de cette soirée lui déplaisait. Kitty était certaine que ce serait le point d'orgue à ces quinze jours épouvantables, et cette pensée lui serrait le cœur.

Elle haïssait la soirée à venir presque autant que la robe qu'elle portait, si somptueuse fût-elle... trop de souvenirs douloureux y étaient liés. Nina Rivenbark, la couturière la plus réputée de Goldsboro, avait confectionné cette toilette conformément aux instructions de Corey McRae, pour le bal qu'il avait donné en l'honneur de leurs noces.

Kitty se ressaisit rapidement. Il fallait à tout prix exorciser le passé. Elle aurait dû jeter la robe, mais elle avait conservé tous ces beaux vêtements dans des malles remisées au fond de la grange, en songeant qu'elle en aurait peut-être un jour l'usage.

Sa flamboyante chevelure était relevée au-dessus de sa tête en boucles savamment ordonnées, dont certaines retombaient sur les épaules. Elle y avait piqué çà et là des fleurs de cornouiller, et elle se demanda si sa coiffure n'était pas démodée à présent. Que pouvait-elle savoir de la mode, exilée comme elle l'était à la ferme ?

Elle porta la main sur sa gorge nue. Jadis, elle avait arboré une parure d'émeraudes, dont ses yeux violets captaient admirablement les reflets. Les pierres, comme le reste des bijoux, avaient été vendues pour payer les dettes de Corey. Corey les avait achetées au prix du sang, et Kitty avait été soulagée de ne plus les voir. Comme tout ce qu'il lui avait offert, les émeraudes lui rappelaient l'esprit malfaisant de celui qui avait été son mari. Elle regretta de ne pas s'être également débarrassée des vêtements.

En fermant les yeux, elle revit les temps heureux où elle ne portait que de vieilles robes de mousseline ou des pantalons d'homme, ou rien du tout, lorsqu'elle et Travis faisaient les fous dans la grange comme des enfants, riant et s'aimant. Rien ne comptait que l'insatiable appétit qu'ils avaient l'un de l'autre. Leur amour, leur passion étaient là, bien là, et elle avait cru sottement que c'était suffisant pour être heureux.

— M'ame Kitty ? C'est moi, Lottie.

Elle se retourna en entendant la voix hésitante, et sourit au visage aimé de la vieille Noire.

— Seigneu', vous êtes toujou' aussi belle, M'ame Kitty, s'écria Lottie. Vous avez pas changé d'un poil...

Kitty traversa la pièce pour l'embrasser et murmura avec gratitude :

— Que ferai-je sans toi, ma Lottie ? Je suis si contente que tu aies accepté de garder John, ce soir. Mattie ne pouvait pas venir, elle sera à la réception, elle aussi.

— Pas de p'oblème, mam'zelle, fit Lottie en riant. J'ado' ce petit comme s'il était mon p'op' fils, vous le savez bien. Et puis je suis contente de pouvoi' vous 'end' se'vice.

— Je ne pourrai pas te payer, Lottie, soupira Kitty, confuse, mais je te donnerai une belle poule bien grasse.

— J'ai pas l'intention d'accepter quoi que ce soit, M'ame Kitty. Je m'en so's t'ès bien, vous savez. Et puis, si moi et mes gars on fait vos 'écoltes et on les pa'tage avec vous cet été, on au'a la'gement de quoi teni' tout l'hive'.

— Chut, Lottie, ne parle pas de cela pour l'instant. Travis n'est pas encore au courant de mes projets. Je vais tout lui annoncer ce soir, c'est mieux ainsi.

— M'ame Kitty, vous êtes sû' que vous voulez fai' ça ? demanda Lottie en fronçant les sourcils d'un air sceptique. Cet homme y vous vénè', et vous vous voulez le fo'cer à vous quitter. Mais peut-êt' bien qu'y se'a t'op blessé pou' 'eveni' ?

— Je n'ai pas le choix, Lottie, murmura Kitty d'une voix blanche. Travis n'est pas fait pour être fermier, et j'ai été stupide de ne pas m'en rendre compte plus tôt. Il me reviendra, Lottie. Et qui sait ? Peut-être alors recommencerons-nous une nouvelle vie ailleurs ?

Lottie la considéra d'un œil presque accusateur.

— Vous pa'ti'iez d'ici ? Vous vend'iez la te' de vot' papa si Missié T'avis y vous le demandait ? Vous m'avez dit vous-même que vous aviez fait une p'omesse à vot' papa !

— Je sais, je sais. Je ne la vendrai jamais, Lottie. Je la garderai pour John. Un jour, ce sera sa ferme, s'il le désire. En attendant, je veux prouver à Travis qu'il signifie plus pour moi que ce terrain. Il m'a offert deux années de sa vie, il a fait ce qu'il pensait que j'attendais de lui, maintenant, il est temps que je lui fasse comprendre que son bonheur passe avant. Et je suis prête à suivre Travis n'importe où s'il me le demande. Lorsqu'il reviendra d'Haïti avec Sam, je lui raconterai tout, mais pas avant. Il ne me quitterait jamais s'il savait que c'est une mise en scène.

— Ça c'est sû'. D'ailleu', c'est pas pa'ce qu'y se'a fu'ieux en app'enant ce que vous voulez fai' qu'y s'en i'a, vous savez.

— Si, répliqua fermement Kitty. Il partira. Depuis deux semaines, je lui mène la vie dure. Je me suis comportée comme une véritable mégère, je l'ai harcelé à propos des labours, des travaux domestiques, tout ce qui pouvait l'ennuyer. Je lui ai même parlé de Jerome Danton, en disant que Jerome réussissait merveilleusement, tandis que nous n'étions que de pitoyables fermiers. Je lui ai adressé les insultes les plus méchantes auxquelles j'ai pu penser.

Elle ravala des larmes furieuses.

— Tu ne peux pas savoir à quel point je me hais.

Parfois, il me regardait simplement avec tant de douleur dans ses magnifiques yeux gris que je devais me retenir pour ne pas tout lui avouer. Oh, Lottie, comme j'en ai souffert ! Et pourtant, il fallait que j'enfonce le clou, toujours plus profondément...

Lottie secoua la tête en soupirant.

— J'espè' que vous savez où vous mettez les pieds, ma fille. Un homme qui vous aime autant que ça, si vous le faites fui', y 'isque de jamais 'eveni' et vous vous maudi'ez jusqu'à la fin de vot' vie.

— Je ne cesse de me répéter que je fais cela pour notre bonheur futur, Lottie. C'est ce qui me permet de tenir le coup. J'attends le moment où je pourrai lui révéler que c'était une comédie, que je n'ai jamais pensé une seule des paroles que je lui ai dites.

— Moui, fit la vieille Noire en poussant un nouveau soupir. Moi, je vous le 'épète, j'espè' que vous savez ce que vous faites.

« Et moi donc », songea Kitty avec désespoir. Elle avait vécu deux semaines d'enfer. Les choses avaient empiré chaque jour entre elle et Travis, et ils s'invectivaient constamment. La nuit, ils n'osaient plus se toucher. Depuis combien de temps n'avait-il pas fait vibrer son corps d'une passion partagée ? Pas depuis ce jour dans le sous-bois, le jour où elle avait compris à quel point il était malheureux.

— Comment avez-vous pu le convainc' d'aller à la 'éception ce soi' ? demanda Lottie. Missié T'avis il aime pas so'ti'.

— Je l'ai menacé d'y aller seule. Mais détrompe-toi : pendant la guerre, Travis se rendait volontiers à des bals militaires lorsqu'on requérait sa présence en tant qu'officier. Ici, hélas, il ne sait que trop bien la haine qu'il inspire aux gens du comté.

— Ah ça, cette d'ôlesse de Nancy Danton elle s'applique à pas fai' oublier que Missié T'avis il a tué

Missié Nathan. Mais moi je dis qu'y mé'itait la mo', c'ui-là. Elle se'a là ce soi' à fai' enco' des histoi'...

Kitty hocha la tête, puis demanda :

— A-t-elle jamais parlé de Travis ou de moi lorsque tu travaillais pour elle, Lottie ?

— Pfft, je suis pas 'estée longtemps sous ses o'd', c'oyez-moi. Y'en a pas beaucoup qui la suppo'tent, et pou'tant Dieu sait si nous aut' on a besoin de t'avail. Elle et Missié Danton sont les seuls à pouvoi' embaucher des employés, pa' ici, mais pe'sonne les aime. Pou' vous 'épond', oui, Ma'ame. Elle a souvent pa'lé de vous. Elle a'était pas de di' des choses aff'euses su' vot' compte, qu'elle allait vous chasser de la ville, pa' exemple. Elle est hysté'ique, cette femme, tout le monde il est de mon avis.

— Cela ne m'étonne guère, mais malheureusement son mari est riche et influent, et beaucoup de choses sont pardonnées à Nancy. Elle est la reine des mondanités à Goldsboro, et il suffit d'un mot d'elle pour être banni de la société. Nul n'ose la contrarier. Je me demande si elle sait que nous viendrons ce soir au bal de charité de l'hôpital.

Lottie eut un petit rire méprisant.

— Cette fouineuse elle sait tout su' tout le monde. Elle sait que vous se'ez là et elle a sû'ement déjà affûté ses g'iffes. Je me demande pou'quoi elle vous hait comme ça, celle-là. Tout le monde sait que Missié Nathan il l'a jamais aimée et il l'au'ait jamais épousée. Et ap'ès, elle a essayé de se fai' épouser de Missié McRae, et elle a même fait des avances à Missié T'avis.

— Parlons d'autre chose, Lottie, fit Kitty en se détournant.

Jamais elle n'oublierait la nuit où elle avait trouvé Nancy nue sur le lit de Travis. Kitty était mariée à Corey McRae à l'époque. Travis la méprisait et refusait de croire qu'elle avait épousé Corey uniquement parce qu'elle était totalement démunie et mère d'un petit bébé, l'enfant de Travis. Cette scène était gravée à jamais dans son cœur. Le corps puissant et nu de Travis... et Nancy dans ses bras. Elle frissonna.

— Je vois que tu es prête et pressée de partir.

La voix de Travis était glaciale.

Kitty se tourna vers lui, et Lottie battit en retraite vers la cuisine. Travis était maculé de poussière et de sueur, et son visage trahissait la grande fatigue que lui avaient causée des heures de labeur en plein soleil.

Elle se força à ne pas courir se jeter dans ses bras et lui dit sèchement :

— Oui, je suis prête, Travis. Cela fait longtemps que je n'ai pas pu m'habiller élégamment pour aller m'amuser au bal.

Il pinça les lèvres.

— Et parée d'une robe que feu ton mari t'a achetée, bien sûr. Ce n'est certainement pas moi qui pourrais t'offrir une telle toilette.

— Autrefois, tu me trouvais belle, Travis, dit-elle avec coquetterie. Cette robe ne te plaît pas ? Tu n'es donc pas fier de t'afficher à mon bras ce soir ?

Une ombre traversa le visage de Travis et il murmura d'une voix tremblante :

— Je préférerais te voir nue dans le grenier à foin, ce soir, plutôt que de t'exhiber devant cette bande d'hypocrites. Pourquoi tiens-tu tellement à y aller ?

— Le docteur Sims nous a invités tout particulièrement, répondit-elle en fuyant son regard, incapable de supporter la douleur qu'elle savait y trouver. C'est le bal de charité annuel de l'hôpital, et il m'a priée d'y assister.

Ce mensonge lui coûtait. En réalité, c'était elle qui avait demandé au docteur Sims de l'inviter. Il avait été ravi, puis, lorsqu'elle lui avait parlé de son plan, il avait tenté de l'en dissuader, mais, devant l'obstination de Kitty, il avait fini par céder avec réticence.

— Tu sais que je n'ai pas envie d'y aller, déclara froidement Travis.

— Très bien, j'irai seule.

Elle sursauta en entendant le poing de Travis frapper le mur. Des étincelles rouges luisaient dans ses yeux, et le cœur de Kitty manqua un battement.

— Kitty, nom de nom, mais que se passe-t-il donc, ces derniers temps ? Jamais je n'ai vu quelqu'un changer aussi subitement. Tu semblais heureuse, avant, et maintenant... Dieu sait si j'ai essayé, pourtant.

Il secoua la tête et reprit :

— Je t'accompagnerai, tu es capable de partir toute seule au milieu de la nuit dans cette vieille charrette ; mais nous ne resterons pas longtemps, tu m'entends ? Et si cette garce de Nancy Danton ou son salopard de mari nous font des problèmes, nous repartirons immédiatement.

Il s'approcha d'elle et lui dit entre ses dents serrées :

— C'est compris, Kitty ? J'en ai déjà trop supporté.

Elle tapota nerveusement sa coiffure.

— Bien sûr, Travis. Mais nous allons passer une charmante soirée, tu verras. Je ne comprends pas pourquoi tu te fais un tel souci. Allons, dépêche-toi, il se fait tard, prends un bain et habille-toi.

— Et que diable suis-je censé mettre ?

Elle alla chercher un costume qu'elle avait suspendu à un clou, et le lui tendit.

— Regarde, il est parfait, non ? Mattie Glass a persuadé le propriétaire de la boutique où elle travaille parfois de nous le prêter pour la soirée. Fais attention à ne pas le salir.

Il lui arracha les vêtements des mains. Le pantalon

était fauve et la redingote en velours vert bouteille, avec un revers de satin. Une chemise blanche à jabot et un chapeau haut de forme complétaient le tout. C'était une tenue élégante, mais jamais Travis ne l'aurait choisie.

— Quelle importance, grommela-t-il en se détournant.

Kitty fut soulagée lorsqu'il quitta la pièce : elle ne pouvait plus retenir ses larmes. Comme elle aurait aimé se jeter dans ses bras et lui avouer tout son misérable plan. Mais c'était impossible, car alors il refuserait de partir et resterait là, enfermé comme une bête sauvage, à dépérir lentement pour ne plus devenir que l'ombre de lui-même.

Travis ne desserra pas les dents tandis qu'ils roulaient vers la ville. Une fois dans Goldsboro, Kitty prit une profonde inspiration, rassembla tout son courage et lui dit du ton teinté de reproche qu'elle avait adopté depuis quinze jours :

— Attache la carriole loin de l'hôtel, Travis. Il y a tant d'élégantes voitures, ici, je n'aimerais pas qu'on nous voie dans cet attelage.

Il tira brutalement sur les rênes et se tourna vers elle.

— Kitty, jamais tu n'as eu honte de notre carriole. Tu as toujours dit que ces gens avaient de l'argent mais ne connaîtraient jamais l'amour. Tu as changé. Tu n'es plus la même, Kitty, ajouta-t-il dans un murmure.

Kitty se raidit et poursuivit sur le même ton :

— Tiens-toi correctement, ce soir, Travis, et tout se passera bien. Ne bois pas trop, tu sais de quoi tu es capable lorsque tu abuses de l'alcool.

— Tais-toi !

Elle leva les yeux, pétrifiée par la violence qu'elle devinait derrière ses paroles.

— Tais-toi, répéta-t-il d'une voix sourde. Pour l'amour du ciel, Kitty, je ne pourrais pas en supporter davantage.

Ils se dirigèrent vers l'hôtel en silence, et Kitty songea aux épreuves qu'ils avaient traversées pendant la guerre et dont ils avaient triomphé, à leur amour, toujours présent, même pendant les pires instants. Leur amour était plus fort que tout, il vaincrait. Leur passion ne s'éteindrait jamais. Kitty ne cessait de se répéter cela. La seule chose qui lui restait était l'espoir.

Lorsqu'ils passèrent devant le bureau du shérif, Travis ralentit l'allure.

— J'aimerais faire un saut chez Sam. Il doit partir bientôt.

Kitty retint sa respiration. Sam tiendrait-il parole ? Il lui avait promis à contrecœur de faire ce qu'elle lui demandait. Les télégrammes avaient été envoyés au général Sherman et au président Grant, et tous deux avaient répondu avec enthousiasme.

— Alors ? cria Travis.

Kitty sursauta. Que lui avait-il dit ?

— Je t'ai demandé si tu voulais aller au bal et me laisser te rejoindre plus tard, répéta-t-il. Je voudrais parler à Sam.

— Je... comme tu veux.

Elle poussa un soupir de soulagement lorsque la porte s'ouvrit. Sam se tenait sur le seuil, engoncé dans un costume d'apparat. Il avait rabattu ses cheveux sur le sommet de son crâne et retaillé sa barbe. Sans regarder Kitty, il accueillit gaiement Travis.

— Ça alors ! Vous êtes rudement endimanchés, tous les deux ! Iriez-vous aussi au bal de l'hôpital ?

— Quoi ? s'écria Travis. Tu veux dire que tu y vas ? Toi ? Je ne t'ai jamais vu te rendre à un bal !

— Et alors ? Je suis plutôt pas mal, pour un vieil

ours, non ? Et puis, il n'est jamais trop tard pour bien faire, n'est-ce pas ?

La jovialité de Sam semblait forcée, mais de toute évidence Travis était trop surpris pour concevoir quelque soupçon. Sam sortit de son bureau et ferma la porte.

— Je crois que le Dr Sims et quelques braves personnes du coin tiennent à me faire des adieux officiels à l'occasion du bal. C'est un comble, non ? Qui aurait cru que les gens d'ici s'attristeraient à l'idée de perdre un Yankee ? Remarquez, c'est peut-être pour me montrer leur réjouissance qu'ils m'ont invité, reprit-il en pouffant.

— Quand pars-tu, Sam ? demanda Travis avec tristesse.

— Demain matin. Le nouveau shérif est arrivé il y a trois jours, et je l'ai mis au courant de ce qui se passe ici. Je prends le train jusqu'à Richmond, puis direction Washington. Je ne sais pas encore la date exacte à laquelle la commission embarque. Ils vont d'abord nous faire assister à quelques réunions d'information. Il paraît que plein de gros bonnets sont du voyage. Des sénateurs, tout ça. Nous serons là pour assurer la sécurité de tout ce beau monde.

Ils continuèrent en silence. Travis regardait par terre, et Kitty donna un violent coup de coude à Sam pour l'encourager.

— Hem, fit celui-ci en s'éclaircissant la voix avec nervosité. Tu as fini les labours, Travis ? Quand je reviendrai à l'automne, je veux voir une bonne récolte, hein ? Ne sois pas feignant pendant mon absence.

— Il ne l'a déjà que trop été, se plaignit Kitty. Nous allons peut-être devoir renoncer à la ferme. Il montre si peu d'entrain et d'intérêt pour ce qu'il fait que j'envisage de céder l'affaire aux fils de Mattie

Glass. Certains des Noirs sont d'accord pour aider, et les moissons seront partagées en fonction du travail de chacun.

Travis s'immobilisa immédiatement et se tourna lentement pour regarder Kitty, les yeux vitreux.

— Mais qu'est-ce que tu racontes ? Tu ne m'as jamais parlé de ça. Qui dirige la ferme, toi ou moi ?

— C'est *mon* terrain ! répliqua-t-elle en levant un menton provocant.

Elle sentit les prunelles de Sam lui brûler le visage et poursuivit hâtivement :

— Tu n'es pas un fermier, Travis. Tu n'en seras jamais un. Si tu avais efficacement travaillé, nous aurions pu faire prospérer la ferme, mais tu sais très bien que ton cœur n'y est pas.

— Et toi, tu es assez sotte pour imaginer qu'en partageant avec quelqu'un les fruits de la récolte il nous restera assez pour vivre ? Tu as perdu l'esprit ?

— Nous parlerons de cela plus tard, déclara-t-elle sèchement. Nos petits problèmes personnels n'ont aucun intérêt pour Sam.

Travis continuait à la regarder sans bouger, mais Sam le prit par le bras et chuchota :

— Viens, mon vieux. Tu sais comment sont les femmes. Allons nous amuser. Nous ne nous reverrons peut-être pas de sitôt.

— Tu as raison, approuva Travis avec un rictus ironique. J'ai envie de m'amuser avec toi et d'oublier certaines personnes.

Il se mit à marcher si vite que Sam dut presser le pas pour le suivre. Il dépassa Kitty, mais elle n'essaya pas de le rattraper. Sam jeta un coup d'œil désolé derrière son épaule, porteur d'un message muet : « Il n'est pas trop tard. » « Si, il est trop tard, répondit-elle de la même façon. Cela fait longtemps que j'ai dépassé les bornes, Sam. »

La première personne que vit Kitty dans le hall de l'hôtel fut Nancy Warren Danton. Son adversaire de toujours, qui, en grandissant, lui avait infligé plus de cruautés que Kitty ne l'aurait cru possible. Tout cela à cause de Nathan Collins, qui n'avait jamais aimé la prétentieuse Nancy. Mais celle-ci s'était juré de prendre sa revanche.

Kitty adressa la parole à plusieurs personnes, puis s'approcha de Nancy, qui souriait avec dédain, les yeux brillants.

— Ma parole, mais voici Mrs Travis Coltrane, minauda-t-elle tout sucre et tout miel en lui tendant une main molle. Qu'est-ce qui nous vaut l'honneur de ta présence, ma chère ? Cela fait des mois que tu n'as pas quitté ta petite ferme. Mais naturellement, tu dois être débordée, sans aucun employé pour t'aider.

Nancy jeta un coup d'œil vers Sam et Travis, un peu plus loin, qui échangeaient des plaisanteries avec les invités mais parvenaient mal à cacher leur gêne. Elle se pencha pour murmurer à l'oreille de Kitty en feignant la sympathie :

— Ton splendide mari a mieux à faire que cultiver la terre, ma chérie. Je lui connais bien d'autres talents...

Le sourire de Nancy était méchamment moqueur, avec ses lèvres écarlates retroussées sur ses petites dents blanches. Elle pressa davantage la main que Kitty essayait rageusement de retirer des siennes.

— Qu'est-ce que tu fabriques ici, espèce de garce ! siffla-t-elle. Tu n'as rien à faire parmi nous. Tu tiens donc à une scène en public ? Je ne tolérerai pas ta présence !

Kitty dégagea sa main si vivement que Nancy trébucha légèrement en avant.

— Je ne crois pas qu'une scène te serait très profitable, Nancy, dit-elle tranquillement. Si mes souvenirs sont bons, c'est dans une chambre de cet hôtel-ci que je t'ai trouvée en train de folâtrer dans le lit de Travis. Naturellement, il n'était pas marié, à l'époque. Mais toi, si. Souhaites-tu vraiment que je hurle à tue-tête ce qui s'est passé ce soir-là ?

— Tu n'oserais pas ! fit Nancy en pâlissant.

Les pommettes roses qu'elle s'était dessinées sur les joues lui donnèrent soudain l'allure d'un clown.

— J'oserais parfaitement et tu le sais très bien. Rappelle-toi, lors d'une autre réception, ne t'ai-je pas renversé un pichet d'eau sur la tête parce que tu avais insulté mon père ? Cela remonte à l'époque où tu courais après Nathan, tu te souviens ? dit-elle suavement avec un clin d'œil. Tu devrais savoir, maintenant, qu'il ne faut pas me pousser à bout, Nancy. Alors faisons bonne figure, et ne me force pas à commettre des actes que tu serais la seule à regretter.

Les yeux de Nancy s'agrandirent. A cet instant, Kitty sentit une poigne de fer autour de son bras. Elle se retourna et vit les prunelles glaciales de Travis jeter des éclairs menaçants.

— Il n'est pas question que vous vous crêpiez le chignon toutes les deux, dit-il d'une voix basse. Est-ce clair ?

Nancy jeta la tête en arrière pour signifier qu'elle n'avait pas l'intention de discuter et alla saluer un couple d'invités, d'une voix haut perchée et forcée. Travis entraîna Kitty à l'écart.

— Bon Dieu, Kitty, va faire ce pour quoi tu es là, puisque tu semblais si désireuse de venir. Je n'ai aucune envie de m'éterniser ici.

— Cela ne te ferait pas de mal d'être un peu sociable une fois de temps en temps, répliqua-t-elle non moins sèchement. Tu ne trouves pas normal que j'en aie assez de passer toutes mes journées dans cette ferme ? Nous devrions nous faire des amis.

— Oh, au diable les amis !

Il se dirigea vers un groupe d'hommes qui buvaient au bar. Sam était parmi eux. Il leva vers Kitty un regard empreint de commisération et elle se détourna. Elle était lasse, lasse de ce petit jeu, de la tension. Que tout se termine enfin...

La salle de bal se remplissait et l'orchestre se mit à jouer. Kitty déambula parmi la foule, adressant la parole aux personnes qui, pensait-elle, lui répondraient. Certains la toisaient froidement, notamment des parents éloignés de Nathan, qui n'oublieraient jamais, ou d'autres qui la condamneraient éternellement d'avoir épousé un Yankee.

Peut-être, songea-t-elle, en proie au vertige, peut-être avait-elle eu tort de revenir à Goldsboro. Le bayou de Louisiane était si beau, si paisible que parfois elle n'aspirait qu'à s'en aller et retrouver ce lieu magique. Elle se souvint de l'instant presque effrayant pendant lequel la lumière virait à un délicat bleu pâle. Travis avait aimé le bayou, il y avait connu la paix. Ils auraient peut-être dû y rester, se dit-elle avec appréhension.

Un frisson la parcourut malgré la chaleur qui régnait dans la vaste pièce. Elle se rendit compte soudain que l'orchestre avait cessé de jouer et que le docteur Sims s'était approché de l'estrade. Tous les yeux étaient rivés sur lui, et le brouhaha s'apaisa.

Il prit la parole pour remercier les invités d'honneur, les membres de l'hôpital, les bienfaiteurs, bref, tout le monde. Puis il formula ses regrets de voir partir le shérif Sam Bucher et lui offrit un cadeau de la part des habitants de Goldsboro. Sam fut visiblement touché lorsqu'il découvrit la montre de gousset en or. Les larmes aux yeux, Kitty applaudit son vieil ami. Le cher Sam, avec sa bonté et sa bonhomie, avait réussi à se faire aimer même de ces gens-là.

— Et, à présent, j'ai une annonce toute particulière à faire, retentit la voix joviale du docteur Sims.

Kitty se figea sur place. Le moment tant redouté était arrivé. Des murmures curieux parcoururent l'assistance, mais le médecin leva le bras. Lorsque le silence fut revenu, il déclara avec un large sourire :

— Nous, habitants de Goldsboro et du comté de Wayne, avons la chance de pouvoir compter sur les talents d'une jeune femme aussi douée que généreuse, une femme qui s'est dévouée corps et âme aux malades durant la terrible guerre.

Il marqua une brève pause avant de poursuivre :

— Elle a soigné non seulement les blessés de la Confédération, mais également les soldats de l'Union, accomplissant des travaux qui en faisaient s'évanouir plus d'un. Elle a même fréquemment montré plus d'habileté que certains de nos médecins. Sur le champ de bataille, elle a souvent dû effectuer des opérations chirurgicales, telles que des amputations.

L'assistance laissa échapper un petit cri d'effroi, et les femmes portèrent une main à leur gorge. Penser que l'une de leurs compatriotes avait pu découper de la chair humaine !

— Cette jeune femme n'a jamais reçu de formation officielle en matière de médecine, mais peut-être a-t-elle connu un meilleur enseignement que nous : la plupart d'entre vous se souviennent du Dr Musgrave. Je suis sûr qu'il a mis au monde bon nombre d'entre vous. Cette femme a suivi Doc Musgrave lors de ses tournées pratiquement depuis qu'elle a su marcher ; elle a tout appris de lui, et sa volonté de venir en aide à autrui n'avait d'égale que la sienne. Hélas... Le Dr Musgrave est mort dans des circonstances tragiques au début de la guerre.

Il n'est pas mort ! cria silencieusement Kitty. Il a

été assassiné par ce monstre de Luke Tate. Et j'espère que le misérable est en train de rôtir en enfer à l'heure qu'il est !

— Je veux parler de Mrs Kitty Wright Coltrane.

Le Dr Sims lui sourit, mais derrière ses yeux verts, elle devina l'effort qu'il devait déployer.

— Mrs Coltrane s'est généreusement proposée de revenir travailler avec nous en tant qu'infirmière-chef, afin de partager ses vastes connaissances avec d'autres jeunes femmes. Les médecins et le personnel de l'hôpital de Goldsboro désirent profiter de cette occasion pour l'accueillir ce soir comme elle le mérite et la remercier de venir une fois de plus nous aider.

On applaudit, mais Kitty n'aurait pas su dire si la réaction était enthousiaste ou simplement polie. Quelques personnes qui se tenaient à côté d'elle manifestèrent leur approbation. L'orchestre se remit à jouer, mais aucun son n'aurait pu surmonter le rugissement croissant qui assourdissait Kitty.

— Le voilà, murmura Mattie Glass en approchant de Kitty. Ô mon Dieu, ses yeux reflètent la colère des dieux. Il repousse les gens. Ô mon Dieu, mon Dieu...

Kitty plaça sa main sur celle de Mattie et la pressa avec force.

— Ne me quittez pas maintenant, Mattie, je vous en supplie. Je ne supporterais pas de l'affronter seule.

— Non, non, je reste, je vous l'ai promis. Ô mon Dieu, mon Dieu.

Elle roula les yeux au ciel et se mit à trembler.

Kitty poussa un petit cri lorsque les doigts de Travis se plantèrent dans son épaule. Il la fit pivoter vers lui et grogna, sans se soucier des gens qui les observaient :

— Qu'est-ce que ça signifie ? Si tu t'imagines que tu vas abandonner John pour aller travailler dans cet hôpital, tu es folle !

— Travis, ce n'est pas le moment, l'interrompit faiblement Mattie. Ne croyez-vous pas que...

— Je crois surtout que vous devriez vous occuper de vos affaires, trancha-t-il en la réduisant au silence d'un regard noir.

Mattie battit rapidement en retraite, lançant un coup d'œil désolé à Kitty. Elle avait essayé, mais elle n'était pas de taille à lutter contre Travis Coltrane. Kitty devait bien le comprendre.

— Réponds-moi, femme ! dit-il en la secouant rudement. C'est pour ça que tu m'as fait venir ici ce soir ?

Elle sentit l'alcool qui imprégnait son haleine. Il était ivre.

— Du calme, Travis.

Kitty poussa un soupir de soulagement en voyant le visage soucieux de Sam Bucher. Il souleva la main de Travis de l'épaule de Kitty et les guida tous deux de l'autre côté de la pièce, vers la terrasse, où ils seraient plus tranquilles.

— Et maintenant, explique-toi ! tonna Travis.

Sam fit un pas en avant et s'interposa :

— Ecoute-moi, Travis, Kitty m'a parlé de son projet, je trouve que c'est une bonne idée. Elle ne se plaît pas cloîtrée à la ferme, et elle m'a dit que la veuve Glass avait accepté de s'occuper du petit John pour que tu n'aies pas à t'inquiéter de lui lorsque tu serais dans les champs.

— Crois-tu donc que c'est la seule chose qui compte ? s'écria Travis en la considérant d'un œil incrédule. D'avoir quelqu'un pour veiller sur John ? Et moi ? Ah, tu en as assez d'être cloîtrée à la ferme ? Bon Dieu, femme, tu ne crois pas que j'en ai assez, moi aussi ? Tu crois que ça m'amuse d'arpenter ces champs interminables derrière une vieille mule malodorante jusqu'à ce que je me demande lequel de nous deux est l'animal ? Bon Dieu, non, ça ne m'amuse pas, et pourtant je le fais. Pour *toi* ! Toujours pour toi !

Au prix d'un effort surhumain, Kitty parvint à lui dire froidement :

— C'est différent pour un homme. L'homme travaille la terre, mais toi, tu refuses de me laisser faire autre chose que m'occuper de John et de la maison. Alors je m'ennuie.

Elle détourna les yeux, incapable de le regarder en face pour proférer pareils mensonges. Jamais elle n'aurait pu s'ennuyer en s'occupant des deux êtres qui lui étaient les plus chers au monde.

— Tu t'ennuies ! cracha-t-il. Jésus-Christ, comment une femme peut-elle changer à ce point sans que je m'en sois aperçu ! Tu m'as ridiculisé !

Il la secoua si brutalement que Sam intervint.

— Calme-toi, Travis. Tu as trop bu, je crois. J'ai bien vu comment tu avalais verre après verre. Demain, ça ira mieux. Toi et Kitty pourrez parler normalement.

Kitty prit une profonde inspiration, leva le menton et arbora un air aussi déterminé que possible.

— Nous pourrons parler, dit-elle tranquillement en lissant sa jupe, mais ma décision est prise. Je commence à travailler à l'hôpital lundi. J'ai le droit de vivre une partie de ma vie comme je l'entends.

Travis la contempla pendant de longs et douloureux instants.

— Moi aussi, Kitty, dit-il enfin. Je t'ai consacré ma vie entière pendant trop longtemps, et je me rends compte à présent que cela n'a jamais rien signifié pour toi. (Il se tourna vers Sam.) Je viens avec toi. Je ne sais pas s'ils me laisseront faire partie de cette commission ou non, mais je viendrai, dussé-je être passager clandestin. J'ai besoin de partir d'ici.

— Bien sûr, Travis, bien sûr, fit Sam en le prenant par les épaules.

Il jeta un coup d'œil empreint de pitié vers Kitty, vit qu'elle se mordait la lèvre inférieure pour ne pas pleurer. Elle ne pouvait pas flancher maintenant.

— Je vais m'arranger pour que tu partes avec moi, disait Sam. Peut-être fallait-il que vous vous éloigniez un peu l'un de l'autre, Kitty et toi, pour réfléchir. Quand tu reviendras, les choses seront différentes, tu verras.

Ils retournèrent vers la salle de bal lorsque Travis s'arrêta soudain. Sans se retourner pour la regarder, il marmonna :

— Sam te raccompagnera. Je reste en ville, ce soir.

Sam conduisit Travis à l'intérieur, et Kitty ne put retenir ses sanglots plus longtemps. Elle s'effondra à genoux sur la terrasse et se couvrit le visage de ses mains.

« Si l'on aime quelqu'un, il faut lui offrir la liberté, se répéta-t-elle, désespérée. Mon Dieu, faites que j'aie pris la bonne décision, car il est trop tard pour revenir en arrière, à présent. »

3

A l'est, l'horizon se striait de zébrures orange et roses.

Kitty attendait à la fenêtre, les yeux brûlants d'avoir veillé jusqu'à l'aube. Combien de nuits passerait-elle ainsi à guetter un signe de Travis, à scruter cette longue route solitaire ? Ne viendrait-il pas dire au revoir, au moins à son fils ?

— Je vous ai appo'té du café, M'ame Kitty, chuchota Lottie pour ne pas réveiller l'enfant qui dormait dans un coin de la pièce.

Kitty murmura un remerciement. Lorsque Sam l'avait ramenée, il avait proposé à Lottie de la raccompagner chez elle, mais la vieille femme avait refusé, sentant que quelque chose s'était mal, très mal passé.

Sam était retourné en ville en promettant de trouver Travis et de le faire dessaouler.

— Je trouve que vous devriez lui dire la vérité, avait-il déclaré avec colère. Ce petit jeu vous a menés trop loin.

— Il ne partirait pas, avait répété Kitty avec lassitude. Inutile de revenir là-dessus, Sam. Ce qui est fait est fait. Je vais faire cultiver la terre, et je travaillerai à l'hôpital pour m'occuper et gagner de l'argent. Mattie sera ravie de se charger de John. Je regrette que Travis ait réagi ainsi, mais c'est son tempérament. Il est têtu et emporté.

— Vous le saviez lorsque vous l'avez épousé, lui avait-il rappelé. C'est probablement pour cela que vous êtes tombée amoureuse de lui, mon petit, avait-il ajouté avec un sourire espiègle. Il est le seul que vous n'ayez pas pu mener par le bout du nez. Tout de même, il n'aurait pas fait un tel esclandre s'il n'avait été saoul comme une barrique. Seigneur, je ne sais même pas si je vais réussir à le calmer. Je n'ai aucune idée de l'endroit où il a pu aller.

Kitty s'était accrochée à sa redingote et l'avait imploré :

— Il faut que vous le retrouviez, Sam. Je veux qu'il parte avec vous, mais je ne peux pas le laisser s'en aller ainsi, si aveuglément furieux qu'il refusera de nous dire au revoir, à John et à moi.

— Je sais, je sais, avait dit Sam d'une voix douce.

Lottie interrompit ses pensées d'une voix inquiète :

— Y doit êt' p'esque sept heu'. J'ai entendu le shé'if di' que le t'ain y pa'tait à dix heu'. Y faut plus d'une heu' pou' aller en ville, il au'a pas le temps de veni' et de 'epa'ti'.

Kitty avala précipitamment son café. Ses pensées tourbillonnaient. Soudain, elle sut ce qu'elle devait faire.

— Peux-tu habiller John, s'il te plaît, Lottie ?

Elle retira sa robe verte avec dégoût. Jamais plus elle ne la porterait. Elle n'aurait pas dû la mettre, la veille. La toilette était sans doute maudite parce qu'elle avait été achetée par Corey McRae. Elle trouva un vieux pantalon de toile qui avait appartenu à l'un des fils de Mattie.

John ne voulait pas avaler la bouillie que lui avait préparée Lottie.

— Tu veux aller voi' ton papa, non ? dit celle-ci en insistant pour enfourner une cuillerée à travers les lèvres serrées. Si tu ne manges pas, tu 'este'as ici.

Les larmes montèrent aux yeux du petit garçon, et Kitty courut l'embrasser. Elle jeta un coup d'œil désapprobateur à Lottie et dit :

— Maman est pressée, mon chéri, mais je ne partirai pas sans toi, je te le promets.

Lottie lui retourna un regard froid, signifiant clairement que ce n'était pas elle qui avait fait fuir le papa du petit, et qu'elle n'avait pas à essuyer de reproches.

Enfin, ils grimpèrent tous les trois dans la carriole, John sur les genoux de la vieille Noire. Kitty réfléchissait en silence. Soudain, elle se rendit compte que Lottie lui secouait gentiment le bras.

— Vous savez, M'ame, il est pas t'op ta', disait-elle doucement. Vous pouvez enco' lui di' la vé'ité.

Kitty ne répondit pas. Se pouvait-il qu'elle eût envie de voir partir Travis uniquement pour pouvoir accomplir son rêve de toujours, retourner à la médecine ? En avait-elle assez, elle aussi, de l'existence qu'elle menait à la ferme ? Non ! Elle saisit fermement les rênes. Elle aimait la ferme, elle aimait Travis, et seul le désespoir de ce dernier avait pu la contraindre à employer de tels moyens.

Elle regarda John qui s'était rendormi, la tête lovée contre la poitrine de Lottie. Son foyer était brutalement déchiré parce que ses parents étaient incapables de lui procurer un environnement stable. Son père ne tenait plus en place, et sa mère ne pouvait être heureuse que lorsqu'elle effectuait des tâches d'homme. Mais ils étaient ainsi, et on ne les changerait pas.

Les nuages qui s'étaient amoncelés depuis leur départ crevèrent soudain. Kitty se tortilla pour tirer la bâche qu'ils gardaient sous le banc. Lottie l'étendit au-dessus d'elle et de John, mais Kitty repoussa la protection. Peut-être la pluie la soulagerait-elle d'une partie de ses souffrances ?

Lorsqu'ils arrivèrent à la gare, elle était trempée.

— Vous allez att'aper la mo', toute mouillée comme ça deho', la gronda Lottie.

— Je n'ai pas froid, Lottie, répondit Kitty avec calme en survolant du regard les personnes qui attendaient le train.

Elle descendit de la charrette et attacha les rênes de la mule à un poteau.

— Emmène John et allez vous abriter, dit-elle à Lottie. Je vais chercher Sam et Travis, je reviens.

Les gens qui attendaient sous l'abri se retournèrent sur la jeune femme. Ses cheveux dorés retombaient sur ses reins. Sa chemise et son pantalon collaient à son corps, épousant ses formes féminines et fermes. Mais Kitty n'avait qu'une pensée en tête, retrouver Travis.

Un coup d'œil sur l'immense horloge surmontant l'entrée de la gare lui apprit qu'il était neuf heures quarante-cinq. Il lui restait peu de temps, et déjà on entendait au loin le sifflement d'une locomotive.

Kitty se fraya un chemin à travers la foule amassée sur le quai. Le cœur battant, elle reconnut soudain un visage familier. Nancy ! Kitty continua à avancer sans prêter attention à la jeune femme. Les minutes étaient comptées.

— Si tu cherches ton bon à rien de mari, je peux peut-être te dire où le trouver.

Kitty s'immobilisa, puis se retourna. Le visage hautain de Nancy Danton était éclairé d'un rictus railleur.

— J'ai dit *peut-être*, reprit Nancy d'une voix mielleuse.

Kitty entendait le train arriver. Pas une seconde à perdre.

— Nancy, si tu sais où est Travis, je t'en prie, dis-le-moi, s'écria-t-elle, incapable de maîtriser son émotion.

Toute pimpante dans sa robe jaune vif, Nancy fit tournoyer son parapluie assorti. « Cette vipère se délecte de la situation », songea Kitty, « eh bien, tant pis. »

— Je t'en prie, lui dit-elle en serrant les dents. Dis-moi où trouver Travis.

Avec un éclat de rire perçant, Nancy pointa un doigt ganté de blanc vers la gare.

— Ce sale ivrogne est là, vautré dans un coin. Le shérif Bucher est en train d'essayer de le remettre sur ses pieds pour le faire monter dans le train ; je suppose qu'ils quittent la ville, tous les deux. Bon débarras. Pourquoi ne les accompagnez-vous pas, toi et le lardon de Corey McRae ? Le comté de Wayne se porterait tellement mieux si l'on pouvait se débarrasser d'individus comme vous.

Nancy haussait le ton à mesure que Kitty s'éloignait. Sans répondre, celle-ci courut jusqu'à la gare et poussa la porte au moment même où le train s'arrêtait dans un crissement strident. Travis était affalé dans un coin, et Sam penché au-dessus de lui.

— Si tu veux venir, mon garçon, lève-toi, lui disait Sam désespérément. Le train est là, il faut que j'y aille. Tant pis si je dois te laisser là.

— Ne me laisse pas ! s'écria Travis en prenant la main tendue.

Il se hissa sur ses pieds et manqua perdre l'équilibre.

— Il faut que je vienne, que je quitte cette maudite ville. Je n'aurais jamais dû revenir, Kitty ne m'aime pas.

— Si, je t'aime, dit une voix calme.

Kitty s'avança vers lui ; les larmes coulaient le long de ses joues. Travis la regarda à travers des yeux veinés de rouge. Sam recula d'un pas, laissant Travis lutter avec son corps immense et chancelant.

— Qu'est-ce que tu fais là, toi ? hoqueta-t-il. Moi parti, tu vas enfin pouvoir mener l'existence dont tu rêves.

Il faillit tomber et se rattrapa à un banc. Sam ramassa son vieux sac brun et se dirigea vers la porte.

— Attends-moi ! cria Travis. Ne pars pas sans moi, Bucher. (Il se tourna vers Kitty et lui dit d'une voix pâteuse :) Laisse-moi te dire une bonne chose, femme : je reviendrai chercher mon fils. Je n'ai pas d'argent pour l'instant, tout ce que je possédais est passé dans cette maudite ferme. Mais, dès mon retour, je viendrai reprendre John. Et tu pourras faire ce que tu veux.

Soudain, Kitty ne put en supporter davantage.

— Travis, je t'aime ! s'écria-t-elle en voulant le prendre dans ses bras.

Mais il la repoussa violemment.

— Laissez-le, mon petit, lui dit Sam. Il n'a pas dessaoulé depuis hier soir. Je lui parlerai lorsque nous serons partis, mais il est inutile d'essayer de lui expliquer quoi que ce soit maintenant.

Elle secoua la tête en sanglotant.

— Je ne peux pas le laisser partir ainsi, Sam ! Il faut que je lui dise la vérité !

Travis eut un nouveau hoquet.

— La vérité, c'est que nous n'aurions jamais dû nous marier. Je ne suis pas de ceux qui se marient, et tu n'es pas de celles qu'un homme devrait épouser, de toute façon.

— Assez !

Sam revint vers Travis et, le prenant au collet, il le secoua rudement, aveuglé par la colère.

— Tais-toi ! Tu ne sais plus ce que tu dis ! Tu es trop ivre pour l'écouter. Maintenant, monte dans ce train et, quand tu seras enfin sobre, nous parlerons. Je t'expliquerai ce que Kitty veut te faire comprendre. Et, si tu le souhaites, tu pourras reprendre un train de Washington pour revenir, mais cette scène ne peut que vous faire du mal à tous les deux.

— Revenir ? cria Travis en éclatant de rire. Tu es fou, Sam ! Je ne reviendrai ici que lorsque j'aurai assez d'argent pour reprendre mon fils à cette femme.

— Il est dehors, dit rapidement Kitty en espérant que l'idée de voir John lui ferait reprendre ses esprits. Je l'ai amené pour que tu puisses lui dire au revoir, Travis. Il est sous l'abri avec Lottie. Je comprends que tu sois furieux envers moi, mais tu ne peux pas en vouloir à John. S'il te plaît. Je lui ai dit qu'il venait voir son papa.

Travis jeta la tête en arrière et éclata d'un rire mauvais.

— Ça ne m'étonne pas ! Tu serais trop contente que mon fils me voie dans cet état, hein ?

Mon Dieu, pourquoi n'avait-elle pas écouté les autres ? Travis et elle auraient pu discuter. Peut-être Travis aurait-il admis qu'il mourait d'envie de connaître un peu d'aventure. Oh, tout, mais pas cela. Mon Dieu, pas cela. Il ne fallait pas qu'il parte en la haïssant.

— Travis, dis au moins au revoir à John, le supplia-t-elle.

Il lui jeta un regard si haineux que le cœur de Kitty se serra.

— D'accord, fit-il d'une voix pâteuse. Je vais le voir. Je vais lui dire que je reviendrai. Mais ne m'approche pas, Kitty.

Il avança vers la porte d'un pas hésitant. Kitty s'accrocha au bras de Sam, en larmes, le cœur brisé.

— Ne faites pas attention à ce qu'il dit, Kitty, soupira-t-il. Il rumine non seulement ce qui s'est passé hier soir, mais aussi tous ces derniers mois ; je crois qu'il est en train de craquer.

— Moi aussi.

Il lui souleva le menton de sa main épaisse et l'obligea à croiser son regard pénétrant.

— Vous avez réfléchi, de votre côté, n'est-ce pas, mon petit ? Votre travail vous manque ? Et maintenant, vous vous haïssez, parce que vous vous dites que vous serez peut-être plus heureux chacun de votre côté. Mais écoutez-moi bien : cela ne durera pas. Je vous connais depuis trop longtemps, tous les deux. Vous vous retrouverez, c'est inscrit au creux de mes vieux os, je le sais. Peut-être avez-vous seulement besoin de vous séparer quelque temps. Cela vous sera salutaire.

Kitty s'approcha de la fenêtre et contempla les gens qui s'activaient sur le quai. Sous l'abri, Travis serrait John dans ses bras.

— Ne vous mettez pas martel en tête, dit Sam, debout derrière elle. Une fois en route, lorsqu'il aura repris ses esprits, je lui raconterai toute l'histoire. Et quand il aura compris, il cessera de vous en vouloir. Il reviendra ici au galop dès que notre mission sera terminée. Vous verrez.

Kitty se retourna et adressa au vieux Sam un regard illuminé d'un vague espoir.

— Croyez-vous... vraiment ?

— Ce que je crois, c'est que vous devriez continuer à sonder le fond de votre âme pendant son absence, répondit Sam, mal à l'aise. Réfléchissez, peut-être mourez-vous d'envie de retourner travailler dans cet hôpital. Peut-être Travis n'était-il pas le seul à dépérir à la ferme.

Kitty ressentit une vague d'amour pour le vieil ours aux cheveux gris, et elle se hissa sur la pointe des pieds pour l'embrasser sur la joue.

— Vous avez toujours su lire en moi comme dans un livre, Sam. Je ne peux avoir aucun secret pour vous.

— C'est vrai, fit-il en souriant fièrement et en lui pressant le bras. Je vous ai dit que vous aimiez Travis avant même que vous ne l'ayez admis vous-même. Mais j'ai douté, pour tout vous avouer, vous êtes tellement butés, tous les deux !

A cet instant, trois coups de sifflet retentirent ; le chef de gare agitait les bras. Sam conduisit Kitty dehors jusqu'à Travis, John et Lottie. En voyant Kitty, le garçonnet s'écria :

— Maman !

Travis releva vivement la tête et ses yeux se plissèrent.

— Je reviendrai, dit-il d'une voix calme et menaçante. Tu peux en être sûre, Kitty.

— Je t'attendrai. (Elle se mit à sangloter.) Et nous parlerons.

— Nous n'avons plus rien à nous dire, Kitty. Je reviendrai pour prendre John, c'est tout.

Elle comprit qu'il était moins saoul, car sa voix avait perdu ses accents traînants. Il fit un signe de tête à Lottie.

— Emmenez le petit et allez attendre quelque part, lui dit-il. Je te rejoins dans le train, ajouta-t-il à l'attention de Sam.

Une fois seul avec Kitty, il lui prit le poignet et le serra. Elle grimaça sous la douleur mais, s'il le remarqua, il n'en laissa rien paraître.

— J'ai tout fait pour toi, grommela-t-il. Tout ça à cause de ton maudit bout de terrain. J'ai mené l'existence que tu voulais, pour te rendre heureuse, et qu'ai-je obtenu en échange ?

— Travis, laisse-moi t'expliquer. Ce n'est pas ce que tu crois.

— Tu as toujours été la femme la plus belle que j'aie jamais vue, poursuivit-il sans relever l'interruption. Jamais aucune autre n'a pu me faire vibrer comme toi. J'aurais soulevé des montagnes, pour toi, j'aurais fait n'importe quoi, du moment que je t'avais à mes côtés.

Ses yeux se durcirent.

— Mais je comprends maintenant ce que tu me répétais sans cesse pendant la guerre, lorsque tu me haïssais. Ce n'était qu'un plaisir animal, Kitty. Et j'ai été assez idiot pour croire que tu m'aimais.

— Mais je t'aimais, Travis ! s'écria-t-elle.

Il resserra sa poigne et la repoussa contre le mur en planches de la gare.

— Il faut me croire ! insista-t-elle. Je t'aimais et je t'aime encore, et jamais je ne cesserai de t'aimer !

— Tu m'as attaché à une charrue comme une putain de mule ! La seule chose qui t'intéressait, c'était d'avoir un mâle pour labourer la précieuse terre de ton papa. Eh bien, Kitty, il est temps que tu comprennes que j'ai un idéal, moi aussi. Et je vais le poursuivre. Mais attention, je reviendrai chercher mon fils. Tu ne me prendras pas John.

Il la lâcha, tourna les talons et marcha d'un pas vif, puis courut vers le train, qui démarrait déjà lentement. Kitty se lança à sa poursuite, l'implorant, courant derrière lui. D'un bond, Travis grimpa sur le marchepied et disparut sans se retourner.

A chaque tour de roue, Kitty sentit la vie s'écouler hors de son corps. Elle ne pouvait pas laisser Travis s'en aller ainsi, la haine ancrée au cœur. Elle courut derrière les wagons, les bras tendus. Le train était la dernière chose qui la rattachait à Travis. Elle accéléra encore l'allure... et soudain elle sentit qu'on la prenait par la taille pour la faire pivoter.

— Lâchez-moi ! hurla-t-elle en se débattant.

Le train s'éloignait de la gare et, lorsqu'il disparut au loin, Kitty retomba, vaincue, dans les bras qui l'avaient retenue. Travis était parti. Il était trop tard.

— Kitty, qu'est-ce qui vous prend ? Vous vouliez vous faire tuer ?

Cette légère intonation virginienne ! Elle se raidit et se tourna lentement vers les yeux noisette de Jerome Danton. Les poings serrés, elle déclara :

— Retirez vos sales mains de moi, espèce de *carpetbagger* !

— Kitty, Kitty, Kitty, dit-il en riant doucement,

quand cesserez-vous de me traiter ainsi ? Je ne demande qu'à être votre ami.

— Mon ami ! railla-t-elle. Chaque fois que vous avez prétendu être mon ami, vous étiez animé de motifs inavouables. Vous n'êtes qu'une crapule ! Jamais je n'oublierai comment vous et votre bande de complices cachés sous vos capuches avez assassiné des Noirs sans défense, ni comment, sous prétexte de l'amitié que vous me portiez, vous m'avez accompagnée à La Nouvelle-Orléans sous prétexte de récupérer mon fils, avant d'essayer de me violer.

— De vous faire l'amour, ma chère, corrigea-t-il d'une voix douce en secouant la tête. Vous savez depuis toujours combien vous me plaisez. Quant à l'assassinat de Noirs sans défense, il fallait que quelqu'un mette de l'ordre par ici. Ces prétentieux s'étaient monté la tête après la guerre, ils pillaient la région à l'envi. Ne dites pas n'importe quoi.

— Je vous saurais gré de rester en dehors de ma vie, Jerome, et si vous ne me lâchez pas le bras, je vous plante mes ongles dans le visage. Comment expliquerez-vous cela à votre femme ? Croyez-vous que Nancy aimerait vous voir ici agrippé à moi ?

— Allons, Kitty, qu'est-ce qui te permet de croire que Jerome me doit des explications ?

Ils firent volte-face dans un même élan, Nancy les observait en faisant tournoyer son parapluie au-dessus de sa tête, un sourire triomphal aux lèvres. Jerome lâcha promptement le bras de Kitty.

— J'ai toujours su que tu avais des vues sur mon époux, Kitty, fit Nancy en inclinant légèrement la tête de côté pour mieux dévisager sa rivale. Mais sincèrement, puisque tu as décidé de partir à la chasse à l'homme à la minute même où ton mari a le bon sens de te quitter, je te conseille de t'habiller avec un peu plus de soin.

Jerome fit un pas vers sa femme et lui passa un bras autour des épaules.

— Ce n'est pas ce que vous croyez, ma chérie. Kitty était un peu énervée, elle s'est approchée trop près des rails et...

Nancy le réduisit au silence d'un regard glacial.

— J'ai tout vu et tout entendu, abruti. Inutile de me mentir. Travis l'a quittée, bon débarras. Quant à ce qu'elle va devenir maintenant, c'est elle que cela regarde, pas vous.

Les pupilles de Jerome Danton se rétrécirent. Sa femme avait le don de le tourner en ridicule, et il lui en voulut plus que jamais de le faire devant Kitty.

— Je n'ai pas d'ordres à recevoir de vous, femme. Kitty est mon amie et le restera toujours. Alors emmenez cousin Leroy à la voiture et demandez-lui s'il a récupéré ses bagages. Je m'occupe de raccompagner Kitty jusqu'à sa carriole. Elle est bouleversée.

— Je vous ordonne de venir avec moi ! s'écriat-elle en frappant du pied et en brandissant son parapluie vers Kitty dans un moulinet menaçant. Il n'est pas question que vous escortiez cette traînée. Je ne tiens pas à être la risée de la ville.

— Nancy, je ne tolérerai pas que vous l'insultiez, ni que vous me donniez des ordres. Je suis votre mari, et vous allez m'obéir.

Lassée de ces deux imbéciles suffisants, Kitty tourna les talons et se dirigea vers la charrette dans laquelle Lottie l'attendait avec John.

Jerome l'appela, mais elle ne se retourna pas. Lorsqu'il voulut la suivre, Nancy le rattrapa par la manche de sa redingote et siffla :

— Va-t'en au diable ! Je t'interdis de lui courir après et de m'infliger pareil affront ! C'est grotesque.

— C'est toi qui viens de te ridiculiser, Nancy, rétorqua-t-il sèchement en la repoussant.

Kitty avait déjà détaché la mule et grimpait à côté de Lottie. Le visage déformé par la colère, Nancy regarda son époux la rejoindre. Elle ne pouvait entendre ce qu'ils se disaient, mais l'expression de Jerome lui apprit qu'il plaidait sa cause, et Kitty semblait irritée. «Aucune importance», songea Nancy en faisant demi-tour dans un frou-frou de jupons. Cette garce jouait la comédie. Maintenant que Travis était parti, Kitty redeviendrait comme elle l'avait toujours été avec les hommes. Il les lui fallait tous, et celui de Nancy ne ferait pas exception. Mais cette fois, elle ne l'aurait pas.

Elle avait réussi à ensorceler Nathan, puis Corey McRae, songea Nancy avec rage. Avant que Kitty ne revienne en ville, Corey était prêt à lui demander sa main. Mais cette garce était venue jouer sa petite comédie — sûrement rien qu'une femme respectable aurait osé songer faire — et Corey avait immédiatement succombé.

Non, elle ne la laisserait pas lui prendre son mari. Elle avait failli y parvenir, un jour. Puis Travis était revenu et Kitty avait rejeté Jerome pour son officier yankee. Nancy soupira. Elle devait avouer qu'elle la comprenait. Lorsqu'elle songeait aux instants qu'elle avait connus dans les bras de Travis Coltrane, un élan de chaleur la parcourait. Jamais elle n'oublierait les moments ardents et passionnés que lui avait fait connaître cet homme. Aucun autre ne l'avait possédée ainsi, ne l'avait fait vibrer d'émotions qui l'avaient laissée toute tremblante.

«Oh, maudite soit Kitty!» jura-t-elle en son for intérieur. Qu'avait-elle donc pour faire tourner ainsi la tête des hommes? Certes, elle était ravissante, avec ses cheveux blond vénitien, ses yeux violets et son corps parfaitement sculpté, mais ce n'était pas tout. Il devait y avoir autre chose. Peut-être était-ce une sorcière ?

— Petite sotte ! lança Jerome en lui pinçant le bras. Il a encore fallu que vous vous donniez en spectacle !

— C'est vous qui vous donnez en spectacle avec cette grue, depuis des années ! répliqua Nancy en se dégageant brutalement. Et ne me touchez pas comme cela sinon vous l'aurez, votre scène. Je ne tolérerai pas que vous vous jetiez à la tête de cette garce, dit-elle d'une voix tranchante. Je ne parle pas à la légère, Jerome. Quand je pense qu'elle vous a tiré dessus et qu'à cause d'elle vous êtes condamné à boiter toute votre vie !

— Taisez-vous ! Peu importe ce qui a pu se passer. Kitty est seule, maintenant, son mari l'a manifestement quittée. Avec un enfant en bas âge et une ferme sur les bras, elle va avoir besoin d'amis. J'ai bien l'intention de figurer parmi eux, et vous n'avez rien à dire à cela !

Je ne la laisserai pas faire, songea Nancy, dévorée par la fureur et la jalousie. Cette fois, Kitty Wright n'aura pas mon homme. Cela me prendra le temps qu'il faudra, mais c'est moi qui aurai le dessus, j'en fais le serment.

4

Kitty était intriguée et ennuyée. Le Dr Sims lui avait fait dire qu'il désirait la voir lorsqu'elle aurait fini sa journée. Comme d'habitude, elle était pressée de rentrer chez elle. Elle se déplaçait à présent avec une jument, ce qui était plus rapide que la charrette. Il lui fallait une demi-heure pour aller récupérer John chez Mattie, puis de là, un quart d'heure pour regagner la ferme. Ce soir-là, un orage menaçait et la perspective de rentrer sous la pluie ajoutait à la morosité de Kitty.

La journée avait été harassante. Douze jeunes femmes s'étaient inscrites au cours qu'elle donnait à l'hôpital et, au bout de quinze jours, il en restait sept. Elles n'étaient plus que six, à présent, et l'une d'elles s'était évanouie le matin même en assistant à une opération. Cela signifierait probablement la fin de sa carrière médicale.

Peut-être, songea Kitty en soupirant, son projet avait-il été présomptueux. L'hôpital de Goldsboro était petit. Si des femmes étaient véritablement intéressées par la médecine, elles feraient sans doute mieux d'aller dans une grande ville comme Raleigh ou Wilmington, où l'on disposait de meilleures installations et où elles apprendraient des techniques modernes.

Elle marqua une pause devant la porte du médecin. Malgré son âge, il ne rechignait pas à la tâche et jouissait de l'estime et du respect de tous. Kitty ferma les yeux et se souvint de l'époque où les Yankees dirigeaient l'hôpital. Ils l'en avaient chassée, un soir, parce qu'elle attendait un enfant et n'était pas mariée. Elle frissonna. Cela avait marqué le début du cauchemar qui la hanterait toute sa vie durant.

Irritée d'avoir cédé à la vague de mauvais souvenirs, elle frappa à la porte. Le Dr Sims l'attendait et l'accueillit les mains tendues.

— Asseyez-vous, asseyez-vous, dit-il avec un large sourire, Kitty, mon enfant, nous avons si rarement l'occasion de parler. Je voulais vous féliciter depuis longtemps pour le travail merveilleux que vous

accomplissez ici, non seulement auprès des infirmières, mais des patients, également. Vous nous êtes
vraiment précieuse, mon enfant. Vous possédez un
don éblouissant.

Elle lui rendit son sourire et déclara avec
franchise :

— Je vous remercie pour vos louanges, docteur,
mais il faut vraiment que j'y aille. La route est
longue.

— Je ne le sais que trop, l'interrompit-il gentiment. Et c'est précisément la raison pour laquelle je
vous ai convoquée. Mrs Sims et moi-même nous faisons du souci pour vous, nous n'aimons pas vous
savoir seule sur les routes à des heures pareilles.

Il se percha sur le rebord de son bureau et croisa
les bras.

— Oh, les jours rallongent vite, maintenant, et
bientôt je n'aurai plus à chevaucher de nuit.

— Mais voyez ce soir, par exemple, dit-il en montrant par la fenêtre les nuages noirs qui s'amoncelaient. Il va pleuvoir et il est déjà très tard. Vos
étudiantes sont parties il y a plusieurs heures.

— Il y avait un patient très déprimé, expliqua-
t-elle. Il m'a demandé de lui parler, je n'ai pas pu
refuser.

Le médecin soupira et agita le doigt devant elle.

— Vous en faites trop, Kitty. C'est admirable,
mais songez à la route qui vous attend encore le soir.
Et puis, il est dangereux pour une femme de sillon-
ner ainsi seule la campagne.

Kitty haussa les épaules.

— Très bien, je m'efforcerai de rentrer plus tôt,
désormais. Je ferai de mon mieux. Et à présent, je
dois vous laisser.

Elle se levait déjà, mais le Dr Sims lui fit signe de
se rasseoir.

— Non, mon enfant. Mrs Sims et moi-même avons discuté de votre cas, et nous aimerions vous offrir le gîte et le couvert chez nous, afin de vous épargner ces longs trajets matin et soir. Vous ne nous devrez rien, ce sera notre façon de vous exprimer notre gratitude pour l'excellent travail que vous fournissez ici. Nous sommes bien conscients que vos services ne sont pas assez rémunérés.

— Attendez, docteur, fit Kitty en levant une main. C'est merveilleux de votre part de me faire cette proposition, et je suis extrêmement touchée par votre gentillesse, mais vous oubliez que j'ai un fils, et il m'est déjà assez difficile de ne pas le voir de toute la journée. Je ne saurais renoncer au peu de temps que je passe avec lui le soir.

Il hocha la tête.

— Je sais bien, Kitty. Je vous comprends, mais je suis certain que Mrs Glass serait heureuse de le garder le soir, et vous l'auriez le dimanche.

— Non, dit-elle en se levant. Pour rien au monde je ne laisserais mon fils à Mattie toute la semaine. Peut-être n'aurais-je pas dû me lancer dans cette entreprise, mais mon mari est absent pour plusieurs mois, et je suis obligée de travailler pour nourrir John et l'habiller. C'est dur mais, lorsque Travis sera revenu, nous remettrons de l'ordre dans notre existence.

Elle vit l'expression de compassion dans le regard du vieux médecin et comprit que lui non plus, à l'instar de beaucoup d'autres, ne croyait pas au retour de Travis.

— Je vous remercie pour votre offre généreuse, et pour le souci que vous prenez de ma personne, docteur Sims. Et veuillez transmettre toute ma gratitude à votre épouse. Mais je ne peux accepter. Je tâcherai de repartir plus tôt le soir. Et maintenant, si vous voulez bien m'excuser, je vais rentrer.

Elle était presque à la porte de l'hôpital lorsque l'une des infirmières l'appela :

— Mrs Coltrane, puis-je vous parler, s'il vous plaît ?

Kitty poussa un soupir et se tourna vers le visage anxieux de la femme.

— Mr Wallace, que l'on a opéré ce matin, est très agité, dit-elle, hors d'haleine. Je craignais que vous ne soyez déjà partie. Il vous réclame, je sais qu'il est tard, mais si vous pouviez juste lui parler, l'apaiser... Malgré tous nos efforts, nous ne parvenons pas à le calmer.

Kitty suivit sans hésiter l'infirmière en haut des escaliers. Bien sûr, aucune n'avait su prendre Frank Wallace. Car aucune n'avait soigné un amputé, ni même assisté à une amputation, et ne pouvait en comprendre toute l'horreur.

Allongé sur le dos, Frank Wallace gémissait. Ses yeux ouverts trahissaient sa douleur. Le linge blanc qui couvrait le moignon de sa jambe gauche était taché de sang.

— Le Dr Baston lui a donné de la morphine tout à l'heure, nous ne savons plus que faire, bredouilla l'infirmière avec nervosité.

— Vous pouvez changer son bandage, répliqua sèchement Kitty, incapable malgré ses efforts de faire preuve de plus de douceur.

L'autre se raidit.

— Nous l'avons déjà changé il y a une demi-heure.

— Eh bien, recommencez, je vous prie.

Kitty posa sa paume sur le front du malade.

— Frank ? C'est Kitty. Vous m'avez appelée ? murmura-t-elle.

Avec une force surprenante, il accrocha ses doigts noueux à son poignet.

— Kitty, le ciel soit loué, vous êtes venue, dit-il

61

d'une voix faible. Je me sens toujours mieux quand vous êtes là.

— Eh bien, je vais rester à votre chevet jusqu'à ce que vous dormiez.

Elle retira sa main et remonta le drap sous le menton de Frank avant de s'asseoir sur une chaise à côté de lui.

— Serez-vous là quand je me réveillerai ? demanda-t-il avec espoir.

Elle se pencha et lui adressa un sourire rassurant.

— Allons, Frank, vous vous sentirez tellement mieux après une bonne nuit de sommeil que vous n'aurez même plus envie de me voir. Et vous savez que j'ai un petit garçon. Il se demanderait où est sa maman. Allongez-vous et essayez de dormir.

— ... M'ont enlevé ma jambe, balbutia-t-il les larmes aux yeux. Plutôt mourir, maintenant... Je ne suis plus un homme.

Kitty répondit d'une voix sévère :

— Frank, si vous continuez à dire des bêtises, je ne reste pas avec vous. Vous n'êtes pas le premier à perdre une jambe si longtemps après la guerre, et vous ne serez hélas pas le dernier. Quand on a reçu une balle dans le corps, les blessures risquent toujours de s'infecter et de poser des problèmes. Et ne venez pas me dire que vous n'êtes pas un homme. Je vous ai vu vous comporter en brave et je suis fière de vous, Frank.

Elle s'interrompit, se pencha et poussa un soupir de soulagement en constatant qu'il s'était endormi.

L'infirmière la considéra avec admiration.

— Vous savez tellement bien vous y prendre avec les patients, Mrs Coltrane. J'ai bien peur qu'aucune d'entre nous ne possède votre don.

Kitty se leva avec lassitude.

— Ce n'est pas un don. Il suffit simplement de leur

faire comprendre que quelqu'un les aime bien et pense à eux. S'il vous plaît, n'oubliez pas de refaire son pansement. Cela ne l'aidera pas s'il voit tout ce sang à son réveil.

Lorsqu'elle sortit, il faisait nuit. La lune était cachée par les nuages ; de temps à autre, un éclair zébrait le ciel et éclairait le chemin d'une lueur bleuâtre tandis que Kitty s'engageait dans la campagne. Un vent chaud ployait les branchages, produisant un bruissement inquiétant.

Kitty s'en voulait de s'être autant attardée. John dormirait lorsqu'elle arriverait chez Mattie, et Mattie insisterait pour qu'il passe la nuit chez elle. Et elle aurait raison. Quel intérêt y aurait-il à réveiller le pauvre enfant pour le ramener de bonne heure le lendemain matin ? Mais Kitty voulait être auprès de lui, même pour peu de temps.

Travis. Combien il lui manquait... Elle priait pour qu'il pense autant à elle. Si seulement les choses n'avaient pas tourné ainsi...

Une goutte de pluie s'écrasa sur son nez, puis les cieux s'ouvrirent et déversèrent des trombes d'eau. Elle fut rapidement trempée jusqu'aux os. Le ciel explosait en cascades aveuglantes, et soudain, Kitty distingua le pont. Elle traversa la Neuse et s'engagea avec appréhension dans la région marécageuse qui s'étendait de l'autre côté de la rivière.

Un nouvel éclair fendit le ciel, et Kitty aperçut ce qu'elle cherchait : la vieille cabane en planches qui avait jadis été celle de la famille d'Orville Shaw. Elle était en ruine, mais tout abri serait bon, ce soir-là.

— Par ici, ma fille, dit-elle en guidant la jument à travers les décombres éparpillés dans la cour. Nous allons attendre quelques minutes que l'orage se calme.

Devant la cabane, Kitty mit pied à terre et conduisit l'animal à l'intérieur avec elle, craignant à tout moment que le toit ne s'abatte sur leurs têtes. Elle s'effondra sur le rude plancher. Ce lieu aussi lui rappelait d'amers souvenirs. Andy Shaw. De tous les enfants d'Orville et Ruth Shaw, Andy était le préféré de Kitty. Il avait des cheveux d'un roux flamboyant et, malgré la pauvreté de sa famille et son ivrogne de père, son visage constellé de taches de rousseur était toujours souriant. Andy s'était fait tuer à la guerre. Il était mort bravement, comme un homme, et non comme le gosse qu'il était encore.

Elle tressaillit en songeant au père d'Andy, Orville. Il n'existait pas créature plus mauvaise que lui, hormis son acolyte Luke Tate. Jadis régisseur chez les Collins, Luke avait été renvoyé pour avoir agressé Kitty. Pour se venger, il avait enlevé la jeune fille et l'avait gardée prisonnière pendant que lui et sa bande pillaient et violaient. Lors d'un de leurs raids, Orville avait été blessé au coude et Luke avait ordonné à Kitty de le soigner. Elle avait pratiqué la première amputation de sa vie. Puis elle avait tenté de fuir ces atrocités, elle avait couru dans la neige... L'ignoble Luke Tate l'avait rattrapée et, alors qu'il allait la violer sur place, les Yankees étaient arrivés.

Un sourire éclaira le visage de Kitty lorsqu'elle revit le séduisant visage qui se trouvait face à elle, les cheveux noirs, les yeux de la couleur et de la froideur de l'acier. Elle s'était crue sauvée, alors, mais l'homme s'était expliqué :

— Vous ne comprenez pas, Miss Wright. Je suis le capitaine Coltrane de l'armée de l'*Union*, et vous êtes à présent *ma* prisonnière.

Kitty ne put s'empêcher de rire, assise dans la vieille cabane. C'était ainsi qu'elle avait rencontré Travis. Au début, elle avait cru que son cauchemar ne faisait que continuer, mais après la colère et la rage il y avait eu la douceur, la passion. Le désir et l'amour mêlés à la haine. Le feu qui les consumait...

Perdue dans ses rêveries, Kitty poussa un cri en voyant une ombre se dresser sur le seuil.

— N'ayez pas peur, dit une voix à l'accent familier. C'est moi, Kitty, j'étais inquiet pour vous.

— Jerome ! s'écria-t-elle en se levant, furieuse. Comment savez-vous que j'étais ici ?

— Je vous ai vue passer devant mon magasin alors que je fermais. Avec ce terrible orage qui couvait, j'ai décidé de vous suivre pour vous proposer de vous raccompagner dans ma voiture. Mais j'ai eu des problèmes avec le harnais de mon cheval, et vous m'avez distancé. Je pensais bien que vous vous seriez abritée.

— Et vous ne doutiez pas que je repartirais avec vous ? demanda-t-elle sèchement. Jerome, combien de fois me faudra-t-il vous dire que je ne veux pas de votre aide ? Nous ne pourrons jamais être des amis. Je vous en prie, allez-vous-en. Je reprendrai la route dès que la pluie cessera.

— C'est bien parti pour durer toute la nuit. Je connais ces orages de printemps. Et si vous voulez poursuivre votre route maintenant, votre cheval risque de se perdre dans les marais.

— Je préfère courir ce risque plutôt qu'être seule avec vous, Jerome Danton.

Elle posa ses mains sur ses hanches, et ses yeux lancèrent des éclairs.

— Je vous préviens, sortez et laissez-moi tranquille.

— Ou sinon ? De quoi me menacez-vous ? demanda-t-il en riant. Qu'espérez-vous faire, Kitty ? Nous sommes seuls au beau milieu d'un orage mais, croyez-moi, le feu qui consume tout mon être n'est pas moins ardent, depuis le jour où j'ai posé les yeux sur votre corps magnifique.

Il la saisit par la taille et lui caressa la poitrine tandis que ses lèvres s'écrasaient contre les siennes.

— Et maintenant, vous allez être mienne, ma chère, murmura-t-il d'une voix rauque.

Il fit ployer ses genoux et s'affaissa au-dessus d'elle. De sa main, il la fit taire et, lorsqu'elle le mordit, il déchira sa chemise et pinça brutalement son mamelon gauche.

— Si tu recommences, petite vipère, je te l'arrache !

Il accentua sa pression et elle laissa échapper un gémissement de douleur. A cet instant, une voix féminine poussa un cri strident.

— Espèce de salopard ! Monstre de lâcheté ! Et toi, petite putain ! J'en étais sûre ! Je savais que tu attendrais la première occasion pour te jeter à la tête de mon mari !

Elle fit craquer une allumette et une lanterne diffusa sa faible lumière.

— Nancy, non ! fit Jerome en se redressant, les bras tendus en un geste implorant. C'est elle qui m'a attiré ici. Je n'avais aucune idée de ce qu'elle mijotait, elle...

— Tais-toi, espèce de répugnant menteur ! s'écria Nancy en levant la lanterne au-dessus de sa tête. Je ne comprends que trop bien ce qui se passe. Crois-tu que je ne t'aie pas vu ? Je t'ai suivi jusqu'ici, en te laissant juste assez de temps pour être surpris en pleine action.

— Ce n'est pas ce que tu crois, répéta-t-il en recouvrant peu à peu sa dignité. Tu sais que c'est une vraie coquine. Elle avait besoin d'argent, elle m'a joué la comédie, elle a prétendu avoir des ennuis.

— Et tu es tombé dans le panneau, railla Nancy. Comme tous les autres qu'elle a réussi à charmer par ses manœuvres inavouables. Je la connais bien, vois-

66

tu, mon cher mari. Elle me fait souffrir depuis des années. Eh bien, c'est terminé !

Kitty avait rassemblé les morceaux de sa chemise sur sa poitrine. Elle se campa devant Nancy et s'écria avec colère :

— Petite dinde prétentieuse ! Comment oses-tu prétendre que ton mari m'intéresse ? Jerome m'a suivie ici et a essayé de me violer. Je peux te garantir que je vais aller directement voir le shérif. Je suis prête à lui montrer les bleus sur ma poitrine s'il le faut. Vous n'allez pas vous en sortir comme ça, tous les deux, à rejeter la faute sur moi !

Elle fit un pas en avant.

— J'en ai plus qu'assez de toi, Nancy ! Combien de fois m'as-tu joué de sales tours ? J'ai perdu le compte, mais je ne te laisserai pas recommencer !

— Pas un geste de plus !

Jerome poussa un cri.

— Mon Dieu, Nancy ! Pose ce fusil !

— Je ne l'utiliserai que si elle m'y oblige, déclara Nancy d'un ton menaçant. Mais crois-moi, je tirerai sans l'ombre d'un regret.

Kitty cligna des yeux.

— Tu... Tu es folle ! murmura-t-elle en secouant la tête.

Nancy eut un sourire mauvais. Ses dents ressemblaient à autant de crocs.

— Peut-être, Kitty Wright. De te voir lui voler tous les hommes qu'elle ait jamais voulus suffirait à rendre folle n'importe quelle femme. Mais je vais me débarrasser de toi une bonne fois pour toutes. Je n'aurai plus à me ronger les sangs chaque fois que je penserai à toi.

Jerome avança d'un pas, mais Nancy pointa le fusil sur lui et hurla :

— Je m'en servirai si tu m'y contrains, Jerome. Et

maintenant, sors d'ici. Regagne ta voiture et rentre en ville. Je m'occupe du reste.

Le regard de Jerome passa de l'une à l'autre, incertain, puis revint vers Nancy.

— Je ne peux pas te laisser ici comme cela. Tu es capable de la tuer, Nancy. Range ce fusil et parlons calmement.

— Il veut parler, maintenant ! cria Nancy avec un petit rire strident. Contente-toi de rentrer à la maison, mon cher mari aimant. Je te rejoindrai. Et ne t'inquiète pas, je ne tuerai cette petite grue que si elle essaie de faire des siennes.

— Mais... que vas-tu... ? bredouilla-t-il.

Nancy se tourna à demi vers lui et déclara avec un sourire méprisant :

— Je perds patience, Jerome. Sors d'ici. Je m'occuperai de toi à mon retour.

Il secoua la tête avec détermination.

— Non. Il n'est pas question que je te laisse ici prête à commettre quelque folie. Je t'ordonne de m'obéir.

Elle haussa un sourcil amusé.

— Oh, c'est donc toi qui donnes des ordres, maintenant ? Ne me contrarie pas davantage, Jerome. La seule raison pour laquelle je ne t'ai pas tué est que je connais Kitty. Je sais qu'elle est capable d'ensorceler les hommes. Je devine bien que tu n'as pas pu lutter. Mais tu ferais mieux de ne pas te mêler de cela. Tu devrais avoir l'intelligence de saisir qu'en quelques années de mariage j'ai eu le temps de comprendre que tu trempes dans toutes sortes d'affaires louches. Et s'il me prenait l'envie de raconter tes bassesses à tout le monde, tu finirais ta misérable vie derrière des barreaux.

Suffoqué, il proféra quelques protestations muettes avant d'exploser :

— Tu ne sais même pas de quoi tu parles, femme ! Ce genre de menaces ne me fait pas peur.

— Espèce de menteur et de couard ! hurla Nancy. Si tu ne sors pas d'ici immédiatement, je vous tue tous les deux pour en finir !

— Eh bien soit, vas-y ! Tue-la ! Et sois pendue ! On pend aussi les femmes, tu sais.

Tout en parlant, il gagnait la porte en boitillant lentement.

— Je me moque de ce que tu feras. Tu es folle. Tu as toujours été folle. Comme ai-je pu t'épouser ?

Il disparut dans la nuit, le vent et la pluie.

Perdu dans ses pensées, Jerome Danton regagna sa voiture sans voir la silhouette de l'homme à cheval. L'homme observait ; l'eau dégoulinait de son chapeau. Il était trempé jusqu'à la moelle, mais ne s'en rendait même pas compte.

L'homme ne quittait pas des yeux la cabane.

Il était presque au bout de l'attente.

5

— Ma foi, Kitty, je dois reconnaître que tu ne manques pas de courage. Je braque un fusil droit sur ton cœur, et tu restes tranquillement campée devant moi. Peut-être es-tu réellement une sorcière, tout bien considéré. Et tu t'es jeté un sort pour te rendre forte et brave et ne pas me procurer la satisfaction de te voir blêmir d'effroi.

Kitty la regarda droit dans les yeux.

— Si je pouvais jeter des sorts, Nancy, il y a longtemps que je t'aurais transformée en serpent.

Nancy sourit.

— Je n'ai pas l'intention de te tuer, tu sais. Mais si tu continues à prononcer des paroles désagréables, tu pourrais bien m'y conduire.

— Bon, dit calmement Kitty. Pouvons-nous parler de cela ? Ton mari ne m'intéresse pas, Nancy, contrairement à ce que tu sembles croire. Il se trouve que j'aime Travis. Jerome a tenté de me violer, et je suis heureuse que tu sois arrivée à temps pour l'en empêcher, j'espère que cela lui servira de leçon. Et maintenant, j'aimerais vraiment repartir.

Nancy ne bougea pas.

— Crois-tu que je vais passer ma vie à m'inquiéter des faits et gestes de mon mari simplement parce que tu n'es pas capable de retenir Travis ? Je savais que tu n'étais pas assez femme pour Travis Coltrane, ajouta-t-elle avec un sourire triomphal. Il t'a épousée uniquement par honneur, parce que tu l'as convaincu que ton bâtard était de lui. Je ne suis pas surprise qu'il t'ait quittée. Tu n'auras pas Jerome. Il y a peut-être plus séduisant et meilleur amant, mais il se trouve qu'il est extrêmement fortuné, or c'est tout ce qui m'intéresse. Il m'appartient, et j'ai bien l'intention de le garder.

— Garde-le. Tu as ma bénédiction. (Kitty commençait à s'impatienter.) Je te promets, Nancy, que je ne veux pas de Jerome. Pose ce fusil et laisse-moi partir. Mon petit garçon m'attend, et je suis sûre que Mattie doit se faire un sang d'encre.

Nancy gloussa méchamment.

— Eh bien, Mattie va continuer à s'inquiéter, et ton enfant attendra toute sa vie le retour de sa maman, parce que tu ne rentreras pas, Kitty. Ni ce soir ni demain. Ni jamais. J'ai décidé de te rayer de mon existence.

— Alors il va falloir me tirer dessus, bon Dieu,

Nancy ! J'en ai assez de rester là à écouter tes discours oiseux.

Kitty traversa la cabane et reprit les rênes de la jument, puis la guida jusqu'à la porte. Elle savait Nancy capable de tirer, mais il lui fallait encourir ce risque. Elle sortit dans la tourmente, et soudain elle se figea sur place.

— Non... C'est impossible...

Les mots ne parvenaient pas jusqu'à ses lèvres.

L'homme se tenait à quelques mètres d'elle, jambes écartées, les mains sur les hanches. Son poncho noir ruisselait sous la pluie. Ses lèvres s'écartèrent pour dessiner un sourire révélant des dents jaunies et gâtées.

— Si, c'est bien moi, Kitty, gloussa-t-il. Ça fait longtemps que j'attends cet instant.

— Non ! (Elle recula en lâchant les rênes et se trouva bientôt acculée à la cabane.) Pas vous ! Ô mon Dieu, pas vous ! Vous êtes mort ! Vous avez été tué.

— Par les Indiens ? s'écria-t-il en riant. Non, il faut plus qu'une bande de Cheyennes hystériques pour venir à bout de moi, femme. Je suis resté dans les parages, j'espérais bien qu'un jour ou l'autre on se retrouverait, tous les deux. Toujours aussi gironde, à ce que je vois.

Il tendit une main vers Kitty, mais elle l'esquiva sans cesser de le dévisager avec horreur.

— Ne me touchez pas, Luke Tate. Je préfère mourir que vous laisser poser une main sur moi.

Luke regarda Nancy debout derrière Kitty. Celle-ci alla lui donner le fusil, puis se tourna pour sourire à son ennemie.

— Luke et moi sommes de vieux amis, tu sais. Il est l'une des rares personnes à se rappeler combien Nathan et moi nous aimions avant que tu ne viennes tout gâcher.

— C'est vrai, approuva Luke sans lâcher Kitty des yeux.

Sa terreur l'amusait au plus haut point.

— Mais toi, tu incarnes le Mal. Bon Dieu, femme, regarde tout ce que j'ai fait pour tes beaux yeux !

Son rire était guttural.

— J'ai raconté à Luke comment tu faisais de l'œil à Jerome autrefois, poursuivit Nancy, et je lui ai dit que, Travis étant parti, tu recommencerais sûrement. Il a bien voulu m'aider... moyennant un bon prix.

Elle jeta un regard acéré à Luke, qui répondit rapidement, sur la défensive :

— Ne me jetez pas cet argent à la tête, femme. Vous vouliez l'éloigner d'ici, et moi j'étais fauché. J'ai préféré accepter votre argent plutôt que de dévaliser la banque et tuer ce crétin de shérif qui a remplacé Sam Bucher.

Encore sous le choc, Kitty puisa sa force dans la colère.

— C'est absurde ! J'ignore ce que vous avez en tête, tous les deux, mais vous ne vous en tirerez pas comme cela !

Luke passa une main autour de sa taille et l'attira contre sa poitrine. De sa main libre, elle voulut lui griffer le visage, hurlant de rage, mais il la frappa rudement. Kitty s'effondra sur le sol tandis que Nancy riait à gorge déployée.

— Oh, comme tout ceci m'amuse ! s'écria-t-elle avec jubilation. J'aurais aimé rester pour assister à la suite, mais hélas il faut que je rentre à la maison, maintenant.

Kitty se relevait péniblement, mais Luke posa sa botte boueuse sur son ventre et la plaqua à terre.

— Comment expliquerez-vous à votre mari que vous avez tiré tant d'argent sur son compte ? demanda-t-il à Nancy.

— Je vais lui dire la vérité, tout simplement.

Les sourcils de Luke s'arquèrent.

— Vous êtes folle ? On était d'accord, personne ne doit savoir que je suis revenu en ville.

— Il va se poser des tas de questions lorsque le bruit courra que Kitty a disparu. Cet imbécile est capable de croire que je l'ai tuée. Je préfère lui raconter ce qui s'est vraiment passé.

— Et s'il décide d'aller voir la police ?

— Pas de danger ! fit-elle en riant. J'en sais assez sur son compte pour le faire mettre sous les verrous. Il ne dira rien, je vous le garantis. Vous n'avez aucun souci à vous faire. Emmenez-la et disparaissez.

Elle contempla Kitty avec une satisfaction méprisante. Luke réfléchit quelques instants, puis annonça :

— Bon. De toute façon, là où on sera, plus personne ne viendra nous chercher des noises, et vous dites que ce fils de pute de Coltrane ne reviendra pas ?

— Mais oui, je vous ai déjà raconté la scène qui s'est passée à la gare. S'il revient, ce sera uniquement pour reprendre son fils.

— Il reviendra ! hurla Kitty en battant le sol de ses poings. Et il vous tuera tous les deux.

— Oh, la ferme ! J'en ai assez de tes braillements.

Il lui tira violemment une mèche de cheveux. Comme elle continuait à crier, il tira plus fort.

— Tais-toi ! Tu auras tout le temps de t'égosiller plus tard, et cette fois tu sauras pourquoi tu cries !

Elle se tut et Luke la releva sans ménagement.

— Allez, en route. Je veux être aussi loin que possible quand il fera jour. Et toi attention, au moindre bruit, je te battrai comme jamais tu ne l'as été. Compris ?

Elle hocha la tête, le visage encore cramoisi de la

gifle qu'il lui avait assenée. Elle observa silencieuse-ment Nancy, d'un œil si chargé de haine que celle-ci recula.

— J'aurai ma revanche, Nancy, murmura-t-elle d'une voix blanche. Et si ce n'est pas moi qui me venge, tu peux être sûre que tu répondras de toute ta méchanceté en enfer.

Elle poussa un cri de douleur tandis que Luke lui envoyait un coup de pied.

— Je t'ai dit de la fermer et tu vas m'obéir. (Il la poussa vers la jument.) Et maintenant, monte là-dessus et pas d'entourloupe, sinon je t'attache en tra-vers de la selle.

Kitty trébucha et se raccrocha au cou de l'animal. Elle dévisagea tour à tour Luke Tate et Nancy, et sen-tit la haine lui brûler les pupilles. Pour l'instant, la rage prenait le pas sur la terreur.

— Tu ne me fais pas peur, Kitty, railla Nancy. Tu l'as bien mérité. Peut-être, maintenant, Nathan pourra-t-il enfin reposer en paix.

— Ne crie pas victoire, Nancy Warren, ton heure viendra, rétorqua Kitty d'un ton glacial.

— Tu m'entends ? Grimpe sur ce bon Dieu de che-val, grogna Luke en avançant d'un air menaçant.

Il la guida dehors, et Nancy lui emboîta le pas.

— Je vous suis jusqu'à la limite de la ville.

— Vous rigolez ? On ne retourne pas en ville, je pars dans la direction opposée, ma petite dame.

— Mais... Mais vous aviez dit que vous me raccom-pagneriez en ville, pleurnicha Nancy, soudain effrayée. La route est longue, il fait nuit et il pleut à torrent. Et je suis toute seule. C'est très imprudent, pour une dame...

Luke eut un petit rire moqueur.

— Je plains plutôt celui qui osera vous agresser ! Et la meilleure chose qui pourrait arriver à Jerome

Danton serait que la foudre vous tombe dessus. Il n'aurait plus à vous supporter tous les jours.

— Quoi ! Comment osez-vous me dire une chose pareille alors que je viens de vous donner tout cet argent ? bafouilla-t-elle. De quoi aller jusqu'au Nevada.

Elle glissa dans la boue, faillit tomber et se rétablit rapidement en poursuivant :

— Et grâce à moi, vous avez enfin Kitty. Vous m'avez dit vous-même que vous l'aviez toujours voulue.

— Et je me réjouis d'autant plus de la voler à ce salopard de Yankee qui a tué tous mes hommes, fit Luke avec un petit sourire.

— Ecoutez-moi ! cria Nancy comme le vent et la pluie éteignaient sa lanterne. Vous ne pouvez pas repartir en m'abandonnant comme ça !

— Vous ne vouliez plus la voir, non ? Eh bien, je vous rends ce service. Mes fonds s'épuiseront tôt ou tard, vous savez, et il paraît qu'il y a des mines d'argent, au Nevada. Pour l'instant, la seule chose qui me préoccupe, c'est de quitter ce fichu pays avant qu'on commence à s'interroger.

En les écoutant sous la pluie, Kitty ne pouvait songer qu'à John. Comment réagirait-il en ne voyant pas rentrer sa maman ? Que lui dirait Mattie ? Elle refusa de laisser la détresse l'envahir, et soudain une vague d'espoir submergea son âme tourmentée.

— Et Travis ? s'écria-t-elle. Vous n'avez pas songé à Travis ? Il remuera ciel et terre pour me retrouver, et il vous tuera.

— Si tu ouvres encore la bouche, femme, je jure que je te bâillonne et que je t'attache en travers de la selle comme un sac de grain ! gronda Luke. Comment veux-tu qu'il te retrouve, il ne saura pas où te chercher !

— Et ne compte pas sur moi pour le renseigner, déclara Nancy de sa voix pointue. Luke, je vous en prie, raccompagnez-moi en ville.

Ils avaient rejoint le cheval de Luke, à l'orée du sous-bois. Il l'enfourcha et regarda Nancy en déclarant d'une voix égale :

— Je ne retournerai pas en ville, un point c'est tout. Si vous avez trop peur, attendez qu'il fasse jour avant de repartir. Nous, on s'en va.

Il la laissa crier et jurer, et partit dans la tourmente. Très vite, Kitty se rendit compte qu'elle avait une occasion de s'enfuir. Nancy avait sûrement laissé un cheval à proximité. Elle n'aurait qu'à bondir à bas de la jument, suivre Nancy dans le noir et s'emparer de sa monture.

Sans faire ni une ni deux, elle sauta à terre et se retrouva dans la boue jusqu'aux chevilles.

— Hé ! cria Luke.

Kitty ne se retourna pas. Elle courait aussi vite qu'elle le pouvait, mue par l'énergie du désespoir.

— Tu vas le regretter ! s'écriait Luke d'une voix rauque. Tu ne m'échapperas pas, petite furie.

Le temps d'un éclair, le ciel devint jaune, et Kitty vit Nancy à une cinquantaine de mètres, qui s'apprêtait à monter en selle. Elle accéléra encore l'allure et, une fois à la hauteur de son ennemie, elle n'hésita pas à la pousser. Nancy lâcha un cri de douleur en tombant dans la boue. Kitty saisit le cou de l'animal et se hissa dessus. Elle lui talonna les flancs. A cet instant, elle sentit deux mains qui l'agrippaient. Le cheval se cabra sur ses pattes arrière. Luke s'accrocha à sa crinière et réussit à le calmer.

— Cette fois, tu me le paieras, espèce de garce.

Luke bondit en avant, et ses mains se refermèrent sur la gorge de Kitty tandis qu'il la tirait rudement à terre. Elle sentit son poing s'abattre sur sa tempe et, lorsque son visage heurta la terre froide et bourbeuse, elle dériva dans le néant. Avant de s'évanouir, elle vit le petit visage de John flotter devant ses paupières.

Une violente douleur lui meurtrissait le corps, derrière le voile épais qui l'isolait du monde. Elle n'avait pas envie de quitter son refuge. Au fond d'elle-même, quelque chose lui soufflait de rester là, dans cet univers d'un noir d'encre. Mais la douleur la réveillait, la forçait à ouvrir les yeux.

Elle se mit à hurler, jusqu'à ce que les mains de Luke Tate se referment autour de sa gorge.

— Maintenant, écoute-moi, lui dit-il. Il fait jour. On a déjà parcouru pas mal de chemin, et perdus dans les bois comme on l'est, ça m'étonnerait que quelqu'un puisse t'entendre. Mais j'en ai assez de tes cris. Alors ferme-la.

Elle se débattit pour retrouver son souffle en produisant des râles désespérés.

— Je ne voudrais pas te tuer, ma belle. J'ai bien l'intention de profiter de toi à satiété. Alors je vais te laisser respirer, mais fais bien attention. Si tu recommences à hurler, tu sais ce qui t'attend.

Il la relâcha brusquement et elle hoqueta en massant sa gorge douloureuse. Il s'agenouilla près d'elle, les yeux brillants.

— Je vais aller chercher à manger dans mes sacoches et tu nous prépareras quelque chose. On va se reposer un peu. Et après, on aura peut-être le temps de s'amuser, tous les deux. Tu adores ça, avoue-le.

Il gloussa et lui pinça un sein en riant de plus belle lorsqu'elle tressaillit.

— Notre voyage ne fait que commencer, ma jolie. Je t'emmène au Nevada. Je suis sûr que tu ne sais même pas où c'est, pas vrai ?

Elle demeura immobile et muette, incapable de détacher de l'homme ses yeux horrifiés. La peur lui faisait perdre toute maîtrise d'elle-même.

Il continuait à parler et à lui caresser doucement la poitrine, puis le ventre.

— On va traverser le Tennessee, puis le Missouri, le Kansas, le Colorado et l'Utah. C'est magnifique, Kitty, tu verras. Il paraît qu'il y a une ruée vers l'argent, là-bas.

Ses caresses étaient possessives, et pourtant tendres, et elle le fixait d'un regard vitreux.

— Je vais faire fortune, Kitty. Tu vivras comme une reine, je te le promets. Tu seras ma femme, pour toujours.

Il lui sourit avec douceur. Pétrifiée d'angoisse et de stupeur, Kitty ne comprenait plus. Luke Tate était un être foncièrement mauvais, le diable en personne, et pourtant il lui parlait et la caressait avec affection, lui parlait gentiment, lui souriait, comme si... comme s'il l'aimait. Il devait savoir, cependant, qu'elle attendait la première occasion de lui plonger un couteau dans le cœur. Quelle vilenie mijotait-il, pour se comporter ainsi ? Elle renonça à réfléchir et se laissa de nouveau porter par la bienfaisante hébétude.

Il se pencha en avant pour effleurer sa joue des lèvres, et déclara d'une voix rauque :

— Il faut que je te dise quelque chose, Kitty. Il faut que tu me croies, c'est la vérité. Toutes ces fois où je t'ai fait du mal, c'était à contrecœur. Je le jure. Tu as toujours été quelqu'un de spécial, pour moi.

Une expression incertaine traversa son visage de brute.

— Je le jure. Je sais que tu me trouves méchant et brutal, mais tu m'obligeais à être comme ça parce que tu te débattais tout le temps. Ton tempérament me plaisait, c'est sûr, mais pas tes coups de griffe. J'aurais tellement voulu que tu te montres docile.

Il passa un doigt sur sa joue, comme s'il touchait une délicate œuvre d'art.

— Ravissante. Tu es la femme la plus belle que je connaisse. Déjà à l'époque où j'étais régisseur chez ces snobs de Collins, et que ce blanc-bec de Nathan te courtisait, quand je vous voyais tous les deux, il fallait que j'aille me chercher une négresse pour me soulager tellement j'avais envie de toi. Tout le temps, c'était toi que je voyais. Ton visage, ton corps...

Il se redressa, les yeux hagards, implorants.

— Kitty, il faut me croire. J'essaie de te dire que, malgré les mauvais traitements que je t'ai infligés jadis, je t'aimais. Je ne peux pas me passer de toi. Nous ne nous quitterons plus jamais, et je tuerai tous ceux qui veulent t'enlever à moi. Je le jure devant Dieu.

Il la prit par les épaules et la fit s'asseoir.

— On va bien s'amuser, à partir de maintenant, Kitty, ma mignonne. Tu vas voir. Je sais que ton petit va te manquer, mais on aura des enfants à nous. J'espère que tu deviendras pas trop grosse, quand même. J'aime tant ton corps, je ne veux pas le voir se déformer. Ça va être la belle vie, au Nevada. Détends-toi, aie confiance.

Il pencha la tête de côté et l'observa, les yeux plissés, sourcils froncés.

— Hé !

Il la secoua doucement, puis plus rudement, voyant qu'elle ne réagissait pas et continuait à le dévisager sans le voir. Il insista et finit par la secouer comme un prunier.

— Hé ! cria-t-il enfin. Qu'est-ce qui va pas ? Dis quelque chose ! Je te déballe mes tripes et toi tu me regardes comme si j'étais transparent ! Réponds-moi. Dis-moi que tu me comprends, que tu es contente d'être désormais ma femme et que tu vas me laisser t'aimer.

Kitty avait le sentiment d'être ailleurs, loin, très loin, comme si elle se regardait du haut de quelque nuage. La créature muette à laquelle parlait ce monstre n'était pas elle, mais un être humain à la fois vivant et mort. Elle avait perdu toute volonté. Le corps respirait mais l'âme n'éprouvait plus ni douleur, ni crainte, ni inquiétude. Tout ce qu'incarnait Kitty s'était évanoui.

— Bon Dieu, dis quelque chose, enfin ! cria Luke en la giflant si fort que sa tête fut projetée en arrière. Regarde ce que tu m'obliges à faire, petite garce ! A te blesser encore une fois ! C'est ça que tu veux ? Que je te batte ? Je viens de te dire que je veux te bichonner, que je crois t'aimer !

Il la frappa de nouveau, plus fort.

— Parle-moi ou je t'étrangle, Kitty Wright ! Dis-moi que tu vas y mettre du tien, parce que je te jure que je préfère te tuer que te voir m'échapper.

Il était à la limite de l'hystérie, furieux contre elle et contre lui-même.

— J'aimerais...

Sa voix était un fil ténu, si doux qu'il fut aspiré par la légère brise.

— J'aimerais être morte.

Il sursauta. Les paroles franchissaient difficilement les lèvres engourdies de Kitty.

— Je crois... Je crois que je suis déjà morte.

Elle ferma les yeux, et ses longs cils soyeux formèrent un croissant sombre sur ses joues d'ivoire. Son corps sembla perdre soudain toute force et elle retomba faiblement en arrière. Luke la rattrapa et l'allongea délicatement sur le sol.

Elle respirait. Il savait qu'elle était vivante, mais

un frisson glacial le parcourut lorsqu'il comprit que quelque chose en elle, une partie d'elle-même était bien morte.

Et, en la regardant, il se demanda si Kitty revivrait jamais un jour.

6

Travis n'avait pas besoin d'ouvrir les yeux pour savoir qu'il pleuvait. Les grondements du tonnerre n'avaient d'égal que le martèlement de son cœur contre ses tempes. Encore une nuit passée à éponger trop de rhum, et la seule chose qui soulagerait sa douleur serait de se remettre à boire sitôt levé.

Maudite mousson ! Il pleuvait sans discontinuer depuis son arrivée à Haïti. Il y avait deux saisons de pluie, d'avril à juin et d'août à octobre, lui avait-on dit. Il ne pouvait donc qu'attendre juillet avec impatience, même si le répit ne devait être que d'un mois.

Il passa la langue sur ses lèvres sèches. Bon sang, pourquoi tout avait-il ce goût de rhum ? Il était écœuré et saturé de cet alcool sirupeux, mais qui possédait au moins le mérite de lui procurer un apaisement provisoire. Il songea à ouvrir un œil, puis se ravisa. Il ne voulait pas savoir si la fille était encore allongée à côté de lui. Sans doute : après tout, c'était sa case. Il se souvint avoir parcouru le chemin à moitié soutenu par elle, qui l'avait aidé à entrer dans la hutte au toit de chaume et au sol en terre. Il se rappelait vaguement qu'elle l'avait déshabillé, caressé pour finalement le maudire dans cet étrange langage mi-français mi-espagnol, comme elle le faisait lorsqu'elle était en colère. C'est-à-dire fréquemment.

La paille du matelas sur lequel il était couché commença à piquer ses fesses nues. Bientôt, il devrait se lever et sortir. Il passerait encore une journée à boire du rhum, à contempler les montagnes et à se demander ce que diable il faisait en Haïti.

Haïti, lui avait appris pendant le voyage l'un des fonctionnaires de l'Etat, était un vieux mot indien signifiant pays montagneux. Une forêt touffue recouvrait les versants. Le plus haut des sommets, le Pic de la Selle, s'élevait à deux mille sept cents mètres.

Les premiers temps, Travis avait exploré la région avec plaisir. Cela l'avait distrait de ses sombres pensées. Car il avait commencé à broyer du noir lorsqu'il avait compris que son seul rôle sur l'île consisterait à servir de shérif, en quelque sorte, le cas échéant. Jusqu'alors, on n'avait pas eu besoin de lui et il avait disposé de beaucoup de temps libre. Au début, ses expéditions l'avaient passionné. La côte bordée de falaises était découpée par des baies et de petits ports. Par endroits, les montagnes se jetaient abruptement dans la mer. Il avait découvert les différentes sortes de bois que l'on trouvait dans ces forêts, l'acajou, le chêne, le pin, le gaïac, le cèdre, l'ébène, le bois satiné, le bois de rose. Certaines espèces lui étaient totalement inconnues. Il y avait même des cactus.

La nourriture n'était pas mauvaise. Il aimait particulièrement le *diri et djondjon*, un mélange de riz et de champignons noirs frits, servi avec une sauce à base d'oignons et d'herbes appelée *ti malice*. De nombreux fruits tropicaux poussaient dans la nature, mais les paysans se nourrissaient surtout de riz et de haricots.

Molina lui en préparait, souvent.

Molina. Dieu, qu'elle était belle ! Certes, les aborigènes étaient toutes ravissantes, mais Molina avait quelque chose de plus. Sa peau était foncée et satinée, et son corps tout en courbes délicates donnait irrésistiblement envie de la toucher. Ses yeux couleur caramel étaient frangés de cils épais, mais ils pouvaient lancer des flammes lorsqu'elle se mettait dans l'une de ses rages.

Molina était certainement une descendante des esclaves d'Afrique qui avaient été importés pour remplacer les Arawaks, peuple indien exterminé par les Espagnols dans les années 1600. Au fil des ans, les maîtres avaient eu des enfants avec les esclaves, produisant ainsi une classe de mulâtres, que Louis XIV avait affranchis.

Molina, supposait Travis, avait du sang africain, français et espagnol dans les veines, ainsi qu'une vague ascendance britannique.

Il poussa un long soupir. Bon Dieu, jamais il n'avait eu l'intention de s'installer avec elle, mais il n'était pas le genre d'homme à se passer longtemps de femme. Et puis, qu'y avait-il pour tuer l'oisiveté hormis la boisson et l'amour ? S'il avait au moins eu la compagnie de Sam... Mais comment aurait-il pu savoir que son ami serait envoyé avec l'autre commission à Saint-Domingue ?

Travis se souvenait à peine du voyage en train jusqu'à Washington. Il était ivre lorsqu'il était monté dans ce maudit engin et ivre encore lorsqu'il en était descendu, et Sam n'avait cessé de lui servir café sur café en lui disant que, s'il ne reprenait pas ses esprits, on ne pourrait pas l'emmener. Mais il s'en fichait bien, lui. Tout ce qu'il demandait, c'était de rester dans cet état d'hébétude.

Il s'était retrouvé sur le bateau, pourtant, et le deuxième jour, l'un des hommes de la commission était venu lui dire qu'il était temps qu'il dessaoule. Travis se sentait plus mal que jamais, alors ; il ne savait même pas quand il avait pris son dernier repas. Une fois l'estomac plein, baigné et vêtu de propre, il était parti à la recherche de Sam, pour apprendre que son ami était sur un autre navire, en route vers une destination différente.

Il sentit remuer à ses côtés, et des doigts frais le caressèrent doucement. Le désir montait déjà en lui.

— Toi rattraper pour hier soir, hein ?

La voix de Molina était aussi douce que ses caresses.

— Molina se sent vraie femme, avec *mon* beau comme toi. Tu vois ce que je te fais ? Oh, mon homme, que tu es grand. Jamais j'ai vu *mon* aussi grand !

— Molina, tu sais très bien que tu n'as pas connu d'homme avant moi, soupira Travis.

Sa virginité était un sujet de désagrément. Bon sang, jamais il ne l'aurait prise s'il avait su qu'elle était innocente, mais elle continuait à jouer la femme mûre, affranchie et sophistiquée. Il n'avait pas pu lui extorquer la vérité sur son âge, mais était convaincu qu'elle était loin d'avoir vingt ans, contrairement à ce qu'elle affirmait.

— Pas ce matin, dit-il fermement en retirant la main fine de son membre durci. J'ai la tête qui résonne comme un de ces maudits tam-tams.

— Encore trop bu de rhum, s'irrita Molina. Molina en a assez que son *mon* soit ivrogne. Tu ne me satisfais pas. Je vais aller voir la *mambo* pour lui raconter comment toi traiter Molina, et elle va invoquer *loa* pour que toi m'honores mieux.

Travis ouvrit brusquement les yeux et se tourna pour considérer la jeune fille avec colère et dégoût.

— Bon Dieu, Molina, je t'ai déjà dit que je ne veux pas entendre parler de ces inepties de vaudou. Je ne crois pas en cette sorcellerie et ça ne me plaît pas du tout.

Il se leva et posa les pieds par terre en grimaçant. Les pluies avaient détrempé le sol jusqu'à l'intérieur de la case. Il s'habilla en jurant.

— Toi devrais pas te moquer des choses que tu pas comprendre, déclara Molina d'une voix claire. Le *loa* n'aimera pas ça. Tu pourrais être puni. Des gens sont morts...

Travis se leva.

— Molina, je ne veux plus t'écouter. Je viens de te dire que je ne me sentais pas bien. Je vais sortir manger quelque chose. Quand je reviendrai, je me rattraperai, c'est promis.

A cet instant, il chancela et se rendit compte qu'il était encore sous l'effet de l'alcool ingurgité la veille. Il se rassit lentement sur le lit et Molina s'empressa autour de lui.

— Je vois bien que Travis malade. Molina désolée d'être si méchante. Mais j'ai tant envie de toi...

— Ça va, ça va, grommela Travis en fermant les yeux.

Sacrebleu, cette fois, l'ennui n'aurait pas raison de lui. Il ne boirait pas une goutte de rhum ce jour-là. Tout ce qu'il voulait, c'était manger quelque chose, et ensuite dormir.

— Toi t'allonger, mon magnifique *mon*, et Molina va cuisiner de quoi te réparer estomac.

Il était trop faible pour protester et, lorsqu'il rouvrit les yeux, Molina lui présentait un bol de bois en souriant.

— Ça ira mieux après. La *mambo* m'a dit.

Travis prit le bol en se retenant de proférer quelque remarque cinglante sur la *mambo*. Ils auraient tout le temps de discuter de la vieille sorcière qui dirigeait le village où vivait Molina. Il mourait de faim, et la préparation chaude et odorante lui remit rapidement le cœur en place.

Il n'avait vu que rarement la fameuse sorcière, et quelque chose en elle lui donnait le frisson. Vieille, énorme, elle maquillait son visage noir d'une sorte de peinture blanche. Comme la plupart des femmes du coin, elle ne portait qu'une jupe de coton drapée sur les hanches, et ses seins pendaient librement. Jusqu'à sa taille. Le spectacle était répugnant. Travis adorait les petits seins de Molina, fermes, avec d'adorables mamelons qui ressemblaient à des gouttes de chocolat, de même que les seins nus des autres insulaires. Mais la *mambo* était hideuse.

Un jour, il avait demandé à Molina quels étaient ces atroces objets qu'elle portait en collier autour du cou. Molina lui avait rapidement conseillé de ne pas poser de questions sur la *mambo*, mais devant son insistance elle avait fini par lui répondre qu'il s'agissait de dents. Humaines et animales.

— Drôles de bijoux, avait-il commenté avec sarcasme, imaginant qu'il s'agissait de quelque coutume locale.

— Pas bijoux, avait crié Molina, les yeux égarés par la frayeur. Il faut pas dire des choses comme ça. Toi pas comprendre *vaudou*.

Elle avait murmuré le mot avec terreur. Travis savait ce qu'était le vaudou. Pour les indigènes, comme Molina, c'était de la magie. Pour lui, un tissu de bêtises. Il en avait entendu parler avant de venir à Haïti. De nombreux Noirs du Sud des Etats-Unis, notamment chez lui, en Louisiane, croyaient au vaudou. Ils croyaient également aux zombis, ces corps que le rite vaudou ramenait de la mort. Il en avait parlé à un Noir, autrefois, quand ils étaient enfants et pêchaient ensemble dans les bayous.

Le Noir s'appelait Lemuel ; il avait raconté à Travis qu'un *bocor*, un sorcier, possédait un pouvoir néfaste qui lui permettait de jeter un sort mortel sur une victime. Puis, une fois la victime enterrée, le *bocor* la ramenait parmi les vivants et en faisait un esclave.

Sans cesser de trembler, Lemuel lui avait raconté qu'un *bocor* pouvait aussi ressusciter un cadavre décédé de mort naturelle. C'est pourquoi, avait-il expliqué, les familles des morts essayaient de faire enterrer les corps de leurs parents dans la partie du cimetière la plus proche de la route, afin que le *bocor* ne puisse pas déterrer le corps sans être vu. Travis avait considéré l'histoire comme absurde.

Lorsqu'il eut fini son ragoût, il regarda Molina et la remercia, puis ses yeux se rivèrent à ses seins, nus et tentants. Il en prit un entre ses mains et l'attira contre lui pour le mordiller.

— Tu me rends heureuse ? Oui ? murmura-t-elle d'une voix rauque. Tu vas être grand *mon* pour Molina ?

La seule femme à laquelle Travis avait jamais eu envie de parler en faisant l'amour était Kitty, parce qu'il l'aimait et voulait le lui dire. Avec Kitty, tout était différent, songea-t-il tandis que de douloureux souvenirs lui déchiraient l'esprit. Bon sang ! C'était avec elle qu'il aurait voulu être, pas avec Molina ni aucune autre femme au monde. Mais Kitty était loin, c'était Molina qui était là, et déjà elle écartait les jambes pour s'empaler sur lui, ondulait des hanches...

Il ferma les yeux, et l'image de Kitty s'imposa à lui. En les rouvrant, il vit Molina, la tête rejetée en arrière, les lèvres légèrement entrouvertes, qui gémissait au rythme de leur union. Il posa ses mains contre son ferme postérieur et la pressa contre lui.

— Si bon... s'écria-t-elle. Oh, Travis, quel bel homme ! Viril ! Tu me combles, je veux toi toujours.

Elle se mordit la lèvre inférieure et poussa un cri de joie quand il atteignit avec elle les sommets du plaisir. Lorsqu'ils reprirent leur souffle, il émit un petit soupir d'aise, mais sans cesser de regretter confusément que Molina ne fût pas Kitty.

— Encore, s'écria la jeune fille. Encore ! Jamais Molina avoir assez de toi.

Travis laissa échapper un juron et l'écarta doucement.

— Pas aujourd'hui, tendre demoiselle. Il faut que je voie le patron, peut-être saura-t-il quand nous rentrons à la maison. Et qui sait ? Si cela se trouve, il aura quelque chose à me faire faire.

En voyant les yeux de Molina s'étrécir, il joua délicatement avec le bout de ses seins et ajouta d'une voix apaisante :

— Ce soir, je ne laisserai pas ce maudit rhum m'embrumer. Tu m'auras toute la nuit.

Soudain, elle bondit à bas du lit et s'agita fébrilement en criant avec fureur :

— Tu prends Molina pour *jeunesse* ? Ou *bousin* ? Je n'ai même pas la récompense qu'ont *jeunesses* ou *bousins*, toi me donnes pas d'argent.

— Tu ne m'en as jamais demandé, répliqua Travis en sentant l'irritation le gagner.

Il s'assit et se rhabilla. Mieux valait partir, il l'avait déjà vue en colère.

— Je demande pas argent car je n'en veux pas, hurla-t-elle. Je veux être ta *placée*. Molina exiger trop ? Au début, je mens, je dis que j'avais déjà été avec hommes, pour que toi croies Molina habile, mais tu as bien vu que j'étais vierge. Toi m'as fait ta *placée* ! Toi pas dire quitter Haïti et repartir en Amérique !

Travis caressa sa barbe naissante. *Placée*. Mais qu'est-ce que c'était que ce charabia ?

— Nous parlerons plus tard, Molina. Il faut que j'y aille.

Elle se jeta sur lui avec force, le déséquilibrant. Il retomba sur le lit et la considéra avec stupeur.

— Non ! Parler maintenant ! J'ai déjà vu *houngan*. J'ai vu la *mambo* aussi. Tous les deux dire qu'ils allaient parler avec *hounsi*, et que je serai ta *placée*. Dire que pouvoir *wanga* pas marcher parce que tu es homme fort. Toi pas comme nous. Trop fort. *Hounsi* va arranger ça.

Travis ne comprenait absolument pas de quoi elle parlait, mais il devina à son ton que l'affaire était grave. Il lui demanda doucement :

— Molina, tu sais que j'ignore le sens de tous ces mots que tu emploies. Calme-toi, maintenant, et explique-moi.

Il essaya de la repousser, mais elle se plaqua sur sa poitrine. Il préféra ne pas employer la force et la regarda avec perplexité.

— Il te faut *placée*. Tous les hommes ont besoin *placée*. J'ai droit, parce que tu étais le premier homme. Je serai bonne pour toi.

Elle repoussa les boucles brunes qui cachaient son visage et il vit se dessiner un sourire sur ses lèvres.

— Tu aimeras Molina. Elle te donnera beaux fils.

Travis marmonna un bref : « Oh, oh ! » et la repoussa gentiment à côté de lui avant de se lever.

— Ecoute-moi, Molina. Je crois comprendre où tu veux en venir, et il faut que je te dise quelque chose. Voilà, je ne t'ai jamais rien promis, Molina. Si ce mot *placée* signifie épouse, je suis désolé, mais tu t'es mis de fausses idées en tête, car il se trouve que j'ai déjà une femme chez moi, que j'aime beaucoup, et un fils. Et j'irai les retrouver.

Elle avait cessé d'écouter au mot « femme ». Ses yeux se réduisirent à deux fentes, et elle se ramassa sur le lit comme une panthère prête à bondir sur sa proie. Ses dents ressemblaient à des crocs, longs et acérés.

— Tu as *placée* ! siffla-t-elle d'un ton accusateur. Tu n'as jamais dit à Molina. Toi te moquer Molina.

Travis en avait assez entendu. Il arracha son chapeau du clou auquel il était accroché.

— Je n'ai pas à me justifier, Molina. Tu savais très bien ce que tu faisais, je ne t'ai jamais forcée.

Il se tourna pour partir, et ce fut le moment qu'elle choisit pour bondir du lit et se jeter sur son dos, les bras comme des tentacules, toutes griffes dehors. Il sentit la chair de ses joues se lacérer et remua pour décrocher Molina, mais elle tenait bon, hurlait, griffait, et il se débattait vainement.

Un clou s'enfonça au coin de son œil et lui déchira la pommette, et il comprit qu'il valait mieux oublier que Molina était une femme. Il n'allait tout de même pas se laisser crever les yeux ! Il se jeta dos contre le mur, et le choc la fit lâcher prise. Elle retomba sur le sol. Travis se dressa devant elle. Le sang coulait de son œil et de sa bouche.

— Tu es folle ? cria-t-il. Si tu étais un homme, je te...

— Je suis pas homme ! Je suis femme !

Les larmes coulaient le long de ses joues, mais la rage la faisait trembler des pieds à la tête. Elle lui jeta un regard venimeux.

— Toi rentreras pas. Tu resteras ici. Molina sera ta *placée*. *Hounsi* le permettra. Toi verras.

— Assez, Molina. Tout est terminé entre nous. Je suis désolé si tu t'es fait des idées.

Il sortit sans plus attendre sous la pluie torrentielle. Fuir, fuir au plus vite les cris de cette fille. Il se mit à courir. Il lui fallait boire quelque chose à tout prix, mais cette fois il ne laisserait ni le rhum ni le whisky l'entraîner dans une autre aventure avec une femme. Il servirait son temps dans cette île infernale et rentrerait chez lui pour tâcher de rassembler les fragments de son existence. Avec ou sans Kitty. Il y avait encore John.

Enfin, il atteignit le modeste hôtel de Port-au-Prince qui servait de quartier général à la commission, et où il avait une petite chambre.

Soudain, Travis se rendit compte qu'il était dans un état pitoyable. Depuis son arrivée à Haïti, il s'était peu à peu transformé en clochard. Il était temps que les choses changent. Un bon bain, un coup de rasoir, un repas décent, du café chaud et douze heures de sommeil lui permettraient de rassembler ses esprits. Le lendemain, il aurait retrouvé toute son énergie.

— Coltrane, vous n'avez pas l'air dans votre assiette.

La voix provenait d'un recoin du hall plongé dans l'ombre. Travis se retourna et aperçut Eldon Harcourt qui se levait de son fauteuil pour venir à sa rencontre, un sourcil froncé devant la mise de Travis.

— C'est encore pire de près, mon vieux. Quelles mauvaises griffures ! Vous feriez mieux de soigner ça. Auriez-vous fait des vôtres avec l'une des insulaires ? J'aurais dû vous mettre en garde, elles sont dangereuses.

Travis connaissait mal Eldon. C'était l'aide de camp de l'un des hommes politiques de la commission. Eldon s'était toujours montré amical, mais jusqu'alors Travis n'avait pas recherché la compagnie.

— Eldon, comment pouvez-vous en savoir autant sur les femmes du coin ? s'étonna-t-il. C'est la première fois que vous venez, non ? Et pourtant, on dirait que rien ne vous échappe sur les mœurs de ce pays.

— En effet, répondit Eldon en souriant. Et vous avez raison, c'est mon premier séjour ici. Mais, voyez-vous, mon grand-père était dans le commerce des esclaves, et il a vécu en Haïti pendant plusieurs années. Il a fait venir ma grand-mère d'Angleterre, et mon père est né ici. Ils sont repartis en Amérique alors que mon père était encore un enfant. Ma grand-mère a toujours été terrorisée par le culte vaudou, et je me souviens de grand-père nous racontant qu'elle le harcelait pour qu'ils quittent cette île maudite.

— Le vaudou ! fit Travis en secouant la tête avec mépris. Ces tambours infernaux qui résonnent toute la nuit. On dirait des gosses qui s'amusent. Je trouve cela ridicule.

Eldon fronça les sourcils.

— Eh bien, je vous conseille de ne pas le crier sur les toits, Travis. Du moins, pas tant que nous sommes ici.

— Vous croyez en ces inepties superstitieuses ? Dans ce cas, je devrais vous présenter à la petite sauvageonne qui a bien failli me rendre aveugle pour le restant de mes jours. Elle hurlait des mots comme *hounsi*, *houngan* et le pouvoir *wanga*, et elle m'a infligé ce charmant traitement parce que je ne voulais pas faire d'elle ma *placée*, ou quelque chose dans ce goût-là.

Travis s'interrompit devant l'expression subitement altérée d'Eldon.

— Vous croyez vraiment à ces sornettes, n'est-ce pas ? Et je viens de dire quelque chose qui vous a fait peur. Quoi ?

Eldon jeta un bref coup d'œil circulaire, et, voyant que le hall était désert, il posa une main sur l'épaule de Travis et murmura :

— Venez dans ma chambre. J'ai du whisky et nous pourrons nettoyer ces blessures. Et, croyez-moi, vous ne refuserez pas un verre quand j'aurai fini de vous expliquer à quoi cette fille faisait allusion. J'espère que je me trompe.

Il pâlit soudain.

— Ecoutez, je vous remercie de vous soucier ainsi de moi mais, tout ce dont j'ai envie, c'est de me coucher et d'oublier cette absurde histoire.

— Non !

Eldon avait crié, et Travis fronça un sourcil. Cet homme n'était pas un indigène illettré. Il était américain, comme lui, et quelque chose l'avait effrayé. Il suivit donc son compatriote jusque dans sa chambre. Eldon lui tendit une bouteille de whisky et un linge.

— Tenez, désinfectez-vous le visage avec cela. Je vais nous chercher des verres.

Travis fit la grimace au contact de l'alcool sur sa chair. Il vit dans un miroir que Molina lui avait lacéré tout le visage. Il pouvait s'estimer heureux de n'avoir pas perdu son œil. Il porta le goulot à ses lèvres et avala une longue gorgée brûlante.

— Asseyez-vous, fit Eldon en lui montrant la seule chaise de la pièce.

Il s'installa lui-même sur le lit et poussa un soupir.

— Racontez-moi tout, tout ce qu'elle vous a dit. Non, attendez ! fit-il avec inquiétude. Avant cela, dites-moi si vous l'avez violée.

— Violée ? s'écria Travis en riant malgré lui. Jamais je n'ai violé une femme !

— D'accord, d'accord, dit Eldon. Vous êtes... passé à l'acte, cependant, n'est-ce pas ?

— Si vous voulez savoir si j'ai couché avec elle, oui. J'étais ivre, et elle ne demandait que cela. Je n'aurais peut-être pas dû, mais ma vie entière est une succession d'erreurs.

Il avala une nouvelle rasade.

— Etait-elle... Etait-elle vierge ? interrogea Eldon dans un murmure.

Travis hocha la tête et l'autre s'écria en s'arrachant les cheveux :

— Ô Seigneur, non !

— Bon sang, mon vieux, allez-vous bientôt me dire ce qui vous met dans un état pareil ? Je commence à en avoir assez.

Eldon leva les mains.

— J'y viens ; mais répétez-moi d'abord tout ce qu'elle vous a dit sur les *houngans* et le pouvoir *wanga*. Quels mots a-t-elle employés qui vous étaient inconnus ?

Lorsque Travis eut fini de parler, Eldon semblait sur le point de s'évanouir. Les mots sortaient difficilement de sa bouche.

— Vous... vous êtes dans la merde, Coltrane. Si j'étais vous, je décamperais d'Haïti le plus vite possible. Oubliez la commission, votre boulot, tout. Fichez le camp d'ici.

Travis dévisagea longuement l'homme qui se tenait en face de lui et lui dit enfin d'une voix basse :

— Je veux savoir exactement de quoi il s'agit, Harcourt. Dites-moi tout, et vite.

Eldon prit une profonde inspiration et se mit à parler avec une hâte surprenante, semblant craindre, s'il s'interrompait, de ne pouvoir poursuivre son récit.

— Vous avez pris une vierge. Une jeune fille. Elle vous accuse de la considérer comme une *jeunesse*, terme par lequel elle entend une maîtresse. Vous dites qu'elle vous a également accusé de ne pas la traiter avec le respect que l'on doit à une *bousin*, c'est-à-dire une prostituée. Ainsi, vous ne la payiez pas pour l'usage de son corps ?

— Non. Elle ne m'a jamais demandé d'argent. Elle voulait seulement que je lui fasse l'amour... Ce dont je m'acquittais, et notre marché s'arrêtait là.

— Non, corrigea Eldon en secouant fermement la tête. Vous vous êtes attiré de graves ennuis. Elle n'a

94

jamais voulu être votre maîtresse ni une prostituée, elle voulait être votre *placée*, votre épouse de droit coutumier. Elle n'a sans doute aucune famille, sinon elle leur aurait fait exiger que vous en fassiez votre femme légitime, votre *pas placée*. Lorsqu'elle parlait de *houngan*, il s'agissait d'un prêtre vaudou. Une *mambo* est une prêtresse vaudou, une femme. Ces gens possèdent un pouvoir. Et à ce propos, lorsqu'elle a parlé de « pouvoir *wanga* », cela signifie qu'elle vous a fait avaler un philtre pour essayer de se faire aimer de vous.

Travis haussa les sourcils.

— Quel genre de philtre ?

— Probablement quelque mets auquel elle avait mêlé l'un de ses ongles et une mèche de ses cheveux.

Travis réprima un haut-le-cœur. Bon Dieu, dans quoi s'était-il embarqué ?

— Continuez. Que m'a-t-elle encore fait ?

— Ce n'est pas tant ce qu'elle a fait, répondit Eldon en frissonnant. Mais ce qu'elle va vous faire. Elle a parlé de *hounsi*. Une *hounsi* est une initiée, assistante de la *mambo*. Manifestement, votre Molina est allée trouver le *houngan* et la *mambo* de son village, et ils vont pratiquer la sorcellerie vaudou pour vous faire aimer cette fille, pour que vous restiez ici, à Haïti, et fassiez d'elle une femme respectable, puisque vous l'avez déflorée.

— Eldon, je ne sais pas qui est le plus fou, de vous ou de Molina. Peut-être avez-vous ajouté foi aux récits de votre grand-père. C'est très bien. J'ai souvent regretté de n'avoir jamais connu mes grands-pères. Ce doit être agréable de les écouter raconter des histoires. Mais ce ne sont que des histoires.

— Eh bien, écoutez les miennes, soupira Eldon d'un air sombre. Ecoutez mes histoires et je pense que vous serez de mon avis et voudrez quitter l'île immédiatement.

Il expliqua que les rites vaudou avaient voyagé d'Afrique en Haïti, et même en Amérique. Là, au tout début de l'esclavage, les prêtres vaudou pratiquaient leurs rituels sans trop faire parler d'eux, mais au bout d'un certain temps, les « possessions », comme on les appelait, qui se produisaient dans les quartiers des esclaves, accompagnés des roulements de tambours coniques, finirent par attirer l'attention des Blancs. Craignant que les prêtres ne montent les esclaves contre eux, les maîtres interdirent le culte vaudou. Toute personne trouvée avec un symbole vaudou était battue, voire pendue, à titre d'exemple.

Mais, en conséquence de cette cruauté, les esclaves s'accrochèrent avec plus de ferveur encore à leurs dieux.

— Le vaudou n'est pas mort. Il ne mourra jamais.

— Vous ne m'avez toujours rien dit de nature à me convaincre.

— J'essayais simplement de vous faire comprendre toute la *force* de ce culte. Je vais maintenant vous dire en quoi il consiste.

Le vaudou à Haïti, décrivit Harcourt, était jadis une religion systématique dans laquelle les dieux descendaient prendre possession de leurs adorateurs, et les esprits des ancêtres décédés pénétraient leurs parents vivants pour leur transmettre leur pouvoir.

On menaçait les enfants de punitions divines s'ils n'étaient pas sages. On leur interdisait de se mouiller la tête, notamment avec la rosée du matin, car on croyait que l'eau attirait les esprits comme un aimant, or l'esprit vit dans la tête.

La nuit, les spectres sortaient. On fermait soigneusement portes et fenêtres pour ne pas les laisser entrer. Certains parvenaient malgré tout à s'infiltrer à l'intérieur, malgré les meilleures précautions. C'étaient les *loups-garous* qui venaient se repaître du sang des enfants. On les voyait tourbillonner dans la nuit comme des lucioles.

Le milieu de la journée était considéré comme particulièrement dangereux car, à l'heure où l'homme ne projette pas d'ombre sur le sol, son âme, disait-on, disparaissait. Avec une âme et une ombre, un esprit pouvait planer au-dessus de la terre jusqu'à ce qu'il trouve un corps à hanter.

— Il y a aussi l'histoire du *docteur fey*, une sorte de médecin-sorcier, poursuivit Eldon. Parmi ses médicaments figurent une araignée morte ou un mille-pattes vivant, ou un cœur de chat.

Eldon posa un regard de profonde commisération sur Travis.

— Ce que j'essaie de vous dire, Travis, c'est que vous avez rendu cette fille folle furieuse. Vous l'avez méprisée. Elle est allée voir non seulement un *houngan* mais une *mambo*, or ce sont de grands prêtres vaudou. Ils ont obtenu leur position en subissant un rite d'initiation trop terrible pour que je vous le décrive. Mon grand-père n'en a jamais vu lui-même, mais il m'a raconté que ces rituels durent quarante jours ou davantage. Ils doivent manger des araignées, des insectes, des animaux crus. On les soumet à toutes sortes d'épreuves terrifiantes et répugnantes. Ils doivent même marcher sur le feu.

« A l'issue de l'initiation, ils sont devenus prêtres, et ils peuvent appeler les *loas*, les dieux, pour invoquer leurs sortilèges et exercer n'importe quels sévices. Ils peuvent tuer, ressusciter des morts et en faire des zombis, des revenants. Vous ne comprenez donc pas ? J'ose à peine songer à ce que cette fille va demander au *houngan* de vous faire.

— Me tuer ? Me relever d'entre les morts ? pouffa Travis. Me transformer en fantôme ? Oui, j'ai entendu parler des zombis.

— Dans ce cas, vous savez qu'un zombi ne possède pas d'âme. C'est un esclave, condamné à obéir éternellement aux ordres de son maître, à travailler dur pour lui sans jamais espérer de salut.

Eldon se pencha en avant, croisa et décroisa ses mains moites.

— Mon grand-père m'a même raconté comment cela se produit. Le sorcier se rend devant une hutte, tard dans la nuit, avec une bouteille vide et une paille de bambou. Lorsqu'il est sûr que sa victime dort profondément, donc lorsque son âme est totalement dépourvue de la protection que lui assure en temps normal son propriétaire, il murmure une incantation à Damballah, le *loa* du foyer, en l'exhortant à fermer les yeux sur la scène.

Il continua avec exaltation :

— Le sorcier place l'extrémité de sa paille contre la fente sous la porte, et aspire l'âme de la personne qui se trouve à l'intérieur. Puis, il la recrache dans sa bouteille, qu'il rebouche. Il rentre alors chez lui, sacrifie une poule à Damballah et récite une incantation d'action de grâces. Ensuite, il enterre l'âme emprisonnée dans la bouteille, ainsi que les restes de la poule, sous un gros rocher. Il ne lui reste plus qu'à attendre la mort de sa victime, qui se produit généralement dans les trois jours qui suivent. La nuit suivant l'enterrement de la victime, le sorcier se rend sur sa tombe, invoque l'esprit vaudou Baron Samedi, le gardien des morts, et lui demande de le laisser creuser la terre pour récupérer le corps. Lorsqu'il l'a déterré, il glisse une fougère fraîchement coupée, appelée *mouri leve*, dans la bouche du cadavre. Quelques minutes plus tard, le corps se relève.

Eldon étendit les mains en un geste de fatalité et s'adossa pour attendre la réaction de Travis. Ce dernier ne put retenir un petit rire.

— Je ne regrette plus de n'avoir pas connu mes grands-pères. S'ils m'avaient raconté ce genre de fredaines, je les aurais traités de vieux fous séniles.

L'aide de camp bondit sur ses pieds.

— Bon Dieu, Coltrane, quand comprendrez-vous que tout ceci est extrêmement sérieux ? Allez raconter ce qui s'est passé à n'importe quel haut responsable ici, croyez-moi, il vous aidera à quitter Haïti au plus vite. D'après ce que vous m'avez dit, cette fille a déjà été trouver un *houngan*; lorsqu'elle lui racontera l'épisode d'aujourd'hui, vous pouvez être certain que les tam-tams résonneront pour vous, ce soir. Pour invoquer les esprits et punir Travis Coltrane.

— Eldon, je suis si fatigué que je n'aspire qu'à aller me coucher. Je crois que j'en ai assez entendu pour aujourd'hui.

Eldon arpentait la pièce avec nervosité.

— Il est trop tard pour vous excuser, grommelait-il. Le mal est fait. Vous avez défloré la fille, refusé d'en faire votre *placée*, vous l'avez repoussée et humiliée. Il fallait qu'elle soit terriblement en colère pour s'être ainsi jetée sur vous. A l'heure qu'il est, elle doit être avec son *houngan* ou sa *mambo* en train d'élaborer un plan. Non... Cela ne servirait à rien de lui présenter vos excuses. Vous n'avez pas le choix, il faut fuir immédiatement.

— Ecoutez, Harcourt. Je n'ai jamais eu l'intention de faire souffrir Molina. Elle était adorable, et elle s'est offerte à moi. Je l'ai aimée et nous en avons tous deux tiré du plaisir. Mais je ne lui ai jamais rien promis et, quand j'ai essayé de le lui expliquer, elle n'a rien voulu entendre. Je ne me doutais absolument pas de ce qu'elle mijotait. Elle est devenue hystérique et, vous avez raison, il serait inutile d'aller m'excuser. J'espère seulement ne plus la revoir.

— Eh bien, quittez Haïti ! s'écria Eldon d'un ton implorant. Rendez-vous compte, mon vieux, j'ai appris ce matin que nous serions peut-être sur l'île pour plusieurs mois encore. Il semblerait que la commission ait découvert des pratiques malhonnêtes. Certains riches Américains ont entendu parler du projet du président Grant, et ils viennent discrètement acheter des terres dans le but de faire fortune en spéculant dessus. La commission a l'intention d'entreprendre une enquête serrée.

— Mais j'ai un travail, ici. Je suis bien payé, et reconnaissez que l'on ne s'épuise pas à la tâche. La vie est agréable, Eldon.

— Si vous ne quittez pas Haïti, la seule vie que vous connaîtrez désormais sera celle d'un zombi !

Il lui arracha la bouteille vide des mains et l'envoya se briser contre un mur.

— Ecoutez-moi, pour l'amour du ciel ! Partez pendant que vous le pouvez encore !

Travis se leva et bâilla en s'étirant.

— Je crois que je vais m'octroyer le bain et le bon repas que je me suis promis, puis j'irai me coucher. Demain matin, je quitterai Haïti. Je vais prendre quelques jours pour aller rendre visite à mon ami Sam Bucher à Saint-Domingue. A mon retour, Molina aura un nouvel amant et tout le monde sera content.

Le sourire soulagé qui se dessinait sur le visage d'Eldon s'éteignit soudain pour faire place à une expression d'incrédulité.

— Vous reviendrez ? Après tout ce que je vous ai dit, vous reviendrez dans quelques jours ?

Travis sourit en regagnant la porte. Une main sur la poignée, il se retourna.

— En effet, Eldon. Voyez-vous, je n'ai jamais eu peur de rien.

Et il sortit avec un dernier petit rire.

Eldon Harcourt demeura longuement assis sur son lit, contemplant sans la voir la porte de sa chambre. Travis Coltrane refusait de comprendre qu'il était un homme marqué. Il était déjà mort, et bientôt il reviendrait hanter la terre comme un mort vivant, un zombi.

Au loin, les tam-tams commencèrent à résonner.

7

Allongé sur le lit de sa petite chambre d'hôtel, Travis écoutait le clapotis régulier de la pluie. Un bain chaud, un bon repas et une demi-bouteille de rhum pouvaient opérer des miracles, songeait-il avec une bienheureuse béatitude. Au matin, il serait un homme neuf. Soudain, il bouillait d'impatience à l'idée de partir retrouver Sam. Il se maudit de ne pas l'avoir fait plus tôt. Mais pourquoi Sam n'était-il pas venu le voir ? Peut-être son travail à lui était-il plus prenant.

Travis parvenait enfin à réfléchir clairement. Non seulement il se découvrait un besoin impérieux de revoir Sam, mais il se demandait soudain s'il avait bien fait de quitter les siens. Kitty s'était comportée de façon étrange, les derniers temps, mais il avait été trop obtus pour essayer de la comprendre. Quelque chose l'avait tracassée. Eh bien alors, bon Dieu, pourquoi n'en avaient-ils pas parlé ? Pourquoi avait-il fallu qu'ils en arrivent là ? Et, se demanda-t-il pour la centième fois, qu'est-ce qui avait poussé Kitty à agir de la sorte ?

Ses paupières s'alourdirent et il s'assoupit. Mais soudain, il se réveilla en sursaut, les yeux grands ouverts. Il faisait très sombre. Plusieurs heures avaient dû s'écouler. La pluie avait diminué en intensité mais le grondement du tonnerre était incessant. Travis se tourna sur le côté, à moitié endormi, et songea qu'un nouvel orage se préparait sans doute. Quelle importance ? Que les cieux déversent un océan tout entier, il s'en moquait bien. Le tonnerre se rapprochait. Il était si régulier qu'on aurait dit des roulements de tambours, mais Travis était trop fatigué pour y prêter attention.

Un coup sec contre la porte le réveilla pour de bon. Il s'assit et demanda avec irritation :

— Quoi, qu'y a-t-il ?

— C'est moi, Eldon Harcourt, fit une voix où perçait la terreur. Coltrane, il faut que je vous parle, laissez-moi entrer.

— Bon Dieu, Harcourt, s'impatienta Travis. Je n'ai aucune envie d'écouter encore vos fadaises superstitieuses. Maintenant, partez et laissez-moi dormir avant que je ne m'énerve.

— Ce sont les tam-tams. Vous ne les entendez pas ?

L'homme semblait à la limite de l'hystérie, remarqua Travis.

— Ils ne résonnent pas comme d'habitude, ce soir. Je *sais* ce qu'ils signifient. Mon grand-père possédait l'un de ces tambours, et il m'a expliqué les différentes mesures.

Travis se couvrit le visage de ses mains avec lassitude et demanda d'une voix morne :

— Et quelle chanson jouent-ils, ce soir, Harcourt ?

Eldon croyait bien faire, mais bon sang, quel enquiquineur !

— C'est le rythme utilisé pour invoquer le Baron

102

Samedi. C'est mauvais signe, Travis. Très mauvais signe. Je vous en ai parlé. Le Baron Samedi est le roi des esprits du cimetière. Un sacrifice aura lieu cette nuit, Travis. Un *sacrifice* !

Travis se leva en soupirant et alla ouvrir la porte. La voix d'Eldon était montée de plusieurs tons et, en le voyant, Travis se rendit compte qu'il était blanc comme un linge. Il le prit rudement par les épaules et le fit entrer. Puis, il claqua la porte et dressa vers l'autre un doigt menaçant :

— C'en est assez, maintenant, Harcourt. Si vous saviez combien je regrette de vous avoir parlé de cette histoire ! Regardez-vous, vous êtes devenu fou ?

Eldon tendit ses bras tremblants. La sueur perlait sur son front.

— Je vous en prie, Coltrane, écoutez-moi. Vous êtes en danger. Cadenassez votre porte et vos fenêtres, et veillez bien à ce que vos armes soient chargées. Et dès qu'il fera jour, partez. Ils vont venir vous voir cette nuit. Je le sais. Ecoutez les tam-tams ! Ils battent plus fort. Vous les entendez ? Ils se rapprochent, ils seront bientôt là.

Empli de pitié pour Eldon, Travis lui dit doucement :

— Harcourt, je vous ai fait entrer pour vous calmer avant que vous ne réveilliez tout l'hôtel. Maintenant, il faut me croire, je n'ai pas peur. Je vous remercie de vous soucier ainsi de moi, mais je vous prierai de bien vouloir ne plus vous mêler de mes affaires.

— Partirez-vous demain matin ? insista Harcourt.

— Je vais à Saint-Domingue voir mon vieil ami dont je vous ai parlé, Sam Bucher. Il est là-bas avec l'autre commission. Ce n'est pas une histoire de vaudou qui me fait fuir. A présent, voulez-vous bien sortir d'ici et me laisser dormir ?

Eldon s'effondra dans le vieux fauteuil de rotin, l'unique meuble de la pièce hormis le lit et la petite table. Il était livide et tremblait de tous ses membres.

— Laissez-moi vous servir à boire, lui dit Travis avec écœurement en le voyant claquer des dents. Vous allez vous évanouir, ma parole.

En regardant la bouteille de rhum, il songea qu'il n'avait pas dû boire autant qu'il l'avait cru, car elle était encore aux trois quarts pleine. Tant mieux. Cela signifiait qu'il pouvait s'accorder encore un petit verre, et Dieu sait s'il en avait besoin après les discours de ce fanatique. Il prit la bouteille, avala une longue gorgée et la tendit à Eldon, qui l'imita.

— Maintenant, allez-vous retourner dans votre chambre ? lui demanda-t-il doucement.

L'homme hocha la tête à contrecœur, mais reprit une gorgée avant de rendre la bouteille à Travis.

— J'ai essayé, mais vous ne voulez pas m'écouter. Il va donc falloir que je vous sauve malgré vous.

— Que voulez-vous dire ? fit Travis en fronçant un sourcil.

— Je vais aller chercher mon revolver dans ma chambre et monter la garde devant votre porte jusqu'à l'aube, répondit-il simplement. Je sais ce qui se trame là-bas, ce qu'ils ont prévu de vous faire, et puisque vous ne voulez pas écouter la voix de la raison, je devrai vous protéger moi-même.

Travis éclata de rire et s'en voulut immédiatement. Ce pauvre vieux était sincère, après tout.

— Pourquoi vous sentez-vous responsable de moi ? s'étonna-t-il.

— Vous êtes un être humain, comme moi. Vous ne comprenez pas que vous courez un très grave danger. Je connais le vaudou. J'y crois. Si je vous laissais subir les conséquences de votre maudit entêtement,

104

jamais je ne pourrais me le pardonner. C'est votre *vie*, que vous risquez !

Eldon ne tremblait plus et s'exprimait d'une voix calme. Le rhum agissait, songea Travis.

— Si d'après vous ces indigènes ont vraiment l'intention de me faire du mal, demanda-t-il soudain, pourquoi n'allez-vous pas trouver la police locale ?

Eldon eut un petit rire nerveux.

— Vous êtes fou, Coltrane. Vous imaginez que les autorités interviendraient ? Ils ont déjà entendu les tambours. Ils les entendent à chaque fois. Certains savent peut-être même qui est marqué, mais jamais ils ne s'en mêleraient. S'ils le faisaient, cela les exposerait à la vengeance des esprits, des *loas*, ce qu'ils redoutent plus que tout. Ils n'oseraient même pas sauver un membre de leur propre famille. Quand les *loas* ont décidé de vous punir, quand les âmes des morts sont furieuses et réclament le châtiment, personne n'intervient, Coltrane. *Personne.*

C'en était trop pour Travis. Le rhum lui donnait soudain une irrésistible envie de dormir, et il en avait assez de ces discours d'ivrogne. Harcourt était encore plus insupportable quand il n'était pas hystérique. Travis alla ouvrir la porte et fit un geste de la main.

— Sortez, Harcourt. J'en ai assez entendu. Allez vous coucher ou montez la garde devant ma porte toute la nuit si cela vous chante, je ne veux pas le savoir. Tout ce que je désire, c'est dormir !

Eldon hocha la tête. Ses yeux étaient un peu vitreux. Sans doute n'avait-il pas l'habitude de boire.

— Je vous surveillerai, marmonna-t-il en sortant. Ne vous inquiétez pas. Jamais je ne me le pardonnerais si quelque chose vous arrivait.

Travis claqua la porte derrière lui. Sa tête semblait comme prise dans un étau, et il avait tellement sommeil qu'il chancelait lorsqu'il regagna son lit. Que le diable emporte le rhum et Harcourt ! La combinaison des deux lui avait fait passer une soirée épouvantable, et il se réveillerait sûrement le lendemain aussi fatigué que s'il n'avait pas fermé l'œil.

Le vent hurlait et faisait grincer les fenêtres. Et ces tam-tams, ces maudits tam-tams qui résonnaient de plus en plus fort, comme s'ils avaient réussi à s'introduire dans ses tympans. Il eut le sentiment que son cerveau était emporté par un tourbillon, et sa gorge se serra curieusement. Il voulut prendre une profonde inspiration, impossible. Alarmé, il essaya de se sortir de l'hébétude qui l'engourdissait. La lanterne brûlait toujours à côté de son lit, mais il ne distinguait plus la flamme à travers la brume grisâtre qui était descendue sur lui.

Il fallait à tout prix faire taire ces tambours infernaux. Ses orbites se contractaient à chaque battement. Il avait de plus en plus de mal à respirer. Il porta la main à sa gorge et ne la trouva pas. Où était sa gorge ? Ses mains battirent l'air. Où était son corps ? Sa tête ? Ses yeux avaient disparu, eux aussi. Il n'avait plus de corps. Le brouillard l'avait avalé. Il ne lui restait que son âme, mais son âme ne savait où aller et restait suspendue dans les airs, cherchant vainement un être à habiter.

Des mouvements. Il y avait quelqu'un à l'intérieur de lui. Mais qui ? Eldon ? Eldon était revenu. Travis s'efforça de réfléchir, de parler, de dire à Eldon d'appeler un médecin. Il était malade, Dieu du ciel, comme il était malade. Trop de rhum. Fini, jamais plus. Il se rendit compte soudain avec une stupéfiante lucidité qu'il ne se souvenait plus de rien. Comment s'appelait-il ? Pourquoi était-il ici ? Ces tambours... A l'intérieur de lui-même ! Il suffoqua. Mais comment pouvait-il suffoquer ? Il n'avait plus ni bouche, ni gorge. Plus de corps ! Rien qu'une âme, et même cette âme était en train de s'évanouir.

Des visages dans le brouillard. Certains étaient noirs. D'autres café au lait. Des nez peinturlurés de rayures blanches, des yeux cerclés de rouge. Des os. Des os qui s'entrechoquaient. Du sang. D'où venait tout ce sang ? Il coulait sur lui, chaud et gluant. Il voulut l'essuyer, mais il n'avait pas de main.

Une voix accusatrice émergea du néant.

— C'est lui ?

Travis eut une nausée en l'entendant, si glaciale et sinistre. Mais comment pouvait-il ressentir quoi que ce fût ? Il n'avait plus de corps, et son âme était perdue quelque part dans cette brume grise. Son odorat fonctionnait, cependant... cette terrible odeur de putréfaction !

— Oui, ô *houngan*, c'est lui.

Molina. Oui, c'était Molina qui parlait, et sa voix distillait un venin assez puissant pour tuer.

L'homme parla de nouveau, plus fort. Sa voix s'élevait au-dessus des tam-tams, qui se déchaînaient, à présent.

— Les *loas* Ogoun et Erzulie viendront ce soir t'apporter la paix.

Des cris d'approbation retentirent. Des gens entonnèrent une incantation et battirent des mains. Travis devinait une activité fébrile, et son âme lui permit de voir des corps qui dansaient autour de lui, furieusement, comme en transe, en gesticulant avec des bruits d'os entrechoqués. Et ces tambours qui ne s'arrêtaient pas...

— Il mourra ! cria le *houngan*. L'esprit malin mourra. L'âme de ton grand-père sera apaisée. Qu'on apporte le sacrifice.

Une partie de ces paroles étaient prononcées dans le dialecte créole français que Travis avait appris dans les bayous de Louisiane. Le brouillard se dégageait, et il comprit que seule sa volonté surhumaine lui permettait de sortir de la stupeur dans laquelle la drogue l'avait plongé. Lentement, la mémoire lui revenait. Le rhum. Cette fichue bouteille curieusement pleine. Quelqu'un s'était glissé dans sa chambre pour y verser une drogue. Il n'avait bu qu'une gorgée, mais Eldon, deux.

Il n'osa pas ouvrir plus grand les yeux. Qu'ils le croient toujours sous l'emprise de la drogue, il l'était encore vaguement, du reste, et avait du mal à concentrer ses pensées. Tout lui venait comme au ralenti.

Il distingua les flammes de nombreuses torches et des indigènes étrangement vêtus, qui dansaient. Ils portaient de longues tuniques noires et violettes, mais la plupart des femmes avaient le haut du corps dénudé, et leurs seins tressautaient à la lueur des chandelles.

— Guédé viendra cette nuit, Baron Samedi va l'appeler. *Jeunesse*, tu vas retrouver ton honneur.

Celui qu'on appelait *houngan* était un Noir grand et maigre couvert de plumes. Des bandes blanches et jaunes étaient peintes sur son visage. Il secouait quelque chose en l'air, dressé face à Molina, elle-même agenouillée tête baissée devant lui.

— Tu vas retrouver ton honneur et apaiser ton grand-père, cria-t-il, et Baron Samedi décrétera qu'il doit être sacrifié.

Il courut vers Travis, qui referma rapidement les paupières.

— Non ! Pas tuer.

Travis entendit Molina crier au *houngan* de l'épargner, mais il avait du mal à demeurer éveillé. La drogue essayait de le reprendre. Ce maudit bruit de crécelle au-dessus de sa tête... Lentement, il se souvint. Le petit Noir du bayou lui avait parlé du *asson*,

108

une sorte de calebasse remplie de cailloux, d'os de serpents et de poussière de cimetière. L'objet devait être enveloppé du squelette d'un reptile. Et c'était ce qu'utilisaient les prêtres vaudou pour donner des ordres aux morts et aux vivants. Les tambours accompagnaient le rythme de la calebasse.

Instinctivement, Travis serra les poings, et s'aperçut qu'il avait les poignets attachés. Le *houngan* vit son mouvement et s'écria :

— Il se réveille. Il faut le sacrifier. Invoquons le Baron Samedi !

— Non, non ! Seulement le punir. Qu'il soit mien, m'obéisse et reste auprès de Molina toujours. Vous pas le sacrifier, ô *houngan*. Je veux pas lui sacrifié.

Travis sentit le sang chaud couler sur son visage et il ouvrit les yeux. Un poulet se balançait au-dessus de lui, la gorge tranchée. Il s'aperçut qu'il était entièrement nu, ligoté sur une large pierre plate.

— Dansez le *banda*, sanglotait Molina. Pour apaiser Baron Samedi. S'il vous plaît !

— Toi, danse le *banda*, cria triomphalement le *houngan*.

Travis vit le grand homme maigre tendre la main et arracher le vêtement noir et violet qui couvrait le bas du corps de Molina. Il la saisit par la taille et la brandit en l'air sous les acclamations de l'assistance. Chacun prenait à présent une femme et la jetait sur le sol. Tous se mirent à s'enlacer, les hommes assaillaient les femmes au rythme implacable des tambours. Ils semblaient avoir totalement oublié Travis pour l'instant.

Personne à Haïti n'allait venir mettre fin à cette folie ? songea désespérément Travis tandis que l'orgie démente se poursuivait au milieu des plumes de poulet sanglantes... Il tourna lentement la tête et s'aperçut qu'ils se trouvaient au milieu d'un cimetière.

Soudain, il se raidit en sentant quelqu'un remuer sur sa droite, du côté opposé à celui où se déchaînaient les autres.

— Ne bougez pas, je vais vous sortir de là, fit un murmure tremblant.

C'était Eldon, qui s'affairait accroupi près de lui. Travis vit luire la lame d'un couteau.

— Comment m'avez-vous trouvé ? chuchota-t-il avec soulagement. Non, plus tard. Fuyons, d'abord, avant qu'ils n'interrompent leurs festivités.

— De toute évidence, murmurait nerveusement Eldon en tranchant ses liens, le *houngan* n'a pas eu le pouvoir nécessaire pour invoquer le Baron Samedi ce soir. C'est pour cela qu'il a enchaîné sur le *banda*. Vous avez de la chance, vous pouvez me croire. Sinon, vous seriez déjà mort.

— Que pouvons-nous faire ?

— Fuir, répondit Eldon, qui semblait au bord des larmes. Fuir aussi vite que nos jambes nous le permettent. Je connais un endroit où nous pourrons nous cacher jusqu'à l'aube. Roulez à bas de cet autel et restez accroupi jusqu'à ce que je vous donne le signal, et nous avons des chances de mettre une bonne distance entre eux et nous, d'après ce que je vois de ce rite.

Rite, se répéta Travis avec amusement. Etrange nom pour une partie de débauche générale. Mais ce n'était pas le moment d'ironiser. Il roula à bas de la pierre tombale et courut à quatre pattes derrière Eldon, qui déployait dans l'exercice une agilité stupéfiante.

Lorsqu'ils furent hors du cimetière, Eldon se leva et donna le signal de la course. Derrière eux, ils entendaient encore les cris d'extase et les battements des tam-tams.

Ils couraient depuis une bonne demi-heure au

110

milieu des arbres et des ronces lorsque Eldon s'arrêta devant un massif d'arbustes touffus.

— C'est une grotte. Mon grand-père m'en avait parlé et je suis venu repérer les lieux par curiosité en arrivant sur l'île. Elle est remarquablement bien cachée, et on ne risque pas de nous y trouver.

Travis saignait déjà de ses nombreuses égratignures. Il ne fut que trop heureux de suivre Eldon. Ils parcoururent une centaine de mètres dans le souterrain.

— Ça y est. Nous pouvons enfin nous reposer.

Travis s'effondra sur le sol dur et froid. Il régnait une obscurité absolue et ils reprirent leur souffle sans un mot.

— Bon, dit enfin Travis. Que comptez-vous faire, maintenant ?

— Nous allons attendre le jour, puis retourner à l'hôtel et récupérer nos affaires avant d'embarquer sur le premier bateau. Ils vont passer le reste de la nuit à échanger leurs partenaires, et le *houngan* va leur faire ingurgiter des drogues pour que leur appétit sexuel se prolonge pendant des heures. Puis ils dormiront. Ils ne s'en feront pas pour vous, ils sont certains de pouvoir vous avoir n'importe quand, et la prochaine fois ils ne vous rateront pas.

Travis haussa les épaules.

— Je vais raconter toute cette histoire aux hommes politiques de la commission et, croyez-moi, ils iront trouver la police locale et exiger que tout soit fait pour protéger un citoyen des Etats-Unis.

— Vous êtes fou, soupira Eldon. La police dira que vous l'avez bien cherché. Je ne serais même pas surpris que l'un de ces sorciers peinturlurés soit un représentant de l'ordre, ou quelque grand ponte politique du coin. Le mieux que vous puissiez faire, c'est de quitter cet endroit, comme j'en ai l'intention moi-

111

même. Car, maintenant, ils vont aussi s'en prendre à moi. Ils sauront que c'est moi qui vous ai délivré.

— Comment le sauraient-ils ? Et comment m'avez-vous retrouvé ? Je vous en remercie de tout cœur, vous savez, ces gens sont véritablement fous. Mais vous avez bu dans la même bouteille que moi, or, c'était bien le rhum qui était drogué, n'est-ce pas ?

— En effet. Je l'ai compris en regagnant ma chambre. Je me suis forcé à vomir et j'ai lutté de toutes mes forces contre l'inconscience, mais j'ai fini par y céder. Lorsque j'ai réussi à me réveiller, j'ai su immédiatement où aller : après notre conversation de cet après-midi, j'ai mené une petite enquête sur votre Molina et j'ai appris que sa tribu tient toujours ses rites dans ce cimetière. Vous pouvez lui être reconnaissant d'avoir assez tenu à vous pour vous épargner. C'est elle qui a réclamé le *banda* à la place du sacrifice.

— Mais que diable est le *banda* ? Et qui est ce baron qui a décliné l'invitation à ma soirée ?

— Travis, lui dit Eldon d'une voix chargée de reproche. N'avez-vous pas compris, maintenant, que ceci est très grave ? Vous avez failli mourir, cette nuit.

— C'est vrai. Pardonnez-moi, continuez.

— Je vous ai dit que le Baron Samedi était le roi des âmes du cimetière. C'est la première personne à être enterrée dans un cimetière, et il possède la faculté — dont il use — d'apparaître lors de n'importe quelle cérémonie. C'est un esprit affamé et malsain, et il a la prérogative de dévorer toutes les offrandes qui sont faites aux autres *loas*.

— Le *houngan* a parlé de Ogoun et Erzulie, je crois.

— Ce sont des dieux que l'on invoque toujours lors des rituels matrimoniaux. Vous avez sans doute

112

entendu parler de Guédé, aussi. Guédé est le titre collectif donné à tous les esprits du cimetière. Molina avait manifestement l'intention que vous vous mariiez, et le *houngan* voulait vous sacrifier pour apaiser l'un de ses parents morts que vous aviez fâché en souillant l'honneur de Molina.

— Oui, ils ont parlé de son grand-père. Mais qu'est-ce que le *banda* ?

— La danse du *banda* combine une fascination sexuelle, le dédain du plaisir et le mépris délibéré de l'amour, ce qui est, aux yeux de Molina et du *houngan*, la façon dont vous l'avez traitée. Ils sont quasiment en état d'hypnose, lorsqu'ils dansent le *banda*. C'est ce qui m'a permis de venir vous délivrer.

Il poussa un soupir de soulagement.

— Vous avez eu de la chance. Au lever du soleil, le *houngan* vous aurait sûrement tranché la gorge comme celle d'un poulet. Il n'allait pas tolérer qu'une femme de sa tribu soit mariée à un étranger, surtout si ce dernier l'avait dédaignée après lui avoir volé sa vertu.

— Eh bien, je vous dois une fière chandelle, Eldon, dit Travis avec autant de sincérité que le lui permit le frissonnement qui parcourut son corps. Mon Dieu, j'ai l'impression que ma tête va exploser. J'ai hâte que nous puissions rentrer, pour que je m'habille et me repose un peu. Si je ne me retenais pas, j'irais tout de suite chercher mon fusil pour descendre quelques-uns de ces fous sanguinaires, surtout ce *houngan*.

— N'y songez pas. Peut-être sont-ils en train de nous chercher. Tâchez plutôt de dormir, Travis. Au jour, vous serez plus en sécurité. Ils opèrent toujours de nuit, mais alors nous serons loin.

Travis s'adossa à la paroi rocheuse. Quelle aventure...

113

Eldon le secouait, et il cligna des yeux. Sa nuque était endolorie et raidie. En fait, son corps entier était ankylosé et le faisait souffrir. La corde avait brûlé ses poignets et ses chevilles, et il se demanda comment il avait pu dormir assis nu dans cette cave humide et glaciale.

— Venez, Travis. Ne perdons pas de temps. Nous allons courir jusqu'au village, rassembler nos affaires et prendre le premier bateau en partance. Nos vies sont en jeu.

A la pâle lueur qui traversait les buissons cachant l'entrée de la grotte, Travis remarqua que son compagnon était pétrifié par la peur. Ses yeux étaient enfoncés dans leurs orbites, sa peau d'une pâleur effrayante, et ses lèvres exsangues, presque bleues. Il était manifestement malade.

— Il faut que vous vous reposiez, Harcourt. J'irai voir la commission et leur raconterai ce qui s'est passé, puis je partirai retrouver mon ami à Saint-Domingue.

Eldon émit un gargouillement étranglé, et posa deux mains glaciales sur les épaules de Travis, qu'il secoua sans ménagement.

— Vous perdez votre temps et vous risquez votre vie, en allant voir les autorités. Comment parviendrai-je à vous faire comprendre que votre seul salut est de *partir* ?

Travis prit sur lui pour ne pas répondre à Eldon qu'il était aussi fou que ces aborigènes bariolés et gesticulants. Après tout, il était venu à son secours, et qui sait ce qui aurait pu se passer sans son intervention ?

— Comme vous voudrez, mon vieux, dit-il en se forçant à paraître gai. Je ne peux pas dire que l'idée de traverser le village dans le plus simple appareil m'emplisse de joie, mais je ne vais pas rester tapi dans cette grotte toute la journée.

114

Harcourt parut soulagé. Si soulagé que Travis en conçut un léger remords.

Eldon lui donna sa chemise mais, bien qu'elle masquât en partie sa nudité, tout le monde les dévisageait. Et plus inquiétant encore, il régnait une atmosphère étouffante, dans le village. Travis eut le sentiment que des milliers d'yeux les observaient derrière chaque fenêtre.

— Ils sont là, murmura Eldon, terrifié, en jetant de brefs coups d'œil autour de lui. Ils nous regardent, je le sens. Dépêchons-nous.

— Allons, Eldon, fit Travis d'une voix rassurante, ne vous inquiétez pas. Vous êtes à bout de nerfs. Vous vous sentirez mieux lorsque vous aurez mangé et pris du repos. Nous méritons bien un verre, aussi, malgré l'heure matinale, mais cette fois nous entamerons une bouteille neuve.

Son rire se fracassa contre le linceul qui avait enveloppé Eldon.

— Non. Mangez et reposez-vous si vous le voulez, dit-il d'une voix à peine audible. Quant à moi, j'emballe mes affaires et je prends le premier bateau, quelle que soit sa destination.

Travis ne lui laisserait pas commettre pareille sottise, mais il se tut.

L'hôtel était désert. Il régnait une odeur d'humidité qui rappela à Travis celle de la veille. Il se mordit la lèvre inférieure, furieux d'admettre que toute cette histoire ne lui plaisait nullement. Il se raidit. Allons, en quatre ans de cette maudite guerre, il n'avait jamais eu peur, il n'allait pas se laisser impressionner par une bande de barbares excentriques.

Il poussa doucement Eldon vers l'escalier.

— Restez avec moi, Travis, demanda ce dernier en tremblant. Accompagnez-moi jusqu'à ma chambre. Je n'aime pas ça... Il y a quelque chose de bizarre.

— Allons, mon ami, tout va bien se passer, le rassura Travis en lui emboîtant le pas.

Une fois devant sa chambre, Eldon tourna la clef d'une main tremblante. La porte s'ouvrit en grand et Eldon recula d'un pas, un cri étranglé à la gorge. Il tomba à genoux et, la tête entre les mains, il remua d'avant en arrière, comme s'il suffoquait.

— Mais que diable... commença Travis.

Il s'interrompit. Des os ! Des os étaient éparpillés sur le lit d'Eldon. Des os humains : un fémur, un cubitus, et même un crâne grimaçant et moqueur posé sur l'oreiller.

— Grand-père, gémissait Eldon en une litanie continue, je suis un homme mort... mort, mort, mort.

Son gémissement se mua en un hurlement déchirant, et Travis le tira par les cheveux. Il lui assena un coup de poing, à la fois pour soulager le pauvre homme de sa misère, et pour faire taire ce hurlement dément.

Eldon Harcourt s'effondra sur le sol, inconscient. Un bruit de pas résonna dans le corridor, et Travis fit volte-face, les poings serrés, prêt à trouver en face de lui le *houngan* au visage peint et aux yeux fous.

C'était George Carpenter, un autre aide de camp, encore en chemise de nuit et mal réveillé.

— Mais que diantre se passe-t-il, Coltrane ? (Il remarqua alors le corps d'Eldon et les os dispersés sur le lit.) Ô mon Dieu, fit-il dans un murmure.

D'autres portes s'ouvrirent, et bientôt quelques curieux furent groupés sur le seuil. Tous avaient les yeux rivés sur la macabre mise en scène. Soudain, l'employé de la réception, un Noir, apparut.

— Vaudou, murmura-t-il d'une voix rauque et horrifiée. (Il fit un pas en arrière.) On a jeté malédiction sur Mr Harcourt. Il va mourir.

— Comment cela, une malédiction ? railla l'un des

autres hommes. Ce ne sont pas trois vieux os de chien et de stupides superstitions qui vont tuer Harcourt.

L'employé recula de quelques pas encore.

— Pas os de chien, dit-il en les montrant d'un doigt tremblant. Os du grand-père Mr Harcourt. Quand on déterre ossements d'un ancêtre de quelqu'un, ça signifie l'homme est maudit. Il mourra.

Travis bouscula plusieurs personnes en bondissant vers l'employé. Il le plaqua contre le mur.

— Comment se fait-il que tu en saches autant, espèce de fils de pute ! articula-t-il d'une voix sourde. Comment sais-tu que ce sont les os du grand-père de Harcourt ?

— Il... Il m'a dit... Il m'a dit... son grand-père enterré ici. A Haïti. J'ai entendu sortilège.

— Comment ? cria Travis en le secouant. Qui te l'a dit ? Parle !

— Tam-tams. Tam-tams racontent l'histoire. Tam-tams arrêtés tout à l'heure. Mr Harcourt, c'est homme mort.

Il adressa un regard réprobateur à Travis et ajouta avec mépris :

— Lui a empêché Baron Samedi. Il a empêché pour vous. Maintenant il va payer, Baron Samedi lui a jeté sortilège. Et après ça sera vous.

Travis le gifla. Il l'aurait frappé encore si les autres ne l'en avaient pas empêché. Ce petit salopard était sûrement l'un des danseurs fous.

— Calmez-vous, Coltrane, disait George. Nous allons nous occuper d'Eldon. Nous l'emmènerons dans ma chambre et ferons retirer ces os. Allez vous reposer, on dirait que vous avez passé une nuit agitée.

Travis toisa le Noir avec mépris, puis regagna lentement sa chambre. Il enfila un pantalon, coinça son revolver dans sa ceinture et saisit son fusil, puis descendit dans le hall.

La foule était attroupée en bas. Que le diable les emporte, songea Travis avec amertume. Il quitterait cette île de fous pendant quelque temps. Il irait à Saint-Domingue retrouver Sam.

Travis jeta un dernier coup d'œil glacial sur les autres et sortit.

8

A l'écurie, le vieux bonhomme parlait un mélange de français et de créole ; Travis comprit que Saint-Domingue se trouvait à cent cinquante milles de là, et qu'il valait mieux s'y rendre par la route que par la mer : il lui faudrait probablement quatre ou cinq jours de cheval, mais ce serait plus rapide que de s'embarquer sur un bateau qui ferait escale dans chaque port.

Travis demanda à l'homme sa meilleure bête, une bonne selle, et que tout soit préparé immédiatement. Puis il partit acheter des provisions pour le voyage. Il cherchait une couverture lorsque des bruits de pas le firent pivoter, revolver au poing.

— Vous pouvez rengainer cela, Coltrane. Nous sommes venus vous parler.

Il reconnut deux des assistants de la commission : Walton Turner et Vinson Craley.

— Orville Babcock est en ville. Il est arrivé de Saint-Domingue il y a deux jours pour voir où en sont les travaux de la commission ici. Il désire vous parler.

— Ah oui ? fit Travis, songeur et ennuyé. Et en quel honneur le secrétaire personnel du président Grant désire-t-il me voir ?

Les deux hommes échangèrent des regards gênés. Enfin, après un silence embarrassé, Vinson Craley s'éclaircit la gorge avec nervosité.

— Coltrane, ce qui s'est passé la nuit dernière s'est répandu comme une traînée de poudre. Vous savez comme les indigènes sont bavards. Tout finit toujours par se savoir.

Il jeta un regard désespéré à son compagnon, et Walton Turner poursuivit :

— Le fait est, Coltrane, que Babcock en a entendu parler, et qu'il veut examiner la situation avec vous.

— Il n'y a aucune situation, et rien à examiner, rétorqua sèchement Travis.

— Ce n'est pas l'avis de Babcock, reprit rapidement Walton.

— Comment ? s'esclaffa Travis. Allez-vous me dire que Babcock croit à toutes ces inepties sur le vaudou ?

— Les choses ne sont pas si simples, fit Walton.

Il ne tenait pas à irriter Coltrane. Il l'admirait énormément et avait entendu parler de ses exploits héroïques pendant la guerre. Mais il y avait chez cet homme quelque chose qui vous donnait envie de ne pas vous en faire un ennemi.

— Le président Grant voudrait acquérir la République dominicaine pour les Etats-Unis, expliqua précipitamment Walton pour se débarrasser de sa corvée. Lorsque le Congrès a offert notre protection à Haïti et à la République dominicaine, cela ne signifiait pas qu'il approuvait l'annexion. C'est pourquoi le président a envoyé Babcock et le reste de la commission pour essayer de mettre au point un traité d'annexion. Les choses ne se passent pas trop bien, et votre histoire de la nuit dernière n'a rien arrangé.

Vinson ajouta rapidement :

— C'est pour cela qu'il veut vous voir. Beaucoup

de gens sont mécontents. Vous avez agité la population locale.

Travis haussa un sourcil amusé.

— Est-elle agitée parce que j'ai décidé de ne pas ajouter foi à ces histoires de vaudou, ou bien parce que j'ai eu une brève aventure avec une indigène ? Il me semble que plusieurs d'entre vous ont également goûté aux fruits de cette île.

Les hommes échangèrent des regards et leurs visages se colorèrent légèrement.

— La question n'est pas là, répondit Walton. Babcock nous a envoyés vous chercher. Vous travaillez pour le gouvernement américain, et vous devriez avoir la courtoisie d'accéder à la requête du secrétaire personnel du président, notamment après votre esclandre.

— Mon esclandre ? s'exclama Travis en riant. J'aurais pu être tué et, sans Eldon Harcourt, Dieu sait ce qui serait arrivé.

Vinson soupira et tendit les mains en un geste implorant.

— Ecoutez, Coltrane, je sais que vous êtes agacé. On le serait à moins. Mais Harcourt est dans un état comateux, dit le médecin, et les indigènes nous fuient comme si nous avions la peste. Cette situation ne plaît pas à Babcock, et il souhaite vous en entretenir. Il a même fait venir un prêtre.

— Un prêtre ?

— Oui, un prêtre, pour vous expliquer certaines des coutumes locales. Venez avec nous, d'accord ? Nous avons entendu dire que vous envisagiez d'aller à Saint-Domingue, mais vous pouvez tout de même retarder votre départ de quelques minutes pour écouter Babcock, non ? Cela peut arranger bien des choses pour tout le monde.

— Et peut-être pour Harcourt, grommela Walton.

— Harcourt s'en sortira, dit rapidement Travis. La nuit a été rude, il est épuisé.

— Alors, venez-vous ? s'impatienta Vinson. Ou devons-nous retourner dire à Babcock que vous vous fichez de tout cela comme d'une guigne ?

Travis les suivit jusqu'au petit bâtiment de bois où Orville Babcock avait établi son quartier général pendant son séjour à Port-au-Prince. Vinson et Walton le conduisirent devant une porte et s'éclipsèrent. Travis frappa, puis entra lorsqu'on lui en intima l'ordre. Un homme au visage sombre et aux cheveux noirs était assis derrière un large bureau, et un prêtre se tenait à sa gauche. Travis fit un signe de tête à l'homme assis et demanda tout à trac :

— Pourquoi vouliez-vous me parler, Babcock ? Je m'apprêtais à partir voir Sam Bucher à Saint-Domingue.

— Sam Bucher semble avoir envie de vous revoir, lui aussi, Coltrane, remarqua Babcock en bourrant une pipe. Il attend d'avoir un peu de temps libre pour venir jusqu'à vous, mais je n'ai pas pu lui accorder une journée jusqu'à présent. J'ai l'impression que nous sommes beaucoup plus occupés que vous ici, à Haïti. Aucun de mes hommes ne s'est trouvé embarqué dans une situation diplomatique avec les indigènes, ajouta-t-il d'un air entendu.

Travis retourna la chaise qui se trouvait près de lui, s'assit à califourchon et demanda d'un ton sec :

— Insinuez-vous que je me suis « embarqué dans une situation diplomatique » ? Je ne pense pas que cela regarde le gouvernement américain. C'est aux autorités locales, si toutefois elles existent, ajouta-t-il avec un sourire sarcastique, de s'en préoccuper. Un citoyen américain a failli être tué la nuit dernière par une bande d'autochtones hystériques.

Il regarda Babcock droit dans les yeux.

— Eh bien, qu'avez-vous l'intention de faire ?

Le prêtre, un grand homme corpulent aux yeux d'un bleu glacier, prit la parole.

— Avez-vous défloré une jeune indigène appelée Molina ?

Travis le dévisagea attentivement. Sans plus mâcher ses mots qu'à son habitude, il répondit :

— Oui, si vous tenez à dire cela dans ces termes. Peut-être était-elle vierge, mais je peux vous garantir qu'elle est venue à moi comme une femme qui a déjà connu beaucoup d'hommes. Je ne l'ai pas forcée. En fait, c'est elle qui s'est offerte en termes parfaitement clairs. Je suis humain.

— Vous êtes également marié ! siffla le prêtre comme un serpent, le visage rougi.

— De quoi vous mêlez-vous ?

— Coltrane, venons-en aux faits ! s'écria Babcock en frappant du poing sur la table. Vous avez dépucelé une indigène. Aux yeux de son peuple, vous l'avez couverte de honte. Les rites qu'ils ont pratiqués la nuit dernière, si j'ai bien compris ce que l'on m'a rapporté, étaient destinés à vous punir.

— Ils croyaient qu'ils allaient m'obliger à l'épouser. Enfin, quelque chose dans ce goût-là. Oh, bon Dieu, tout ce que je sais, c'est qu'ils m'ont drogué, et je me suis réveillé nu et ligoté sur une pierre tombale, arrosé par le sang chaud d'un poulet décapité. Est-ce qu'il n'y a pas matière à s'énerver ? Babcock, a-t-on déjà essayé de se venger sur vous de cette façon ? Osez prétendre qu'il n'y a pas de quoi être hors de soi, et je vous traite de putain de menteur !

Le prêtre s'enfla comme un crapaud.

— N'avez-vous donc aucun respect ? murmura-t-il, outré.

— Je suis désolé, s'excusa Travis. Je sais que vous êtes un homme de Dieu mais, dites-moi, que venez-vous faire dans cette histoire ? Personne ne m'a encore dit l'objet de cette réunion, et j'aimerais ne pas trop m'attarder.

Le prêtre s'assit à côté de Babcock et croisa les bras.

— Mr Babcock et d'autres m'ont dit que vous étiez doté d'une volonté à toute épreuve, Mr Coltrane, et que vous aviez un très mauvais caractère. Je comprends que vous soyez bouleversé mais, si vous voulez bien éviter de nouveaux éclats et m'écouter, je vais tenter de répondre à votre question.

— Très bien, fit Travis en hochant la tête. Mais pressons-nous.

Le prêtre ferma les paupières un instant, comme s'il priait pour trouver les mots justes. Lorsqu'il les rouvrit, il considéra Travis d'un air songeur, puis déclara :

— Laissez-moi vous expliquer l'origine de tout ceci, Mr Coltrane.

Il s'exprimait lentement, d'une voix égale, désireux de ne rien laisser dans l'ombre. « Près d'un demi-million d'esclaves, raconta-t-il, avaient gagné leur liberté dans une lutte qui s'était achevée par l'indépendance d'Haïti, en 1804. La plupart des Africains importés sur l'île avant le milieu du siècle provenaient du Dahomey, en Afrique occidentale, puis plus tard du Congo. C'étaient essentiellement des mulâtres dotés d'une certaine éducation, ainsi que quelques Européens ; à partir de 1804, il y eut énormément d'immigrants, commerçants et artisans pour la plupart, ainsi que quelques prêtres et enseignants, venus d'abord des îles Britanniques, puis d'Amérique, pour faire partie d'un mouvement de rapatriement. »

« Il y a neuf ans, poursuivit-il de la même voix lente, un concordat avec le pape donna à Haïti un

123

clergé entièrement français, ce qui contribua à attirer davantage de résidents de langue française. Certains vinrent de la métropole, d'autres de Guadeloupe ou de Martinique. »

Travis l'interrompit :

— L'historique de la colonisation d'Haïti est passionnant, mais qu'est-ce que cela vient faire ici ?

— Mr Coltrane, si vous voulez bien m'écouter, je suis certain que vous allez bientôt comprendre. Haïti s'étant retrouvée sans clergé régulier jusqu'à il y a neuf ans, un culte syncrétique s'est formé en 1860. C'est cela que l'on appelle le vaudou. Pour vous l'expliquer en deux mots, le vaudou est une religion selon laquelle le Dieu catholique règne sur un panthéon africain.

Travis considéra son interlocuteur d'un œil sceptique.

— Vous voulez dire que le vaudou est une religion ? Et que celle-ci trouve ses racines dans l'Eglise catholique ? C'est difficile à avaler, et j'ai encore plus de mal à croire que les catholiques l'accréditent. Qui voudrait se voir associé à une bande d'hystériques ?

— Ils croient en un seul Dieu, et ont emprunté divers autres éléments au catholicisme romain, poursuivit le prêtre sans s'émouvoir. Ils croient aux saints, mais là, cela se mélange confusément aux dieux vaudou, qui font l'objet de toutes sortes de vénérations. Le pouvoir d'effectuer le bien et le mal est accordé avec la permission de Dieu, qu'ils appellent le Grand Maître. C'est ce que j'entendais par « syncrétisme », ce qui est une description exacte du mélange d'éléments composant le vaudou haïtien : la foi en un Dieu suprême, universel et souverain, mais en même temps, la croyance en des dieux secondaires, qu'ils appellent les *loas*. Le *loa* le plus important est Legba, le gardien du temple. Puis, vient Erzulie, la déesse de l'amour.

Devant l'air exaspéré de Travis, Babcock intervint avec impatience :

— Ce qu'il essaie de vous dire, Coltrane, c'est que ces gens ont des croyances profondément enracinées. Ce sont pour eux des questions très graves. C'est pourquoi le gouvernement américain, dans son initiative pour gagner des atouts militaires et commerciaux ici et encourager une annexion, ne peut pas se permettre de voir l'un de ses émissaires impliqué dans un scandale. Sherman en personne vous a recommandé à nous pour cette mission...

— Attendez une minute ! protesta Travis. C'est Sam Bucher qui m'a fait incorporer à la commission sur ma demande. Je désirais passer quelque temps loin de chez moi. Alors ne venez pas me dire que j'ai été *choisi* pour ce boulot et que je suis la honte de mon pays. C'est moi qui ai demandé à venir.

Orville Babcock souleva quelques papiers sur son bureau :

— J'ai là votre dossier. Vous m'avez été recommandé par Sherman en mars, lorsque nous avons créé la commission. Vous avez été sélectionné en vertu de vos brillants états de service pendant la guerre. Sherman a écrit personnellement et longuement au président Grant pour lui faire votre éloge.

— Montrez-moi ceci, je vous prie, fit Travis en tendant la main.

Babcock s'exécuta en haussant les épaules. Les yeux gris de Travis se plissèrent tandis qu'il parcourait la correspondance. Pourquoi Sam ne lui avait-il rien dit de tout cela ? Un sentiment de malaise s'insinua lentement en lui. Il y avait quelque chose de bizarre là-dessous, et qui n'était probablement pas sans rapport avec l'étrange conduite de Kitty. Etait-ce pour cela qu'elle avait si radicalement changé ?

— Coltrane, nous vous demandons de retourner en Amérique, dit Babcock.

Travis leva les yeux et, se tournant vers le prêtre, il l'interrogea d'une voix calme :

— Croyez-vous que la malédiction jetée sur Harcourt le fera mourir ?

Le prêtre croisa les doigts avec nervosité, ouvrit et referma la bouche plusieurs fois. Soudain, le poing de Babcock s'abattit sur le bureau.

— Coltrane, je vous le répète, nous vous demandons de rentrer en Amérique. Quittez Haïti. Oubliez Harcourt.

— Que j'oublie Harcourt ? répéta Travis, stupéfait. Mais vous êtes fou ? Cet homme m'a sans doute sauvé la vie. Il a été drogué, c'est évident...

— Pas drogué, Mr Coltrane, corrigea hâtivement le prêtre. Maudit. Eldon Harcourt est maudit. Il n'y a rien que vous ni quiconque puissiez faire.

— C'est ce que nous verrons.

Travis fit un pas vers la porte, se retourna pour les regarder avec colère et déclara :

— Je n'ai aucune intention de les laisser tuer Harcourt.

Les hommes s'étaient levés. Le visage de Babcock s'empourpra.

— Je ne peux pas vous permettre de causer davantage de problèmes dans ce pays, Coltrane. Si je dois vous faire mettre aux arrêts et déporter...

La main de Travis se dirigea vers son fusil, sans toutefois le toucher.

— Essayez, Babcock. Essayez, vous ou un autre.

Il sortit en claquant la porte et demeura quelques instants dans le couloir, inspirant profondément pour se calmer. Il allait falloir qu'il réfléchisse sérieusement, et il ne pouvait pas se permettre de laisser la colère l'emporter.

Il partit d'un pas vif, tête baissée, faisant s'écarter tout le monde sur son passage. Une fois dans le petit hôtel, il alla droit à la réception. L'employé recula et bredouilla avec effroi.

— Partez, s'il vous plaît. Vous apportez malédiction.

Travis saisit l'homme au collet et le secoua.

— Tu peux dire à tes amis que je ne crois à aucune malédiction, hormis celles que je jette moi-même. Et maintenant, je monte au chevet d'Eldon Harcourt où je resterai jusqu'à ce qu'il se réveille. Et si quelqu'un s'avise de venir m'ennuyer, il finira là où ces os ont été déterrés, compris ?

L'employé respirait difficilement. Au prix d'un gros effort, il parvint à hocher la tête, les yeux exorbités. Travis le lâcha et il tituba en toussant.

Travis monta les marches quatre à quatre. Devant la porte d'Harcourt, il vit Vinson Craley et Walton Turner parler à un homme noir. Ils se turent à l'approche de Travis.

— Qui est-ce ? grogna ce dernier.

— C'est le docteur Lamedi, lui dit Vinson, mal à l'aise. Il a été appelé pour examiner Harcourt.

— Et comment va-t-il ?

Le docteur regarda par terre et secoua la tête.

— Je ne peux rien. Personne ne peut rien.

— Qu'est-ce que vous racontez ? fit Travis en serrant les poings. Je l'ai frappé juste assez fort pour l'assommer, il était devenu hystérique en voyant ces foutus ossements.

— Il n'a pas repris conscience, Coltrane, intervint Vinson presque à contrecœur. Il est toujours dans le coma. Le docteur dit que cela n'a rien à voir avec votre coup de poing. Il ne se réveillera jamais, c'est tout.

Travis repoussa les trois hommes et entra dans la pièce. Eldon Harcourt était allongé sur son lit, en pantalon et torse nu. Sa poitrine était soulevée d'un souffle régulier et ses yeux étaient entrouverts, mais Travis sut qu'il ne voyait pas. Eldon était inconscient.

— Malédiction vaudou, commenta Walton derrière lui. Eldon m'a raconté les histoires de son grand-père. Il y croit dur comme fer. Apparemment, un médecin-sorcier lui aurait jeté une malédiction parce qu'il vous a secouru.

— C'est vrai, confirma le médecin nerveusement. La malédiction du Baron Samedi. Rien que je puisse faire.

— Que vous *puissiez*, ou *vouliez* faire ? demanda Travis d'une voix tranchante. Vous savez ce qui s'est passé ? Racontez-le-moi.

— Non, non, non, fit l'autre en secouant frénétiquement la tête. J'entends des choses, oui. J'ai entendu parler de la malédiction. Mais je ne sais rien d'autre. Je ne connais pas cet homme. Je ne vous connais pas. Je suis venu parce qu'on m'a appelé, mais je ne peux rien pour lui.

— Qui a retiré les os d'ici ?

L'homme secoua de nouveau la tête.

— Je ne sais rien. Il faut me croire. Laissez-moi partir, maintenant, s'il vous plaît.

— Dites-moi ce qu'il a, croassa Travis d'un ton menaçant.

— Je ne sais pas. Je vous le jure. C'est une malédiction. Je ne sais pas laquelle. Personne ne peut rien faire, excepté le *houngan*. Et même lui peut-être renoncerait. Le Baron Samedi est tout-puissant.

Travis hocha la tête comme s'il comprenait. Il lui fallait à tout prix soutirer des renseignements du médecin, et il n'obtiendrait rien en le terrorisant.

— Très bien, dit-il doucement. Je comprends que vous n'avez pas le pouvoir d'annuler la malédiction. Mais sauriez-vous au moins me dire ce qu'il a et pourquoi il ne se réveille pas ? A-t-il été drogué ?

Le médecin jeta un coup d'œil inquiet alentour, comme si les *loas* eux-mêmes risquaient de l'entendre, puis il murmura :

— Il va se réveiller, mais il se rendormira ensuite. Puis il se réveillera, et se rendormira. Et ainsi jusqu'à ce que le *gros bon ange* soit complètement avalé par le Baron Samedi. Alors, il mourra. C'est l'âme qu'on appelle *gros bon ange*. L'âme d'ombre et de souffle. *'Ti bon ange* est l'esprit. Les deux sont dans le corps mort. Cet homme est déjà mort. *Gros bon ange* et *'ti bon ange* sont séparés à cause de la malédiction. L'homme est *corps cadavre*, il ne vit plus.

— Mais il respire.

— Je ne sais pas pour combien de temps encore. Le Baron Samedi va l'emmener quand il l'aura décidé. Personne n'y peut rien.

Sans quitter des yeux les pupilles dilatées du médecin, Travis demanda à Craley et Turner :

— Descendez et laissez-nous, vous deux. J'aimerais parler seul à seul au docteur.

Les deux autres s'exécutèrent après une longue hésitation et, lorsqu'ils furent seuls, le Dr Lamedi déclara rapidement :

— Je ne peux rien vous dire. Vous mettez ma vie en danger. Laissez-moi partir.

Travis le guida jusqu'à un siège et le fit asseoir.

— En effet, je mets votre vie en danger, dit-il en braquant sur lui son pistolet. Car, si vous ne répondez pas à mes questions, je vais vous tuer. J'ai la ferme intention de vous faire exploser la cervelle si vous ne parlez pas.

Le médecin se mit à paniquer, et il ferma les yeux comme s'il anticipait la balle. Il se sentit uriner, et fut humilié lorsqu'une petite mare apparut sur sa chaise.

— Que... Que voulez-vous savoir ? réussit-il enfin à prononcer.

— Parlez-moi de cette malédiction. Que lui a-t-on fait ?

Les yeux toujours fermés, l'autre répondit :

— Je vous en supplie, croyez-moi, je ne sais rien. Vous ne vous rendez pas compte de ce qu'est le vaudou. Il se passe des choses étranges que nul ne peut expliquer. Je sais seulement que cet homme a irrité les *loas*, le Baron Samedi. Il est maudit. Il mourra. C'est déjà arrivé. Mon propre père est mort d'une malédiction.

Soudain, il fondit en larmes.

— Tuez-moi si vous voulez, mais je ne peux rien vous dire de plus. Je ne pratique pas le culte vaudou. J'en ai peur. Je ne veux pas être mêlé à ça. Je sais seulement que votre ami va mourir.

Il disait la vérité.

— Est-il drogué ? demanda Travis en rangeant son arme.

L'homme poussa un long soupir de soulagement.

— Je n'en sais rien. Pour être honnête avec vous, je crois que c'est possible. J'ai étudié la médecine à Paris, et on a posé aux professeurs des questions sur le vaudou, mais ils ont éclaté de rire et dit qu'un homme est capable de se laisser mourir sous l'effet de la peur. C'est peut-être ce qui est en train d'arriver à votre ami. Ou peut-être est-il drogué. Ou encore, ajouta-t-il précipitamment, le vaudou est peut-être réel, bien que certains n'y croient pas. Comme je vous l'ai dit, mon père est mort après avoir été maudit.

— Et vous croyez qu'il est l'une de ces choses qu'on appelle un zombi ?

— C'est ce qu'on m'a dit, répondit-il les larmes aux yeux.

— Avez-vous jamais songé à creuser sa tombe pour vous en assurer ? voulut savoir Travis.

— Non ! Jamais je ne pourrais faire cela ! Jamais ! Ce serait m'attirer la colère du Baron Samedi. Et je serais maudit, moi aussi.

— A votre place, je quitterais Haïti, lui dit Travis en s'approchant du lit d'Eldon. Vous êtes un homme de sciences. Un médecin. Et pourtant, vous parlez comme tous ces imbéciles. Sortez, maintenant.

Il entendit l'homme courir dehors. Il posa une main sur la poitrine d'Eldon. Son souffle était faible, mais régulier. Travis souleva une paupière de son ami et contempla son œil vitreux. Il avait été drogué. C'était certain.

Il jeta un rapide coup d'œil autour de lui. Ni verre, ni bouteille, ni récipient d'aucune sorte. Il examina rapidement le corps d'Eldon. Aucune trace de piqûre.

Bon sang, il ne pouvait tout de même pas le laisser mourir ainsi ! S'il avait été drogué, songea-t-il, il faudrait sans doute lui administrer encore du poison pour le tuer. A moins qu'il n'ait déjà reçu une dose mortelle, qui agissait lentement. Pour l'instant, Travis n'était sûr que d'une chose : si quelqu'un avait l'intention de revenir l'achever, il trouverait Travis Coltrane.

On frappa doucement à la porte, et Travis cria : « Entrez » en mettant la main sur son pistolet. Il fut surpris de se trouver face au prêtre.

— Nous ne nous sommes pas présentés, dit celui-ci. Je suis le père Debinem. Les deux hommes qui vous avaient conduit chez Mr Babcock sont revenus nous parler de l'état de Mr Harcourt. Je suis venu voir si je pouvais être d'une aide quelconque.

Travis le considéra de la tête aux pieds et décida qu'il ferait mieux d'oublier un peu son arrogance.

— C'est gentil à vous, dit-il. Mais, d'après le médecin qui vient de partir, il n'y a rien à faire. Quant à moi, je le crois drogué.

Le père Debinem s'approcha du lit et observa Eldon, puis il prit son poignet entre ses doigts. Lorsqu'il le relâcha, le bras retomba lourdement sur le matelas.

— Drogué ou maudit ?

— Si l'on croit aux inepties vaudou, il est maudit. Personnellement, je n'y crois pas.

— Si j'ai bien compris, Mr Harcourt, lui, y croyait. Et il pourrait être en train de se laisser mourir, simplement parce qu'il s'imagine victime d'une malédiction.

Le prêtre s'écarta du lit et regarda Travis.

— Et qu'avez-vous l'intention de faire ? D'attendre qu'il meure ? Si c'est le cas, j'attendrai avec vous.

— Il ne mourra pas, déclara Travis avec détermination.

— J'attendrai avec vous, et je prierai pour lui. A propos, ajouta le prêtre, Mr Babcock s'est renseigné pour savoir si l'on pouvait le faire admettre dans un hôpital, mais aucun n'a accepté.

— Tant mieux, fit Travis avec un petit rire méprisant. J'ai confiance en moi, en vous aussi, et je n'ai aucune envie de le voir échouer dans un lieu où je ne pourrais me fier à personne. Ils l'achèveraient sûrement. Nous n'aurons qu'à nous relayer à son chevet et nous tenir prêts au cas où ils reviendraient terminer leur besogne.

Il s'assit par terre, adossé contre le mur de manière à surveiller aussi bien la porte que la fenêtre.

— Ainsi, vous croyez qu'on l'a drogué ? demanda le père Debinem.

— Il ne mourra pas d'une stupide malédiction, j'en mets ma main à couper. Quand les effets de ce qu'on lui a fait avaler s'estomperont assez pour que je puisse lui parler, j'essaierai de le raisonner, de lui faire comprendre qu'il est en train de céder à la peur et que c'est cela, et uniquement cela, qui le tuera.

— Et que se passera-t-il s'ils essayent de revenir ?

Un sourire se dessina lentement sur les lèvres de Travis.

— S'ils reviennent, je leur réserve quelques malédictions de mon cru.

9

Travis regagna sa chambre en titubant d'épuisement et s'effondra sur le lit sans même retirer ses bottes.

Pendant trois jours et trois nuits, le père Debinem et lui s'étaient relayés au chevet d'Eldon Harcourt. Les veilles de Travis étaient plus longues, car le prêtre, en raison de son âge, ne pouvait rester attentif aussi longtemps que lui.

Eldon était encore en vie. Ils lui faisaient avaler de force des bouillons chauds. De temps à autre, il ouvrait des yeux égarés, puis sombrait de nouveau dans l'inconscient.

Mais qu'avaient bien pu lui donner ces salopards ? jurait Travis dix fois par jour. Qu'est-ce qui le plongeait dans cette transe, ce coma ? Deux autres médecins avaient été appelés et aucun n'avait pu, ou voulu se prononcer. Pour tout commentaire, ils avaient murmuré qu'ils ne pouvaient rien contre le vaudou.

Quelqu'un lui secouait l'épaule. Une voix angoissée l'appelait.

— Travis, levez-vous ! Pour l'amour du ciel, réveillez-vous !

Le père Debinem se tenait devant lui, les joues ruisselantes de larmes.

— Que Dieu me pardonne, je n'ai pas pu lutter. Je me suis assoupi...

Travis bondit sur ses pieds et saisit l'autre par le bras.

— Assoupi ? Et Eldon ?

Il était déjà à la porte, mais les paroles solennelles du prêtre l'immobilisèrent.

— Il est parti.

Travis se tourna lentement, parcouru d'un frisson glacial.

— Comment cela, parti ? s'écria-t-il d'une voix enrouée.

Le prêtre s'assit lourdement sur le lit et se couvrit le visage.

— Je me suis endormi. J'étais si fatigué, que Dieu me pardonne. J'ignore combien de temps j'ai dormi. Quand je me suis réveillé, il avait disparu.

Travis courut vers la chambre d'Eldon. Vide. Derrière lui, le prêtre se lamentait.

— Je ne sais pas comment ils ont pu entrer, la porte était fermée à clef, la fenêtre aussi. Je ne comprends pas. Oh, pardon, mon Dieu.

— Cessez de vous en vouloir. Je n'aurais pas dû vous infliger une épreuve si difficile. Si les autres n'avaient pas tous refusé de coopérer...

Il baissa la tête. Ils avaient Eldon. Ces ordures avaient Eldon et Travis se sentit soudain seul et désemparé. Cet homme l'avait aidé, lui avait probablement sauvé la vie, et Travis n'avait pas pu lui rendre la pareille.

134

Soudain, il remarqua quelque chose, par terre, sur le seuil de la porte. Tout d'abord, il n'en crut pas ses yeux. Il s'agenouilla très lentement et prit la longue paille en bambou. Il la tourna précautionneusement entre ses mains, puis la jeta sur le sol d'un geste rageur.

— Ils l'ont eu ! cria-t-il. Bon Dieu de saloperie ! Ils l'ont eu !

Les yeux gris de Travis virèrent à la couleur de l'acier en fusion tandis que la colère irradiait tout son être. Il préférait être pendu que laisser ces créatures faire d'Eldon un zombi !

Il regagna sa chambre à la hâte et prit ses fusils en réfléchissant à toute allure. D'après ce que lui avait raconté Harcourt, le sorcier aspirait l'âme de sa victime, puis la victime sombrait dans le coma et mourait dans les deux ou trois jours. Il n'avait pas parlé d'une mort immédiate.

Peut-être Eldon n'était-il pas mort. Le *houngan* s'était lassé d'attendre et avait compris que Travis et le prêtre maintenaient Eldon en vie. Et il devait se préparer à accomplir l'odieux rituel...

Peut-être est-il encore temps de le sauver !

— Voulez-vous que j'aille rapporter ce qui s'est passé aux autorités ? demanda le prêtre d'une voix presque inaudible.

— Oui, répondit Travis en songeant qu'il n'était pas plus mal d'éloigner le brave homme.

Dehors, une fine bruine tombait, et Travis estima à la lumière qu'il devait être près de huit heures. Il fallait faire vite.

Il y avait une personne qui pouvait savoir ce qui se passait en ce moment, songea-t-il. Une seule.

Il courait en bas de l'escalier lorsque la porte de l'hôtel s'ouvrit pour laisser place à Orville Babcock et au père Debinem.

— Je l'ai retrouvé dans la rue, il venait ici, expliqua le prêtre avec excitation.

Babcock était pâle et bouleversé.

— Travis, calmez-vous et laissez les autorités s'occuper de cela, dit-il rapidement en faisant un pas de côté pour l'empêcher de sortir. Harcourt est très certainement mort à l'heure qu'il est, et les indigènes vont l'enterrer selon leurs coutumes. Peut-être étaient-ils des amis de son grand-père, qui sait ? Je veillerai personnellement à ce que son corps soit ensuite rapatrié chez lui.

— Faites ce que vous avez à faire, comme moi, lâcha Travis en lui passant devant.

— Coltrane, il est mort, insista Babcock en le suivant dans la rue. Il n'est pas question que je vous laisse écumer la campagne la rage au cœur. Vous avez déjà causé assez d'ennuis. Vous n'auriez jamais dû vous compromettre avec cette fille.

— C'est *elle* qui est venue à moi, je ne lui ai jamais rien demandé !

— Coltrane ! Je vous ordonne de revenir. Si vous n'obéissez pas, je devrai vous faire arrêter.

Travis disparut dans l'ombre. Babcock n'avait pas parlé en l'air. Il lancerait ses hommes à sa poursuite et le mettrait en prison. Pour ne pas déranger les gens du coin.

Travis emprunta un chemin pavé qui serpentait parmi des huttes et de petites boutiques. Il n'avait pas peur. Il ne sentait même pas le crachin sur son visage.

Au loin, les tam-tams se mirent à résonner, lentement, puis à un rythme croissant. Qu'ils le voient. Qu'ils sachent que Travis Coltrane arrivait. Il toucha le pistolet accroché à sa ceinture. Il trouverait Eldon Harcourt avant le lever du soleil sur Port-au-Prince, mort ou vif, et il punirait les responsables.

On l'observait dans l'obscurité. Eh bien, qu'ils l'observent, bon Dieu ! Qu'ils sortent de l'ombre et viennent le regarder droit dans les yeux.

Il s'arrêta devant la hutte de Molina. D'un violent coup de pied, il envoya la porte claquer à toute volée contre le mur.

Molina était allongée sur le lit, nue, les bras au-dessus de sa tête. Sa peau de bronze luisait à la lumière de la petite lanterne.

— Je pensais que toi viendrais, murmura-t-elle, un sourire triomphal aux lèvres. Je sais que *houngan* a envoyé sorcier chercher ton ami.

Travis remarqua sa peau satinée. Elle semblait s'être ointe d'une huile. Malgré sa fureur, il ne put réprimer un frisson de désir et se maudit intérieurement. Il lui rendit son sourire avec arrogance.

— Puisque tu m'attendais, tu sais ce qui m'amène. Ne perdons pas de temps, Molina.

— Toi arrives trop tard pour sauver ami. Il a agi sottement. Il connaissait nos coutumes. Il savait danger. Il aurait dû faire attention. Tu as couvert Molina de honte, Travis Coltrane. Tu m'as faite... femme déchue.

Ses yeux bruns étaient froids.

— Je t'ai fait ce que tu voulais être, rétorqua-t-il sèchement. Une femme *satisfaite*, comblée. Je veux savoir où ces salopards ont emmené Harcourt. Et ne viens pas me parler de *houngans* et de « sorciers » et de « zombis », parce que je ne crois pas à toutes ces sornettes. Il est encore en vie et tu le sais.

Elle s'assit, étira paresseusement ses longues jambes et leva les bras au-dessus de la tête, rehaussant encore ses petits seins fermes. Inclinant la tête de côté, elle murmura d'une voix rauque :

— Il sera toujours en vie, Travis Coltrane. Parmi morts vivants. C'est volonté des *loas*, et Baron

Samedi l'a accepté. Pourquoi parler de choses que personne pouvoir changer ?

— Toi et tes amis cinglés, vous ne ferez pas de lui un pantin ambulant. Je t'en fais le serment. Et d'ailleurs, pourquoi vous en prenez-vous à lui ? Je croyais que c'était moi, le paria. Or, personne ne m'embête.

Elle plissa les yeux et murmura en se caressant langoureusement les seins :

— J'ai demandé *loas* te pardonner, Travis Coltrane, comme j'ai moi pardonné. Toi raison. Tu m'as comblée, et pour ça, Molina te remercie.

Elle se leva avec la grâce sensuelle d'un serpent qui se dresse pour hypnotiser sa proie avant de frapper. Elle tendit la main vers l'entrejambe de Travis et sourit en sentant sa réaction.

— Je peux remercier toi mieux. Je peux dire où est ton ami.

— Pour quelle raison le ferais-tu, Molina ? Les tiens seraient furieux, non ?

Elle garda les yeux posés sur le pantalon de Travis, qui, malgré tous ses efforts, trahissait le plaisir qu'il prenait à ses caresses.

— Tu me donnes plaisir, et je te dis où trouver homme. J'ai donné plaisir à *houngan*, et maintenant je sais comment le calmer si colère... comme avec toi.

Elle lui coula un regard séducteur sous ses épais cils noirs. Travis s'interdisait de remuer.

— Le temps presse, Molina. S'ils l'enterrent, il faut que je le trouve avant qu'il n'étouffe.

— Si on le sort de tombe avant rituel qui a lieu à l'aube, il vivra. C'est toi décider son sort.

Elle riva ses yeux à ceux de Travis tout en déboutonnant son pantalon et libérant son membre raidi. Lorsqu'elle voulut l'embrasser, il la repoussa rudement sur le lit, tomba au-dessus d'elle et lui écarta les cuisses.

— C'est ça que tu veux ? murmura-t-il d'une voix enrouée. Eh bien tu vas en avoir tout ton saoul, c'est toi qui me supplieras d'arrêter et, ensuite, tu me conduiras toi-même jusqu'à Harcourt.

— Non, s'écria-t-elle en se tortillant, soudain effrayée. Non ! Molina pas t'emmener, seulement te dire !

— Tu m'obéiras, petite diablesse, parce qu'après ce que je vais te faire, tu vas me prendre pour un de tes précieux *loas*.

Il mit son sexe entre les cuisses de Molina, sans la pénétrer encore, et balança ses hanches d'avant en arrière en une danse suggestive et délicieuse, une véritable torture des sens.

— Tu aimes ça, n'est-ce pas ? fit-il d'un ton moqueur. C'est ce que tu attends de moi, hein ? C'est ainsi que j'obtiendrai de toi ce que je veux ?

Un gémissement échappa à Molina qui se cambra sous le désir et enfonça ses ongles dans le dos de Travis.

— Oui, oh, oui, mon homme. N'importe quoi. Comble-moi.

— C'est moi qui décide, répliqua-t-il en posant ses lèvres sur les mamelons dressés. Tu veux jouer à des petits jeux, ma belle, très bien. Mais à celui-ci, je suis toujours vainqueur.

— Travis, gémit-elle en se tortillant pour qu'il la prenne enfin. Maintenant, viens.

Sans écouter ses supplications, il continua à tracer un chemin de feu sur ses seins. Ce serait une nuit dont elle se souviendrait toujours. Il prit son temps, caressa possessivement le corps arqué sous le sien, la fit crier et se tordre, sans jamais la quitter des yeux.

Enfin, lorsqu'il lui fut impossible de se retenir davantage, Travis prit les jambes de Molina et les enroula autour de son cou. Il s'enfonça en elle aussi profondément qu'il le put.

Elle sanglotait, s'accrochait à lui, criait son nom sans pouvoir s'arrêter, dans un mélange d'espagnol et de français. Il ne comprenait pas ses mots, mais c'étaient les mêmes dans toutes les langues.

Elle était au bord de l'extase, et bientôt la vague déferla sur leurs deux corps enlacés. Travis retomba contre elle et ils demeurèrent allongés, ne brisant le silence que par leurs halètements. Puis, Travis roula sur le côté et se tourna vers elle :

— Bon. Tu as eu ce que tu voulais, j'ai droit à ma part du marché, maintenant. Habille-toi, nous allons chercher Harcourt. Je te conseille de m'aider ; et pas de blague, sinon je te brise le cou.

Les yeux d'acier lançaient des éclairs, ce n'étaient pas des paroles en l'air. Elle hocha la tête, encore tremblante de passion, et se leva, soumise et obéissante.

— Oui. Molina t'emmène à ton ami. Il faut faire vite.

Elle se ceignit la taille d'un bout de tissu de couleur vive et lui fit signe de la suivre. Sur le seuil de la porte, elle se jeta à son cou et, les larmes luisant dans ses yeux caramel, elle lui demanda :

— Dis-moi que toi me hais pas, Travis Coltrane. Dis-moi que tu as autant plaisir que Molina, dis que toi reviendras.

Il retint sa respiration et expira lentement.

— Je ne t'ai jamais rien promis, Molina, et ce n'est pas le moment de commencer. Partons, maintenant. Nous avons perdu assez de temps.

— Mais toi vas réfléchir, non ? insista-t-elle.

— Avance, grommela-t-il. Conduis-moi jusqu'à Harcourt.

Elle obéit en trébuchant et, d'une voix brisée, elle fit une dernière tentative.

— Donne Molina au moins espoir, Travis Coltrane. Nous nous reverrons, non ?

— Bon Dieu, Molina, avance !

Elle marmonna quelques paroles incompréhensibles mais s'exécuta. Travis l'obligeait à marcher vite, et la poussait chaque fois qu'elle faisait mine de ralentir. Le vent soufflait, rageur.

Au moins, on n'entendait plus ces maudits tambours, remarqua-t-il distraitement tandis qu'ils avançaient. Mais, au même instant, il se tendit et cria pour se faire entendre malgré les rafales.

— Molina ! Pourquoi les tam-tams se sont-ils tus ? Que se passe-t-il ? Et n'essaie pas de me mentir.

— Pressons-nous, répondit-elle en poussant un petit cri d'horreur. Tam-tams arrêtés. J'aime pas.

— Qu'est-ce que cela signifie, Molina ? répéta-t-il en lui secouant les épaules.

Elle se mit à pleurer, et les mots sortirent si vite qu'il eut du mal à comprendre ses explications. Le vent et la pluie n'arrangeaient rien.

— Peut-être... sorcier invoque... Baron Samedi. Sorcier doit... demander permission creuser tombe pour sortir ton ami... Tam-tams jamais résonner quand on appelle Baron Samedi.

Elle semblait terrifiée. Cette petite imbécile était d'une superstition effarante. Il lui prit la main et lui dit gentiment :

— Ecoute-moi, Molina. Dis-moi le chemin, je vais passer devant, c'est trop risqué pour toi.

— Tout droit. Cimetière est tout droit. Faire attention, peut-être nous arriverons avant sorcier. Peut-être il est encore temps.

Cinq minutes plus tard, elle s'exclamait soudain avec excitation :

— Là ! Regarde ! La barrière. Barrière du cimetière. Suis Molina. J'étais là quand ils l'ont amené. Je sais où il est enterré.

Ces quelques mots firent frissonner Travis.

— Tu étais là ? répéta-t-il d'une voix sans timbre. Tu les as vus l'enterrer. Mais alors il est mort !

— Non, il est sous sortilège. Viens. Vite. Peut-être temps rompre sortilège avant que sorcier vienne déterrer ton ami pour le faire mort vivant.

Travis n'avait pas pour habitude de s'avouer vaincu, et il eut du mal à admettre l'inéluctable. Pourtant, en toute logique, Eldon était mort.

Molina lui serra la main.

— Vite ! Molina a peur dans cimetière, Baron Samedi pas aimer incroyants venir. Danger pour toi.

Bon sang de bois, comment avait-il pu s'embarquer dans une pareille situation ? Et elle n'allait jamais retrouver l'endroit dans cette obscurité.

— Ici !

La main de Molina lâcha la sienne et il paniqua soudain, croyant qu'elle s'était enfuie.

— Ici ! répéta-t-elle d'un ton pressant. Par terre. Aide-moi, vite.

Il tâtonna dans le noir et s'accroupit à côté d'elle.

— Aide-moi creuser. Il peut respirer. Il y a trou pour air.

— Bon Dieu, Molina, pourquoi m'as-tu laissé perdre tout ce temps en te faisant l'amour ? jura Travis en creusant frénétiquement. Tu savais qu'il était déjà enterré ! S'il est mort...

— Il vivra, dit-elle calmement. Molina voulait seulement que tu l'aimes encore. J'ai toujours très beaucoup envie de toi, Travis Coltrane. Jamais assez.

Et pourtant, c'était la dernière fois, se promit-il en silence, froidement. Ses mains heurtèrent quelque chose de dur, une planche.

— Attention, l'avertit Molina. Planche est au-dessus du corps. Attention pas faire tomber poussière sur lui en soulevant.

— Tiens bon, Harcourt, grogna Travis, plus pour lui-même que pour l'homme qu'il était en train de déterrer. On y est presque. Saleté de pluie, on ne voit même pas ce qu'on fait.

D'un mouvement puissant et rapide, il souleva la planche et la jeta au loin. Il prit le corps d'Harcourt dans ses bras et l'assit. Il respirait encore ! Mais il n'y avait pas une seconde à perdre.

— Ramenons-le au village, dit-il brusquement en hissant le corps inerte sur son épaule gauche. Guide-moi, et faisons vite. Si nous...

A cet instant, une torche projeta une lumière sur la scène macabre. Travis plissa les yeux pour reconnaître l'homme noir qui la tenait. Son visage était peint de couleurs et de motifs bariolés, et la colère déformait sa bouche.

— Pousse-toi de là, espèce de cinglé, menaça Travis.

Il n'éprouvait aucune peur. Il se força à ne pas abattre l'homme sur-le-champ. La première chose à faire était d'emmener Harcourt à l'hôpital. L'heure de la vengeance viendrait plus tard.

Le Noir portait une coiffe de plumes multicolores, et seul un morceau de tissu couvrait ses parties intimes. Eclairés par la lanterne, ses yeux paraissaient exorbités et luisaient d'une lueur démoniaque. Il tenait dans l'autre main une sorte de branchage et une longue lance effilée. Il poussa des cris hystériques et hurla à Harcourt :

— Par Damballah, par Baron Samedi, par ton *loa*, que je possède maintenant, je t'ordonne de te relever de ta tombe et d'obéir désormais à tous mes ordres.

Travis fit un pas en avant, se demandant vaguement où avait disparu Molina.

— Je te préviens, ôte-toi de mon chemin !

Le sorcier ne bougea pas et répéta son incantation.

— Par Damballah, par Baron Samedi, par ton *loa*, que je possède maintenant, je t'ordonne de te lever !

Travis le bouscula rudement de sa main libre et l'homme atterrit dans la boue. La lanterne tomba, mais ne s'éteignit pas.

— Ton vaudou n'a pas marché, vieux fou, cria Travis en passant devant lui. Pas cette fois. Prends sa lampe, ajouta-t-il à l'intention de Molina. Nous pourrons aller plus vite.

Elle sortit de l'ombre, tremblante de frayeur. Lui obéir signifiait se dresser contre le sorcier, le *houngan*, les *loas*, et tout ce qu'on lui avait appris à craindre et révérer depuis sa naissance. Travis devina sa confusion et répéta d'une voix douce :

— Je t'en prie, Molina. Il faut que nous l'emmenions chez un médecin. Fais ce que je te demande.

Evitant le regard noir du sorcier, Molina s'agenouilla lentement et tendit une main tremblante vers la lanterne.

— C'est bien, l'encouragea Travis.

Mais à cet instant, en un éclair, il vit l'homme lever le bras et s'apprêter à enfoncer sa lance. Sans hésiter, il dégaina et tira. Avec un cri de rage étranglé, le sorcier porta une main à son ventre et s'effondra dans la gadoue, le corps secoué de convulsions. Enfin, il s'immobilisa.

Molina ne pouvait détacher ses yeux de lui.

— Tu... as... tué sorcier ? bafouilla-t-elle.

— Je n'avais pas le choix. Filons, maintenant, fit Travis en rangeant son revolver.

Molina restait derrière.

— Viens ! cria Travis, et elle sursauta. Il allait te transpercer de sa lance ! Je t'ai sauvé la vie, Molina.

Maintenant, aide-moi à sauver celle d'Harcourt. Dépêchons-nous, il n'est sûrement pas seul.

— Pas t'inquiéter. Sorcier toujours venir seul relever morts.

Ils quittèrent le cimetière sans se retourner. Lorsqu'ils furent à Port-au-Prince, Molina le guida jusqu'à l'hôpital le plus proche. Epuisé d'avoir porté son ami si loin, Travis monta les marches avec soulagement, et se rendit compte que Molina avait disparu dans la nuit. Il l'appela, mais elle ne répondit pas. Il ne fut pas autrement surpris.

Tout était fini entre eux, voilà au moins une chose dont il était sûr.

Travis était assis devant le bureau d'Orville Babcock et contemplait ses ongles, l'image même de l'insolence.

— Bon sang, Coltrane, vous auriez pu nous causer de très graves ennuis ! Vous avez tué un homme ! Un citoyen de ce pays, l'accusa-t-il.

Son poing frappa violemment le bureau. Sans lever la tête, Travis l'observa sous ses cils baissés.

— Calmez-vous. Il allait tuer la fille.

— N'auriez-vous pas pu vous contenter de le blesser ? soupira Babcock.

Travis continua à se curer les ongles.

— Je ne dégaine que pour tirer, et je ne tire que pour tuer.

Babcock émit un nouveau soupir.

— Eh bien, heureusement que nous avons pu étouffer l'affaire et éviter un incident diplomatique.

— Je crois qu'on a étouffé pas mal d'autres choses, fit Travis en se redressant. Ça ne vous fait rien que cette bande de tarés ait failli tuer un Américain ? Qu'ils l'aient drogué ? Enterré vivant ? Sans cette fille, vous savez très bien ce qui serait arrivé !

145

Travis avait élevé la voix et Babcock s'enfonça davantage encore dans son fauteuil, mal à l'aise. Il esquissa un sourire.

— Eh bien, c'est fini, à présent. C'est pour cela que je vous ai convoqué, pour vous annoncer que tout est terminé.

— Absolument pas ! fit Travis avec un éclat de rire railleur. Vous vouliez me donner des coups de règle sur les doigts comme à un mauvais écolier, gronda-t-il, mais ça n'a pas marché, parce que j'ai la conscience tranquille. Et estimez-vous heureux qu'ils aient accepté Harcourt à l'hôpital cette nuit-là : s'il était mort, vous pouvez être sûr que vous auriez eu beaucoup plus d'ennuis sur les bras, parce que je n'aurais eu de cesse de trouver les responsables.

Il y eut un bref silence.

— Sommes-nous bien d'accord, Babcock ? demanda Travis en se penchant en avant.

Incapable de soutenir son regard, Babcock baissa les yeux. Travis eut un sourire méchant.

— Hem, oui, bien sûr.

Babcock s'éclaircit la gorge et se redressa d'un mouvement rapide.

— C'est tout ?

— Non, répondit Babcock presque gaiement. Sam Bucher vous attend au port. Un bateau part pour les Etats-Unis aujourd'hui. Vous êtes remercié.

— Remercié ou renvoyé ? fit Travis en éclatant de rire. Vous savez, cela ne change rien, j'allais partir de toute façon.

Travis Coltrane attrapa son chapeau, grimaça un sourire et quitta la pièce en refermant doucement la porte derrière lui.

Orville Babcock se laissa aller au fond de son siège, vidé de toute force. Seigneur, comme il était content que cet homme s'en aille ! Cela avait été une expérience terrible, épuisante.

Il contempla la porte, songeur. Oui, il était heureux de le voir partir. Mais il n'oublierait jamais une chose. Travis Coltrane était un homme.

Et, bien qu'il ne l'eût jamais avoué à voix haute, Babcock était fier de ce que cet homme avait eu le courage de faire.

10

Travis avait accusé le coup lorsque Sam lui avait raconté le fin mot de l'histoire.

Kitty l'avait délibérément éloigné de Caroline du Nord sous prétexte qu'elle croyait qu'il y était malheureux. Un complot ! Et Sam s'était laissé convaincre, « pour son bien » !

— Bon Dieu ! avait explosé Travis. Je ne suis pas assez grand pour prendre mes décisions tout seul ?

— Travis, elle a fait cela par amour. De mon côté, je ne t'ai pas parlé de l'invitation de la commission parce que j'étais sûr que tu te croirais obligé de refuser, ce qui t'aurait mis la mort dans l'âme.

— Et vous avez préparé votre petite conspiration derrière mon dos ! Il ne vous est jamais venu à l'esprit que j'étais capable de choisir moi-même mon avenir ?

— Serais-tu parti si elle ne t'y avait pas poussé ? avait prudemment demandé Sam. Ou te serais-tu enchaîné à ton sort en le maudissant chaque jour davantage ?

Travis avait levé les bras avec dégoût.

— Mais qu'est-ce que j'en sais ? Vous ne m'avez

147

même pas laissé cette option ! Je ne suis pas près de vous pardonner de m'avoir traité comme un gosse !

Sam s'était excusé, répétant qu'il regrettait de n'avoir pas pu tout raconter à Travis pendant le voyage vers Washington comme il l'avait promis à Kitty. Travis s'était rongé le poing. S'il avait su la vérité, aurait-il succombé aux charmes de Molina ? Ô Seigneur, pour l'instant, il ne songeait qu'à une chose, rentrer au plus tôt. Il avait quelques petites idées à dire à sa femme.

Très vite, Travis avait pardonné à Sam. Après tout, Kitty pouvait se montrer fort convaincante lorsqu'elle avait décidé d'obtenir quelque chose, et il savait bien que Sam l'aimait comme sa propre fille ; elle le menait par le bout du nez.

Quant à Kitty, c'était autre chose. Elle lui manquait de façon insupportable, mais il était furieux de son manège. Il avait eu suffisamment de ces mises en scène pendant la guerre !

Pendant la traversée, Travis eut le temps de réfléchir à l'existence qu'il menait en Caroline du Nord. Il n'était pas heureux, c'était vrai. Eh bien il en parlerait avec Kitty à tête reposée, et ils formeraient de nouveaux projets, ensemble. Il se sentit armé d'une énergie nouvelle.

Curieusement, il éprouva soudain une hâte démesurée de retrouver son foyer.

— J'ai un pressentiment, confia-t-il à Sam lors de la dernière nuit sur le bateau. Comme pendant la guerre, quand je devinais la présence de l'ennemi autour de nous. Quelque chose me dit que je dois rentrer au plus vite.

Son vieil ami lui donna une accolade.

— Nous y serons bientôt, mon garçon. Ne t'inquiète pas, Kitty va te recevoir à bras ouverts. Et tu verras, John aura sacrément grandi.

148

— Ces cinq mois ont été interminables, grommela Travis.

Quelque chose lui disait, au creux de l'estomac, que l'avenir serait sombre. Cette prémonition l'inquiétait plus que de raison. Sa femme et son fils avaient besoin de lui.

Une fois à Norfolk, Sam se rendit à Washington pour remplir ses rapports et s'enquérir d'une éventuelle nouvelle mission, mais Travis refusa de l'accompagner.

— Je verrai cela plus tard. Pour l'instant, il faut que j'aille retrouver Kitty.

Lorsque le train s'arrêta dans la gare de Goldsboro, il se rendit directement à une écurie de louage pour y prendre un cheval.

— J'ai dix milles à parcourir au galop, il me faut un animal costaud.

L'homme le regardait sans bouger, les yeux écarquillés. Travis poussa un soupir impatienté.

— Vous m'avez entendu ? Je suis pressé, il me faut un cheval.

Le vieil homme murmura d'une voix cassée :

— Vous êtes Travis Coltrane, c'est ça ?

— Oui, oui, répondit-il, pressé d'en finir. Voulez-vous bien me préparer...

— Vous venez de rentrer ? Je croyais que vous étiez loin.

— Oui, j'arrive juste du train. S'il vous plaît, ajouta-t-il en serrant les dents, s'interdisant de céder à la colère, donnez-moi ce maudit cheval.

L'autre s'exécuta enfin. Lorsqu'il revint avec l'animal, Travis commenta :

— Parfait, il a l'air solide. Combien ? Je vous le ramène demain soir.

— Heu... Deux dollars, bafouilla l'homme avec nervosité. Vous allez chez vous, là ?

Travis lui tendit l'argent et lui jeta un regard soupçonneux.

— Mais qu'est-ce qui ne va pas ? demanda-t-il de
but en blanc.

— Rien... Rien du tout.

Le vieil homme empocha l'argent et tourna les
talons en portant vaguement la main à son chapeau.
Travis le regarda disparaître dans l'ombre de l'écurie, perplexe. Puis, il monta en selle et partit sans
perdre davantage de temps.

C'était une nuit étoilée, merveilleuse, et Travis
souriait de bonheur à l'idée des moments qui l'attendaient. Ils s'expliqueraient sur le petit stratagème de
Kitty, puis, une fois John couché, ils s'aimeraient
toute la nuit. Le cœur de Travis battait furieusement. Encore un tournant, et la maisonnette serait
en vue.

La maison était plongée dans l'obscurité. Elle semblait comme désertée. Il mit pied à terre devant la
porte de derrière. Grimpant les quatre marches d'un
bond, il ouvrit la porte en grand et appela Kitty.
Personne.

Une odeur de moisi flottait dans l'air. Il gratta une
allumette. Les meubles étaient couverts de poussière. Où étaient John et Kitty ?

L'allumette était consumée. Il la lâcha en jurant et
en fit craquer une autre. La seconde pièce était dans
le même état que la première.

Il inspira profondément et se força à réfléchir. Il
devait y avoir une explication très simple à cette
absence, pourtant une nausée lui soulevait le cœur.
A l'hôpital, on savait certainement ce qu'était devenue Kitty. Il remonta en selle, remarquant au passage que les champs étaient désolés, couverts
uniquement de mauvaises herbes. Que s'était-il
passé ?

150

Soudain, il se souvint de la veuve Mattie Glass, qui devait s'occuper de John pendant que Kitty travaillerait à l'hôpital. Elle habitait à quelques milles, et il lança le cheval dans un galop effréné.

Une lanterne brûlait à la fenêtre de la petite chaumière. Travis appela Mattie lorsqu'il fut dans la cour. Pas de réponse. Il descendit et frappa à la porte.

— Mrs Glass ? C'est moi, Travis Coltrane. J'aimerais vous parler, s'il vous plaît.

La porte s'ouvrit et Mattie jeta un œil au-dehors, serrant d'une main sa robe de chambre sur sa gorge. De l'autre, elle soulevait la lanterne. Lorsqu'elle le reconnut, elle courut se jeter vers lui en sanglotant. Stupéfait, Travis la prit dans ses bras et la délesta de la lanterne.

— Mrs Glass, que se passe-t-il ? Je suis désolé si je vous dérange à un moment inopportun. Mais je ne trouve pas Kitty.

Les sanglots devinrent hystériques, et la surprise de Travis s'accrut. Il secoua doucement la jeune femme et la pressa de parler, mais elle ne pouvait que pleurer. A cet instant, une petite silhouette apparut sur le seuil. Un garçonnet en pyjama, le pouce dans sa bouche, les contemplait avec des yeux agrandis par la frayeur. John !

Travis repoussa gentiment Mattie et posa la lanterne par terre. Il courut prendre son fils dans ses bras et le serra contre lui. Mattie les regardait, le visage marqué par la désolation.

— Pour l'amour de Dieu, murmura-t-il sans pouvoir maîtriser la douleur qui l'étreignait déjà, qu'est-ce qui ne va pas ? Où est Kitty ? Que fait John chez vous à cette heure de la nuit ?

Elle souleva sa robe et le précéda dans la maison.

— Je ne voudrais pas inquiéter le petit, dit-il, je

vois qu'il semble déjà affolé, mais bon sang j'aimerais savoir ce qui se passe. On dirait que ma maison est abandonnée depuis des mois, et vous vous effondrez en me voyant arriver. Dites-moi où est ma femme !

Il avait haussé le ton, et John pleurnicha en se tortillant dans ses bras. Mattie posa un doigt en travers de ses lèvres pour demander à Travis de se taire. Le visage encore inondé de larmes, elle alla prendre John dans ses bras.

— Je vais le recoucher, il s'est réveillé lorsque vous avez appelé. Nous parlerons ensuite.

Sa voix se brisa et elle disparut dans le couloir.

Travis arpenta nerveusement la petite pièce et, lorsque la jeune femme reparut et se remit à pleurer, il n'y tint plus.

— Mattie Glass, allez-vous cesser ces jérémiades avant que je ne perde la tête ? gronda-t-il. Où est Kitty ?

— Je ne sais pas, répondit-elle d'une toute petite voix avant de s'effondrer sur le canapé défraîchi.

— Comment cela ?

Elle inspira profondément et poursuivit, les lèvres tremblantes :

— Cela fait près de cinq mois que personne n'a vu Kitty. Que Dieu me pardonne, il faut que ce soit moi qui vous l'apprenne, mais on ne sait pas ce qu'elle est devenue. Elle a disparu.

Raide comme la justice, Travis lutta contre la vague de faiblesse qui s'emparait soudain de son corps.

— Mattie, dit-il lentement d'une voix égale, expliquez-moi, dites-moi tout ce que vous savez.

Elle haussa les épaules, impuissante.

— Hélas, c'est tout, Travis. C'est tout ce que je sais. Nul n'en sait davantage. Le shérif l'a fait rechercher, mais elle a disparu sans laisser une trace. La dernière fois qu'on l'a vue, elle quittait l'hôpital, par un orage épouvantable. Quand je ne l'ai pas vue venir chercher John ce soir-là, j'ai pensé qu'elle était restée dormir en ville à cause du mauvais temps. Mais le lendemain soir, comme elle n'était toujours pas là, j'ai envoyé l'un de mes fils en ville. On lui a dit à l'hôpital qu'elle n'était pas venue ce matin-là, et il est allé trouver le shérif. Le shérif a lancé un groupe d'hommes à sa recherche, en vain. Elle a disparu, Travis.

C'était impossible. Kitty, volatilisée... Les mots tournoyaient dans son esprit, lui donnaient le vertige. Il s'effondra à côté de Mattie.

— Oh, Travis, je suis désolée. C'est terrible. Attendez, je vais vous servir un peu de vin de prune.

Elle revint peu après, mais Travis repoussa le verre et but une longue gorgée à même la bouteille.

— Je la retrouverai, déclara-t-il d'une voix sourde, le regard perdu droit devant lui. Je la retrouverai.

Soudain, il bondit sur ses pieds.

— Pourquoi ne m'a-t-on pas prévenu ? Pourquoi ne m'a-t-on pas envoyé un message à Haïti ?

Elle baissa les yeux.

— Nous en avons discuté, le pasteur, le shérif, les médecins de l'hôpital et moi. Vous n'auriez rien pu pour elle, Travis. Croyez-moi lorsque je vous dis qu'on a fait l'impossible pour la retrouver. Aussi, puisque John était bien soigné et heureux avec moi, avons-nous pensé qu'il serait absurde de vous bouleverser avec la nouvelle.

Il la dévisagea avec égarement, puis passa ses doigts dans ses cheveux et arpenta de nouveau la petite pièce.

— Je la retrouverai, moi. Je le jure devant Dieu, je la retrouverai.

Des larmes de rage lui brûlaient les yeux.

— Travis, nous pensons tous que... que Kitty est peut-être... morte.

— Morte ? Oh, non. Kitty n'est pas morte, affirmat-il en secouant la tête. Laissez-moi réfléchir. Non, je vais de ce pas voir le shérif.

— Vous devriez vous reposer, l'interrompit-elle. Et manger quelque chose. On ne peut rien faire cette nuit.

Travis protesta, mais Mattie partit dans la cuisine attenante à la maison. Une fois seul, il s'effondra de nouveau dans le canapé en se couvrant le visage de ses mains. Kitty ne pouvait pas être morte. Non. Il s'était passé quelque chose. Quelque chose d'atroce. Il le sentait jusque dans ses os. Mais elle était vivante. Et il la retrouverait. Quelqu'un, quelque part, savait quelque chose. Il lui suffisait de trouver cette personne.

Il fut réveillé par une odeur de café et, pendant un moment, il contempla la pièce en se demandant où il était. La mémoire lui revint brutalement, et il s'assit.

— Travis, vous sentez-vous mieux ?

— Papa...

John courut se jeter dans ses bras, souriant de toutes ses quelques dents. Travis le serra contre lui.

— Il a l'air en pleine forme, dit-il à Mattie en guise de remerciement.

— Oui, il va bien, répondit-elle. Au début, il a beaucoup pleuré, puis il s'est calmé. Les enfants ont de merveilleuses facultés d'adaptation. Il ne vous a pas oublié !

— Il n'a pas oublié non plus sa mère, et quant à moi, je suis bien déterminé à la retrouver.

Elle esquissa un faible sourire.

— Je vous ai préparé un petit déjeuner et, ne protestez pas, vous avez besoin de vous restaurer. Ensuite, vous pourrez aller faire tout ce que vous voulez en ville. Ne vous inquiétez pas pour John, il est bien, ici. Je m'occuperai de lui aussi longtemps que vous le désirerez.

— Merci, Mattie, murmura-t-il avec sincérité. Au moins, je n'ai pas à me faire de souci pour mon fils, ajouta-t-il en l'embrassant avec fougue.

John passa un doigt dodu sur le visage de son père et Travis le regarda. Ses yeux étaient gris, comme les siens, mais cerclés de la même teinte lavande que ceux de sa mère.

— Je vais la retrouver, fiston, dit-il d'une voix bourrue. Pour toi et pour moi, je la retrouverai. Et que Dieu protège ceux qui m'en empêcheront.

Le petit garçon leva des yeux ronds vers son père. Lentement, la peur fit place en lui à une émotion différente. Il devina que, dans ces bras-là, il n'aurait jamais rien à craindre.

Travis Coltrane alla rendre sa monture à l'écurie. Le vieil homme était encore là, qui le regardait d'étrange manière.

— Vous le saviez, n'est-ce pas ? fit Travis sèchement. Vous étiez au courant, pour ma femme, hein ?

L'autre contempla la paille, par terre, avec intérêt.

— Oui. Je ne voulais pas être celui qui vous l'apprendrait. Je regrette.

— C'est l'ordure qui est responsable de tout cela, qui va le regretter.

Le vieil homme releva la tête, surpris.

— Vous croyez que c'est la faute de quelqu'un ? Le shérif pense qu'elle s'est noyée. Il y avait un violent orage, cette nuit-là, tout le monde s'en souvient. La rivière était en crue...

— Kitty est une excellente cavalière, rétorqua

Travis. Elle n'aurait pas couru le risque de poursuivre son chemin si les berges avaient été inondées, elle savait sûrement ce qu'elle faisait.

— Mais on n'a jamais retrouvé son corps.

D'un regard, Travis le fit taire et repartit en direction du bureau du shérif, regardant droit devant lui.

— Ça alors !

Travis tourna légèrement la tête. Nancy Danton se tenait sur le seuil du bureau de son mari. Il remarqua son sourire et ses yeux brillants. Elle semblait... triomphante ? Bien sûr, Nancy ne pouvait que se réjouir de voir un malheur arriver à Kitty.

— Travis Coltrane, roucoula-t-elle. Vous êtes de plus en plus séduisant.

Il porta une main réticente à son chapeau et poursuivit son chemin, mais elle haussa le ton.

— Vous sentez-vous solitaire, depuis que votre femme vous a quitté, Travis ? Voulez-vous venir dîner chez nous un de ces jours ?

Il se figea immédiatement.

— Qu'est-ce qui vous fait croire que ma femme m'a quitté ?

— Elle est bien partie, non ? gloussa-t-elle. A peine aviez-vous le dos tourné.

— Kitty a disparu, je n'ai aucune raison de croire qu'elle est partie de son plein gré en abandonnant son fils. Je vous prie de vous abstenir de ce genre de commentaire. Vous avez fait assez de mal à Kitty dans le passé, ne vous mêlez pas de cela.

Nancy referma son ombrelle d'un geste furieux et, les mains sur les hanches, elle s'écria :

— A qui croyez-vous parler, espèce de bouseux ? Beaucoup de gens sont convaincus que votre femme s'est enfuie. Cette petite grue n'a jamais pu se passer des hommes. La preuve, elle est allée jusqu'à coucher avec vous, un méprisable Yankee. Vous espé-

156

riez vraiment qu'elle allait tranquillement vous attendre ? Quant à votre fils, si elle s'est trouvé un mâle, il n'a pas dû peser lourd dans la balance.

— Nancy, grogna Travis, si vous étiez un homme, je vous rosserais comme vous le méritez, espèce de sale petite menteuse ! Comment une garce comme vous se permet-elle de parler ainsi de Kitty ?

Nancy essaya de le frapper au visage avec son ombrelle, mais Travis lui saisit le poignet et le tordit jusqu'à lui faire pousser un cri de douleur. Jerome Danton accourut.

— Que se passe-t-il, ici ? Coltrane, lâchez ma femme !

— Tenez, fit Travis en la repoussant vers lui. Je n'ai rien à voir avec cette créature.

— Jerome, fais quelque chose, s'écria Nancy en se tournant vers son mari. Il m'a agressée, il ne s'en tirera pas comme cela !

Travis sourit à Jerome.

— Eh bien, qu'attendez-vous, Danton ? Avez-vous des comptes à régler avec moi ?

— Non, non, dit l'autre en secouant la tête avec nervosité. Rentre, Nancy, nous allons discuter entre hommes et voir ce qui ne va pas.

— Je vais vous dire ce qui ne va pas ! Il m'a agressée parce que je lui ai dit ce qu'on pense, ici, de sa garce de femme. Il a eu le culot de m'insulter, de souiller ma réputation ! ajouta-t-elle en frappant du pied. Il m'a humiliée, Jerome, ne laisse pas passer cela !

— Votre mari sait à quoi s'en tenir sur votre réputation, Nancy ! fit Travis en riant. Alors un bon conseil, ne parlez plus de Kitty sinon vous aurez affaire à moi.

Elle poussa un nouveau cri et se jeta sur son mari.

— Il me menace ! Jerome ! Venge-moi !

Jerome saisit les poignets de Nancy et la poussa dans le bureau. Il haïssait Travis Coltrane, mais il savait que sa femme méritait ces insultes. Avec un dernier regard pour Travis, il referma la porte et jeta Nancy sur un fauteuil.

— Ne bouge pas, lui intima-t-il en pointant un doigt vers elle. Qu'est-ce que tu essaies de faire, espèce de folle, tu veux ma mort ? Cet homme est aussi dangereux à mains nues qu'armé d'un fusil. Tu ne peux donc pas t'empêcher de l'asticoter ?

— Je le hais, siffla-t-elle en toisant son mari avec mépris. Je veux le blesser comme il m'a blessée. Quant à toi tu n'es qu'un lâche ! Comment as-tu pu le laisser m'insulter sans rien dire !

Jerome regagna son bureau en boitillant, sachant par expérience que rien n'apaiserait la colère de Nancy.

— Regarde-toi ! hurla-t-elle. C'est la faute de Kitty Wright si tu es invalide, et pourtant, tu la défends et tu laisses son mari m'insulter dans la rue, moi, ta femme !

— Tu l'as mérité, répondit-il tranquillement.

— Quoi ? souffla-t-elle. Comment oses-tu dire une chose pareille ?

— Oh oui, tu l'as mérité ! s'écria-t-il en s'agrippant des deux mains au bord du bureau pour ne pas lui assener un coup de poing en plein visage. Petite vipère ! Je sais ce qui est arrivé à Kitty, l'aurais-tu oublié ? Je sais beaucoup d'autres choses, aussi. Que tu as couché avec Travis Coltrane, qu'il t'a rejetée, que tu lui en veux...

— C'est... C'est faux ! bredouilla-t-elle en reculant d'un pas. Je...

— Ne te fatigue pas, Nancy, je sais tout, et je m'en moque éperdument. Couche avec qui tu veux, et maintenant, sors d'ici et laisse-moi en paix.

— Tu... Je t'interdis de me parler sur ce ton.

— J'aimerais bien voir ça. Et inutile de me menacer : la vie que je t'offre te plaît et, si je vais en prison, qu'y gagneras-tu ? Personne d'autre ne voudra de toi.

Elle le regarda en plissant les yeux, avec exultation.

— Dans ce cas pourquoi ne l'avoir pas dit plus tôt ? Pourquoi t'être enfui la queue entre les jambes, ce fameux soir ? Tu es un poltron, Jerome.

— Peut-être, soupira-t-il avec lassitude. Je suis surtout fatigué de me battre.

— Tu m'as laissée seule avec Kitty. Elle ne devait pas compter tant que cela pour toi.

Il leva les yeux et les plongea droit dans les siens.

— Kitty signifiait énormément, pour moi. Je l'ai aimée plus qu'aucune autre femme. Mais elle m'a toujours dit qu'elle ne voulait pas de moi. Peut-être t'ai-je laissée faire, cette nuit-là, parce que j'étais vexé de ce rejet perpétuel, et furieux après moi de ne pouvoir m'empêcher de lui courir après.

D'une voix calme, elle demanda :

— Tu crois que je l'ai tuée, après ton départ ?

— Je ne crois rien, Nancy. Et maintenant, va-t'en, laisse-moi travailler. Si tu veux poursuivre le train de vie que tu mènes, je ne peux pas me permettre d'être paresseux.

Furieuse, elle tourna les talons. Jerome s'adossa contre sa chaise. Il savait. Il connaissait la vérité. Il était revenu, cette nuit-là, et avait observé toute la scène. Il songea à Travis Coltrane, à Kitty. Que lui était-il arrivé, au cours de ces quelques mois ? D'après ce qu'il savait de Luke Tate, cet individu avait dû faire de sa vie un enfer.

Soudain, Jerome Danton ressentit une violente nausée. Mais que pouvait-il, maintenant ? Il était trop tard pour réparer toutes ces affreuses choses.

A moins que... s'il révélait ce qu'il savait à Coltrane, peut-être celui-ci pourrait-il poursuivre Luke et retrouver Kitty ?

Mais oserait-il le lui dire ?

11

Pensive, Nancy Danton contemplait son image dans le miroir ovale de sa coiffeuse. Plutôt séduisante, songea-t-elle avec un sourire satisfait. Ses cheveux châtains aux reflets dorés retombaient gracieusement sur ses épaules. Ses yeux aux cils noirs dont elle savait si bien jouer, lui assuraient un charme supplémentaire. Sa peau était douce, grâce aux huiles et aux crèmes dont elle s'enduisait.

Elle dénoua le ruban qui retenait son bustier et soupesa ses seins entre ses mains. Ils n'étaient pas aussi opulents et voluptueux qu'elle l'aurait aimé, mais elle n'avait pas à s'en plaindre.

Son corps était ferme et sans défaut et, grâce à l'habile médecin de Raleigh qui l'avait débarrassée à trois reprises de bébés inopportuns, son ventre était resté parfaitement plat. Elle fronça le nez avec dédain. Plutôt mourir qu'avoir un bébé pleurnichant qui vous tête la poitrine.

Elle croisa le reflet mauvais de ses yeux et y vit l'étincelle du désir. Celui qu'elle voulait sur son sein s'appelait Travis Coltrane.

Oh, comme elle avait envie de cet homme ! Qu'il la prenne, la fasse sienne. Quoi qu'il eût pu lui dire ou lui faire jadis, il le lui fallait. Et elle l'aurait.

Animée d'une farouche détermination, Nancy alla ouvrir d'un mouvement brusque les portes de sa penderie. Elle débordait de tenues élégantes, de toutes formes et couleurs imaginables. Etre mariée avec Jerome Danton était d'un ennui sans nom, mais au moins il était riche.

Elle choisit une robe de soie vert d'eau largement échancrée. C'était l'une des dernières créations de Paris, et plusieurs jupons de dentelle remplaçaient maintenant les crinolines d'antan. Un châle assorti la couvrirait jusqu'à ce qu'elle décide de révéler la naissance de ses seins.

Tout en s'habillant, Nancy songea aux commérages qu'elle avait entendus sur Travis depuis son retour. Elle n'avait pas osé poser de questions, feignant le dégoût lorsqu'on prononçait son nom, mais les femmes de Goldsboro semblaient subjuguées par son charme viril, et il faisait l'objet de moult spéculations et curiosités.

Il se terrait, disait-on, dans une chambre d'hôtel, et noyait son chagrin dans le whisky. Son ami Sam Bucher était revenu et s'efforçait de le tirer de l'hébétude procurée par l'alcool.

Bientôt, songeait Nancy, il obéirait aux injonctions de Sam. Travis Coltrane n'était pas homme à traîner dans un lieu qu'il haïssait ouvertement. Tant mieux. Qu'il parte. Sa présence était un véritable supplice de Tantale. Mais avant son départ, se promit-elle, en proie à une nouvelle vague de désir, elle l'aurait une dernière fois.

Les domestiques s'étaient retirés, conformément à ses ordres, et elle sortit discrètement par la porte de derrière. L'hôtel était à quelques rues de là, mais, à la faveur de la nuit, elle y parvint sans croiser quiconque.

Elle marqua une pause à l'arrière du bâtiment. Il lui avait coûté une petite fortune de faire taire l'homme qui lui avait appris le numéro de la chambre de Travis. Le hall sentait l'urine et le whisky, et elle eut une grimace écœurée. Une fois devant la porte, elle frappa doucement.

— Quoi ? Qui est là ? fit une voix irritée.

Elle toqua de nouveau.

— Bon Dieu, qui est-ce ?

Elle insista, et entendit enfin :

— Ça va, j'arrive, une minute.

La porte s'ouvrit à toute volée, et elle vit ses sourcils froncés lorsqu'elle se glissa à l'intérieur. Elle referma elle-même la porte et s'y adossa pour lui sourire.

— Bonjour, Travis, murmura-t-elle d'une voix caressante. J'ai pensé que vous vous sentiez peut-être un peu seul.

— Je préfère l'absence de compagnie à la vôtre.

Il voulut rouvrir la porte mais elle jeta ses bras autour de son cou et pressa sa poitrine contre la sienne.

— Je sais que vous n'avez pas oublié l'intimité que nous avons partagée. Vous avez besoin de moi.

— Nancy, je ne veux rien avoir à faire avec vous.

Il lui saisit les poignets et les repoussa violemment.

— Et maintenant, sortez d'ici avant de nous mettre tous deux dans une situation embarrassante.

Elle recula d'un pas et observa son torse nu. Incapable de maîtriser son désir, elle posa une main sur l'entrejambe de Travis et le caressa doucement, sentant qu'il palpitait déjà.

— Vous voyez ? dit-elle. Je sais que vous avez envie de moi.

— Nancy, arrêtez.

Elle dégrafa habilement sa robe et la laissa tomber à ses pieds.

— Mais qu'est-ce qui vous prend ? s'écria-t-il.

Elle devina qu'il avait bu, mais il ne semblait pas ivre. Bientôt, elle se dressa devant lui, nue comme un ver, et courut s'allonger sur le lit. Elle écarta les jambes et tendit les bras.

— Allez-vous me demander de sortir, Travis Coltrane ? Ou préférez-vous venir me faire ce que vous faites si bien ?

Travis s'approcha du lit en se maudissant intérieurement. Après tout, pourquoi n'accepterait-il pas ce qu'on lui offrait ? Il était humain, et Nancy savait s'y prendre avec les hommes. Elle se redressa pour l'attirer contre lui, et il murmura :

— Vous savez que je vous considère comme une garce, Nancy. Pourquoi venir vous offrir ainsi à moi ?

— Et moi je vous considère comme une ordure, Travis, fit-elle en riant. Mais cela n'empêche que vous êtes le meilleur amant que j'aie jamais connu. Nous n'avons pas besoin d'être amis, n'est-ce pas ?

— Non, admit-il en la considérant avec stupeur. Non, sans doute. Mais vous n'en êtes pas moins une chienne.

— Et vous une brute. Maintenant que nous avons échangé les civilités, venez ici et faites-moi l'amour. Mon Dieu, vous êtes bâti comme un taureau.

Travis décida de faire vite. Il n'éprouvait pour cette fille qu'un désir bestial, et n'avait aucune envie de lui procurer du plaisir. Il plongea en elle, sentant ses ongles lui griffer le dos. Elle gémit contre lui et il accéléra ses mouvements. Rapidement, il se laissa exploser.

Lorsqu'il retomba contre elle, il s'en voulut d'avoir obéi à l'appel de la chair. Il frissonna malgré lui lorsque Nancy passa ses doigts sur sa nuque et dans ses cheveux.

— C'était merveilleux, gazouilla-t-elle. Comme

toujours. Oh, Travis, pourquoi faut-il que nous nous dressions l'un contre l'autre ? Nous serions si bien ensemble.

— Je suis certain que votre mari serait ravi, déclara-t-il d'un ton mordant. Pour l'amour du ciel, cessez de vous monter la tête. Vous êtes venue vous offrir à moi, et j'ai eu la faiblesse de ne pas vous repousser.

— Mais nous pourrions nous revoir, Travis. Je m'arrangerais. Vous apprendriez à ne pas me haïr. Peut-être même à m'aimer.

— Nancy, vous avez eu ce que vous vouliez, maintenant, partez.

— Attendez ! Prenez-moi encore une fois. Vous allez sans doute quitter la ville et nous ne nous reverrons jamais. Je veux que nous passions une nuit inoubliable.

— Hors de mon lit, Nancy, grogna-t-il, soudain plus furieux que jamais d'avoir cédé à la tentation. Rhabillez-vous et partez.

— Pourrai-je revenir demain ? Regardez-vous, je sais que mes caresses sont loin de vous être indifférentes.

— Dehors ! s'écria-t-il en lui montrant la porte.

Elle se leva avec colère et se rhabilla, frustrée.

— Combien de temps comptez-vous rester en ville ? demanda-t-elle.

— Cela ne vous regarde pas, répondit-il tranquillement, les bras croisés.

— Persistez-vous à croire que Kitty ne s'est pas enfuie avec un autre ?

— Vous n'êtes même pas digne de lui laver les pieds, Mrs Danton.

— Espèce de prétentieux ! Kitty Wright est une putain ! Elle vous a quittés, vous et votre sale lardon ! Vous êtes la risée de la ville !

164

D'un bond, il fut hors du lit et referma ses doigts sur la gorge de Nancy.

— Je vous tuerais si je ne me retenais pas, grinça-t-il. Je vous interdis de parler de Kitty ou de mon fils sur ce ton, compris ?

Les joues de la jeune femme étaient déjà bleuies. Elle suffoquait. Elle griffa au hasard et atteignit la joue de Travis. Alors seulement il la rejeta avec mépris. Elle tomba sur le lit en poussant des cris ulcérés.

— Taisez-vous ! intima-t-il. Vous voulez donc ameuter la ville entière ?

La porte s'ouvrit violemment et Jerome Danton apparut sur le seuil, le visage déformé par la colère.

— Oui, Coltrane, elle veut ameuter toute la ville ! Vous n'aurez pas besoin de ça, ajouta-t-il comme Travis s'emparait de son pistolet. Je ne suis pas là pour me quereller avec vous.

— Elle est venue de sa propre initiative. Je ne l'y ai jamais invitée.

— Je vous crois.

Les yeux de Danton s'étrécirent et il regarda sa femme avec dédain.

— Habille-toi et sors d'ici. Je ne suis pas un imbécile, Nancy, je connais ta luxure, je savais que tu irais le trouver tôt ou tard.

Nancy reprenait lentement ses esprits. Elle se hissa sur ses coudes, croisa posément ses longues jambes et demanda en souriant :

— Tu sembles oublier, mon chéri, que je sais certaines choses sur ton compte.

Il s'approcha en deux enjambées et, la tirant par les cheveux, la mit à genoux devant lui.

— Tes menaces ne me font pas peur, femme. Comment oses-tu faire preuve d'une telle insolence alors que je te trouve à moitié nue dans la chambre d'un homme ? Rentre à la maison immédiatement et prépare-toi à recevoir la raclée que tu mérites. Tu as encore de la chance que je ne te traîne pas dans les rues dans cette tenue en proclamant que tu es une putain. Et fais ce que je te dis, avant que je ne te jette dehors !

Elle se leva péniblement, remit sa robe à coups de mouvements saccadés. Elle aurait voulu laisser exploser sa rage, mais la colère froide de Jerome l'impressionnait. Pour le moment, elle ne pouvait que s'exécuter. Une fois vêtue, elle lança un regard haineux à Travis et siffla :

— J'espère qu'il va vous tuer ! Comment avez-vous pu séduire une femme mariée... espèce de... de pourceau !

Elle claqua la porte derrière elle.

Travis sortit lentement une bouteille de brandy de son meuble de chevet et remplit deux verres. Danton avala le sien d'une traite et le tendit de nouveau. Travis haussa un sourcil.

— Avez-vous besoin d'un autre verre pour rassembler le courage de me tuer ? demanda-t-il tranquillement. Vous êtes dans votre droit, vous savez.

Danton émit un rire creux.

— Si j'avais l'intention de vous tuer, vous vous défendriez, n'est-ce pas ?

— Oui. Et je l'emporterais probablement. Aussi... que faisons-nous, maintenant ?

— Je me moque de défendre l'honneur de Nancy, Coltrane. C'est d'ailleurs un mot qu'elle ne connaît pas. J'ai compris qui elle était peu de temps après notre mariage. Mais peu importent mes soucis matrimoniaux.

Il prit une inspiration et regarda Travis.

— Je crois qu'il est temps de vous dire la vérité à propos de la disparition de Kitty. Après m'avoir entendu, vous ne penserez sans doute qu'à me tuer.

Travis se tendit et prit sur lui pour ne pas saisir l'autre au collet.

— Parlez, Danton. Et vite.

Jerome raconta tout ce qu'il savait. Lorsqu'il eut fini, Travis lui demanda, la gorge sèche :

— L'homme... Qui était-ce ?

— Tate, murmura Danton. Luke Tate.

Le rugissement qui jaillit des profondeurs de l'âme de Coltrane ressemblait au cri d'une bête sauvage. L'angoisse, la fureur, l'horreur, se mêlèrent en une plainte d'agonie et Danton recula vers la porte, terrifié.

— Sortez, Danton ! Fichez le camp avant que je ne vous écrase contre le mur. Dehors !

Danton obéit et se trouva nez à nez avec Sam Bucher.

— Mais que diable se passe-t-il, ici ? demanda celui-ci. Bon Dieu, Travis, toute la ville a dû t'entendre hurler.

Travis montra Danton du doigt.

— Qu'il parte. Qu'il disparaisse de ma vue ou je l'étrangle.

Sam fit un pas en arrière et Jerome se précipita dans le corridor. Sam le regarda partir, puis chassa les curieux déjà assemblés. Les deux hommes refermèrent la porte de la chambre derrière eux, et Travis annonça :

— Il m'a dit ce qui était arrivé à Kitty. Luke Tate. Luke Tate l'a enlevée, Sam.

— Luke Tate ! répéta Sam avec effroi. Oh, non !

— Hélas, fit Travis.

Il lui raconta toute l'histoire.

— Tu aurais dû tuer Danton ! s'écria Sam.

— Personne ne l'obligeait à me parler. Et puis, sa

vie est déjà un tel enfer. Devoir supporter cette putain et les cris de sa propre conscience...

Ils gardèrent tous deux le silence pendant un long moment. Enfin, Travis déclara :

— Nous partons demain.

12

Travis se réveilla en frissonnant. Le vent froid soufflant de la montagne avait soulevé sa couverture. Il leva la tête et contempla l'immense étendue verdoyante de la vallée. Il s'enveloppa de nouveau dans son vieux plaid et roula sur le côté. Il aimait cette splendeur sauvage, et les battements de son cœur s'accéléraient lorsqu'il songeait qu'elle était pure et intacte.

Ils avaient décidé, Sam et lui, d'aller au Nevada, sur les traces de Luke Tate. Ils comprirent vite la folie de leur entreprise. Comment retrouver la piste d'un homme à travers sept Etats ? Il leur serait plus facile de le débusquer une fois sur place.

Travis regarda son ami, qui dormait profondément. Le voyage avait été long, mais aujourd'hui enfin ils atteindraient Virginia City. Il était temps, car les premières chutes de neige avaient déjà blanchi la Sierra Nevada qui se dressait, majestueuse, à l'horizon.

— Nevada signifie « enneigé », avait observé Sam. Ce n'est que le début.

Travis se repaissait de la beauté et de la paix particulières qu'il trouvait en ces lieux. Les pics hérissaient les régions désertiques, les vallées et les mesas. Par moments, ils semblaient être au creux du monde, entourés de sable et s'enfonçant chaque minute davantage. Puis, soudain, au plus grand émerveillement de Travis, une crête s'élevait vers les cieux, droit devant eux.

Pendant leur longue chevauchée, ils s'étaient amusés à identifier la faune et la flore environnantes.

Travis sourit en songeant aux jurons qu'avait poussés Sam tandis qu'ils traversaient le désert d'Alkali.

— Quand je pense que cette étendue sauvage perdue au milieu de nulle part est notre trente-sixième Etat ! Tout ça parce que Lincoln imaginait que ses ressources minérales enrichiraient l'Union.

— Et alors ? avait objecté Travis, heureux de tout ce qui distrayait les inquiétudes qui le rongeaient. Lincoln a aussi obtenu autre chose d'intéressant : un Etat nordiste pour soutenir ses projets d'amendements anti-esclavagistes à la Constitution. La population du Nevada n'atteignait même pas le cinquième de ce qu'il fallait pour pouvoir détenir l'appellation d'Etat, mais ça n'a pas empêché le Congrès de voter son rattachement en 1864.

— Tu vas voir, la découverte des mines du Comstock va changer tout cela, avait affirmé Sam. Il y a plus de chercheurs d'argent au Nevada que de chercheurs d'or en Californie. Et, si Tate a dit à Nancy qu'il partait prospecter là-bas, tu peux être sûr qu'il est allé droit sur Virginia City. C'est le plus grand camp minier de tout l'Ouest.

Le regard de Travis se perdit une fois de plus au loin. La brume matinale se dissipait. Bientôt, il retrouverait Kitty. Peut-être reviendraient-ils vivre dans cette région un jour, avec leur fils. Il y avait tant à découvrir, ici. Dans ce lieu d'une beauté bouleversante, le passé serait à jamais loin derrière eux.

Le vieux Sam les accompagnerait. Sam n'avait

guère de racines. Peut-être même trouverait-il une femme qui s'installerait avec lui, et tous ensemble, ils...

Un cri perçant, angoissé, retentit. Travis bondit sur ses pieds et saisit son revolver sous sa selle. Sam se réveilla, immédiatement sur le qui-vive.

— Qu'est-ce que c'était que ce cri ?

— Sûrement pas un animal, répondit Travis. Ça venait de là-bas.

Tout en enfilant ses bottes, il hocha la tête en direction d'une hauteur à quelque distance de là. Sam le rejoignit et ils s'approchèrent silencieusement du monticule. Un deuxième cri perça l'air, long et oppressé, et ils échangèrent un regard anxieux.

— Des Indiens ? murmura Travis.

— Ça m'étonnerait. D'après les gens du coin, il n'y a jamais eu de problèmes avec eux, par ici.

— Soyons prudents, fit Travis en avançant lentement, son fusil dans une main et son pistolet dans l'autre.

Ils progressèrent en se cachant derrière les fourrés, tous les sens en éveil. A deux reprises encore, ils entendirent le même hurlement déchirant, à vous faire dresser les cheveux sur la tête. Lorsqu'ils furent assez près, Travis fit signe à Sam de se déplacer vers la droite, où des cactus et d'épais buissons de genévrier le protégeraient des regards.

— J'y vais, chuchota-t-il. Ne discute pas.

Il s'accroupit derrière une touffe de sauge et attendit. Des bruits de voix parvenaient jusqu'à lui, quelqu'un gémissait. Au cri suivant, il bondit en avant, braquant ses armes. Il y avait trois hommes dans la clairière.

— Plus un geste ! cria Travis.

Surpris, ils s'immobilisèrent. Sam apparut de l'autre côté et jaugea rapidement la situation. Près d'un petit feu de camp, l'un des hommes tenait une barre de fer à l'extrémité incandescente. Un autre était étendu sur le sol, nu, pieds et mains liés à des piquets fichés en terre. Sa chair était brûlée en de nombreux endroits.

— Aidez-moi, chuchota-t-il en soulevant la tête avec effort. Ils sont en train de me brûler vif, je vous en prie, à l'aide...

— Lâche ça, ordonna Travis au plus petit des individus, qui tenait le pique-feu.

— Pour qui tu te prends, c'est pas tes oignons ! grogna l'autre en obéissant malgré tout.

— Je n'aime pas qu'on grille un homme sous mes yeux, figure-toi, répliqua Travis.

— Il va nous dire quelque chose, intervint rapidement le plus grand. Laissez-nous finir la besogne, et vous aurez votre part.

Travis les observa de nouveau. Ces hommes étaient manifestement des brutes prêtes à tout. Des crapules de la pire espèce. Il fit signe à Sam de venir en aide à la victime.

— Et qu'allait-il vous dire de si passionnant ? demanda-t-il tranquillement.

— Il a trouvé un filon d'argent, expliqua le plus grand des compères. On l'a suivi quand il s'est présenté pour l'inscrire au bureau d'enregistrement à Virginia City, ça fait déjà deux semaines. On pensait qu'il nous conduirait directement à la mine, mais il nous a menés en bateau. Alors on a décidé de lui faire cracher le morceau. Si vous nous aidez, on vous donnera une part de son argent, à vous et à votre copain.

— Ça doit être un filon juteux, renchérit le plus petit. Il y en aura pour tout le monde. Ecoutez, je m'appelle Frank Bailey, et lui, c'est Josh Warren.

— Oui, c'est ça, approuva Josh. On va partager. Peut-être que vous saurez faire parler ce fumier.

— Non ! Je ne dirai rien ! s'étrangla la victime. Tuez-moi. Le bureau a déjà enregistré mon filon. Il reviendra à ma femme et mon fils si je meurs. J'ai travaillé trop dur pour sacrifier quoi que ce soit à des ordures comme vous.

— Espèce de crétin ! s'énerva Frank. Dis-nous où il est, il y en aura pour tout le monde.

— Allez prospecter vous-mêmes ! cria-t-il. (Puis il se tourna une fois de plus vers Travis.) Je suis Wiley Odom. Je viens de Louisiane. Aidez-moi, et je partagerai avec vous.

— Un salopard de Rebelle ! grogna Josh en crachant par terre. Ça m'étonne pas, tiens !

— Taisez-vous ! éclata Travis. Sam, surveille-les.

Il s'agenouilla aux côtés de Wiley.

— Je m'appelle Travis Coltrane et je suis de Louisiane, moi aussi. Vous n'avez rien à craindre de moi. Votre argent ne m'intéresse pas. Nous allons tâcher de soigner vos blessures, puis nous conduirons ces deux lascars au shérif de Virginia City. Vous pouvez venir avec nous si vous voulez voir un médecin, ou repartir de votre côté.

L'homme cligna des yeux, soupçonneux.

— Vous n'en voulez pas à mon argent ? demanda-t-il, incrédule.

— Non. Sam, attache-moi ces deux-là.

— C'est ce qu'on va voir !

Le dénommé Frank s'était précipité sur son revolver mais, avant qu'il ne puisse le dégager de son étui, une détonation retentit et il s'effondra sur le sol. Josh Warren l'avait imité, et bientôt il s'écroula à côté de son acolyte, mort lui aussi.

Wiley Odom écarquilla les yeux et passa nerveusement la langue sur ses lèvres.

— Vous allez me torturer, maintenant, hein ? Ce

n'est pas la peine, je vous ai dit que je voulais bien partager avec vous.

— Relax, Odom. Je vous répète que votre argent ne nous intéresse pas, fit Travis en s'approchant des deux cadavres.

Il se demanda s'il devait les enterrer. Il leur faudrait du temps pour creuser deux tombes, et il avait espéré arriver à la cité minière avant la nuit.

— Pourquoi m'avez-vous aidé ? demanda Odom en se tournant vers Sam. Et pourquoi mon argent ne vous intéresse pas ?

— Il cherche sa femme, expliqua Sam. Et nous ne voulons rien que nous n'ayons mérité. C'est en quelque sorte notre philosophie de la vie, si l'on peut dire. Comme de venir en aide à son prochain, ajouta-t-il en pouffant.

Il alla chercher les vêtements d'Odom et les lui apporta.

— Attendez, j'ai un baume miraculeux dans un sac roulé au troussequin de ma selle. Je vais vous en appliquer, puis on vous bandera. Travis, tu veux enterrer ces bandits ?

— Non, répondit-il avec calme. Je suis pressé d'arriver à Virginia City. Je veux trouver Luke Tate le plus vite possible.

— J'ai entendu parler de lui.

Travis bondit sur ses pieds en un éclair et se précipita vers Wiley Odom avec une telle promptitude que celui-ci eut un frémissement d'angoisse.

— Qu'avez-vous dit ? Vous connaissez Luke Tate ?

— Je... J'en ai entendu parler, bredouilla Wiley. Je ne le connais pas personnellement.

Travis se força à interroger le pauvre diable avec douceur.

— Je vous en prie, c'est très important pour moi. Luke Tate a kidnappé ma femme, en Caroline du

Nord, et l'a emmenée jusqu'ici. Tout ce que vous pourrez m'apprendre me sera utile. Essayez de vous souvenir de ce que vous avez entendu dire.

Wiley grimaça de douleur tandis que Sam l'enduisait de baume. Puis, il avala sa salive avec détermination et déclara :

— Je l'ai jamais vu et, d'après ce qu'on raconte sur le bonhomme, je ne tiens pas à le rencontrer. Partout où il est, il y a du grabuge. Il a tué cinq hommes que je connaissais, et la police le laisse faire. Je ne crois pas qu'il ait trouvé un filon, tout ce à quoi il est bon, c'est traîner et semer les ennuis. Tout le monde l'évite, à Virginia City.

Il marqua une pause et regarda Travis en murmurant :

— Vous dites qu'il a votre femme. Mon Dieu, comme je vous plains.

— Gardez votre pitié pour Luke Tate, répliqua sèchement Travis. Il va en avoir besoin quand je l'aurai retrouvé. L'avez-vous vu avec une femme ? Une très belle femme aux cheveux blond vénitien et aux yeux violets ?

Wiley secoua la tête avec tristesse.

— La semaine dernière, j'ai passé cinq jours à Virginia City. J'ai aperçu Tate dans des saloons et en ville, mais jamais accompagné. Ça ne veut rien dire, s'empressa-t-il d'ajouter, vous savez, peut-être qu'il la tient cachée quelque part. Il ne l'emmènerait pas dans les bars, tout de même.

— Si, murmura Travis d'une voix brisée. Il la traînerait partout avec lui.

Sam se força à intervenir avec optimisme.

— Non, pas forcément, mon vieux. Il craint peut-être que Nancy Danton n'ait ébruité l'affaire et que la police ne soit à ses trousses.

— J'aurais dû envoyer un câble au shérif pour

174

qu'il le coffre, mais, bon Dieu, j'avais trop envie d'affronter cette ordure d'homme à homme. De le tuer de mes propres mains. Et il aurait pu avoir vent de notre présence. Mais maintenant, il est peut-être trop tard, termina-t-il dans un murmure.

— Certainement pas ! fit Sam, bourru. En route, nous pouvons encore être à Virginia City avant la fin de la journée.

— Tu as raison. Odom, si vous voulez, nous vous conduisons auprès d'un médecin.

— Non, ça va aller, dit celui-ci en se relevant précautionneusement. (Il tendit la main à Travis, puis à Sam.) Jamais je n'oublierai ce que vous avez fait. J'espère que vous retrouverez votre femme. Je prierai pour vous.

Le soleil se couchait lorsqu'ils atteignirent Virginia City, Nevada. Ils marquèrent une pause au sommet d'une crête montagneuse qui surplombait la ville minière et perçurent immédiatement l'effervescence qui y régnait. De temps à autre, un rire strident était porté par le vent. Un coup de feu retentissait, puis un autre. Des cris. Le bruit de rixes d'ivrognes.

— Quelle animation, remarqua Travis en maîtrisant l'émotion qui lui nouait la gorge.

— Oui. Mais attention, si Tate nous repère le premier, c'est fichu. Il se planquera dans un coin et n'en bougera plus.

— Cela m'étonnerait qu'il me reconnaisse. Nous nous sommes à peine vus le jour où nous avons poursuivi cette bande de hors-la-loi, lorsque j'ai retrouvé Kitty, et cela fait plusieurs années.

Sa voix se brisa. A cet instant, Sam poussa une exclamation.

— Travis ! Nous n'avons même pas songé que

nous ne le reconnaîtrions peut-être pas ! Nous ne l'avons jamais vraiment vu !

— Kitty me l'a décrit très précisément. J'ai cette image gravée dans ma mémoire.

Il dressa le portrait de l'homme, Sam l'écouta attentivement. Puis ils reprirent leur chemin en silence, et une fois dans l'unique artère bordée de saloons, de tripots, de magasins pour mineurs et de bureaux d'enregistrement, ils se fondirent dans la foule.

— Nous n'avons qu'à arpenter la rue dans un sens et dans l'autre jusqu'à ce que nous tombions sur lui, déclara Travis en attachant sa monture près d'un abreuvoir. Toute la nuit s'il le faut.

— S'il est là, nous le trouverons. Et je suis certain qu'il n'est pas loin. Et Kitty non plus.

Kitty. Le cœur de Travis se serra.

— Allons-y, dit-il brusquement.

Les saloons se ressemblaient tous comme autant de gouttes d'eau. Les prospecteurs fêtaient leur bonne fortune ou noyaient leurs chagrins, indifféremment, dans l'alcool. Des rixes éclataient pour un oui ou pour un non, et il fallait parfois baisser la tête pour éviter les projectiles divers qui fusaient dans les airs. La nuit était déjà bien avancée lorsque Sam et Travis entrèrent dans un saloon enfumé d'où s'échappaient des airs de piano.

Ils prirent une table dans un coin, dos au mur, afin de pouvoir observer toute la salle. Une fille vêtue d'un justaucorps en satin rouge et de plumes d'autruche apparut. Lorsqu'elle vit Travis, sa lassitude fit place à un sourire engageant.

— Salut, beau brun, dit-elle avec un battement de paupières. C'est la première fois que je te vois, non ? Tu es venu faire fortune, toi aussi ? Je m'appelle Sally, je te ferai visiter la région, si tu veux.

— Contente-toi d'apporter une bouteille de whisky et deux verres, dit-il calmement.

— Oh, je vois, fit-elle avec une moue. Monsieur n'est pas du genre aimable.

Elle se raidit et s'apprêta à partir, lorsque Travis la retint par le poignet. Elle s'assit sur ses genoux en feignant de se débattre, mais ses yeux brillaient.

— J'ai besoin d'un petit renseignement, murmura-t-il, son souffle chaud contre l'oreille de la fille.

— Tout ce que tu veux, mon chou. Tu cherches quelqu'un, c'est ça ? D'accord, du moment que tu ne parles pas de moi et que tu ne tires pas de coups de feu dans l'établissement.

— Promis, fit Travis en lui souriant. Tu vois, c'est ma petite sœur qui me tracasse. Elle s'est enfuie de chez nous il y a quelque temps, et mes parents sont inquiets, ils m'ont envoyé la chercher. J'ai pensé qu'elle était peut-être venue ici chercher du travail. Elle est très jolie. Pas autant que toi, bien sûr, ajouta-t-il avec un clin d'œil. Mais jolie quand même. Grande, avec des cheveux dorés aux reflets roux, et des yeux d'une couleur incroyable... violets.

Sally sursauta et son sourire s'évanouit.

— Oui, je me souviens de cette fille, dit-elle rapidement, trop rapidement, selon Travis. Elle n'est plus dans les parages, et tant mieux. Les hommes n'en avaient qu'après elle. Je suis contente qu'elle soit partie.

— Elle travaillait ici ? demanda Travis avec tout le calme qu'il put maîtriser.

— Non. Luke ne l'aurait jamais laissée travailler. Il se contentait de se pavaner à son bras, fier de la montrer à tout le monde. Mais elle le haïssait, ça se voyait comme le nez au milieu de la figure. Au début, en tout cas.

— Comment cela, au début ? fit Travis en serrant

sans s'en rendre compte le poignet de la fille. Que s'est-il passé ? Il l'a emmenée ailleurs.

— Hé, doucement ! protesta-t-elle. Non, elle est partie, c'est tout. On voyait bien qu'elle le détestait, mais elle avait un comportement bizarre, elle avait l'air absent. Elle le suivait... comme machinalement. Et du jour au lendemain on ne l'a plus vue.

Elle rejeta la tête en arrière et éclata de rire, puis embrassa le nez de Travis.

— Ce n'est pas ta sœur, hein ? C'était ta bonne amie ? Eh bien, elle est partie. Tu n'as plus qu'à te rabattre sur moi !

Les yeux de Travis se plissèrent, menaçants, et il demanda en se penchant en avant :

— Où est parti Luke, mon chou ? Peut-être qu'il saura nous dire quelque chose ?

— Luke ? répéta-t-elle avec mépris. Ce vieux fils de pute d'ivrogne ? Il est planté au bar en train de s'imbiber, comme d'habitude.

Elle fit un signe de tête vers sa droite, et Sam et Travis suivirent son regard.

Ils ne l'avaient pas reconnu car il leur tournait le dos. Assis sur un tabouret à l'autre bout du comptoir, les épaules voûtées, ses mains épaisses crispées autour d'une chope de bière, on aurait dit qu'il faisait partie intégrante du bar. Ses vêtements étaient sales et chiffonnés. Quelqu'un l'appela de l'entrée et il se tourna de profil en riant, révélant des dents jaunies et gâtées. Ses yeux étaient bouffis. Il avala une gorgée de bière et la mousse coula sur son menton ; il ressemblait à un chien enragé.

Travis se leva, renversant la fille assise sur ses genoux.

— Travis, siffla Sam, pas de bêtises.

Mais Travis Coltrane traversait déjà la salle, poussant les gens sur son passage, renversant des chai-

178

ses. Les clients s'écartaient, alarmés par son expression démente. On grogna, mais personne n'essaya de l'arrêter.

Luke Tate sentit qu'il se passait quelque chose et se retourna. Il le reconnut immédiatement. Glissant à bas du tabouret, il porta la main à son revolver, mais Travis le devança. D'un bond, il fut sur son ennemi. Les deux hommes tombèrent sur le sol. *Ne pas le tuer, qu'il parle*, songea Travis dans un ultime sursaut de raison. Il saisit Tate par le col de sa chemise et le plaqua violemment au bar.

— Et maintenant, salopard de fils de pute, dis-moi ce que tu as fait de ma femme.

Les yeux exorbités par la terreur, Luke Tate leva des mains implorantes.

— Ne me tuez pas, Coltrane. Je n'ai rien fait à Kitty, je le jure.

— Où est-elle ? répéta Travis en heurtant la tête de Luke contre le bar, l'assommant presque. Ici ? A Virginia City ? hurla-t-il.

— Oui, oui, articula l'autre. Je vous y emmène, je vous raconterai tout si vous me laissez partir.

Travis le releva d'une main et le traîna jusqu'à la porte du saloon.

— Marche ! gronda-t-il. Et si tu tentes quoi que ce soit, tu es un homme mort.

Ils sortirent tous les trois dans un silence absolu.

— Je savais que vous viendriez, geignit Luke en trébuchant. Je le savais. J'aurais jamais dû l'emmener, mais Nancy m'a bien payé. J'avais besoin de cet argent. J'aurais dû me douter qu'elle était trop fragile pour ce genre d'existence. J'étais sûr que vous viendriez la chercher. Je vous y conduis, mais après vous me laisserez partir, hein ?

— Emmène-moi auprès d'elle et ferme-la, rugit Travis.

— Oui, oui. Il nous faut de la lumière.

— Je m'en occupe, fit Sam.

Ils passaient devant un hôtel, et il déroba l'une des nombreuses lanternes accrochées dans le hall, sourd aux protestations de l'employé.

Au bout de quelques minutes, ils furent hors de la ville et Luke Tate les conduisit le long d'un sentier qui serpentait entre les cactus et les buissons de sauge.

— On y est presque, dit-il. Après, vous me laissez m'en aller, hein ? C'est pas de ma faute. Elle a comme qui dirait renoncé à la vie. Elle était bizarre. (Il marqua une pause et montra un petit cimetière.) Elle s'est allongée et elle est morte.

La plainte de Travis déchira la nuit.

— C'est faux ! Elle n'est pas morte ! C'est impossible ! hurla-t-il dans un sanglot.

— Tate, fit Sam d'une voix menaçante, si tu mens, tu le regretteras...

— Je ne mens pas ! s'écria Luke. Regardez !

Il courut et montra un monticule de terre devant une croix grossièrement sculptée. Sam le suivit en brandissant la lanterne et lut l'inscription gravée dans le bois : « *Ci-gît Kitty Wright, morte le 1er septembre 1869. Paix à son âme.* »

Sam tomba à genoux en poussant un long gémissement.

— Ô mon Dieu, non. Pas Kitty, mon Dieu, non, non !

Il lâcha la lanterne et se couvrit le visage de ses mains. Travis approcha, comme un somnambule, le regard rivé sur la tombe.

— Vous énervez pas, fit Luke en se forçant à paraître brave. Je sais que j'ai eu tort, mais je vous ai expliqué... C'est pas de ma faute si elle est morte. Pas la peine de me tuer, c'est pas ça qui vous la ramènera.

La main droite de Travis fendit l'air avant de s'abattre sur le visage de Tate, qui s'écroula sur la butte de terre. Il leva les bras.

— Une minute, Coltrane. Vous aviez promis de me laisser partir si je vous conduisais jusqu'à elle.

— Je n'ai qu'une parole, Tate, fit Travis.

Il appuya sa botte sur la gorge de Luke Tate et le maintint fermement contre la tombe.

— Je vais te laisser partir. Te laisser partir tout droit en enfer.

Travis laissa lentement la rage s'emparer de lui et appuya de plus en plus fort sa botte sur la gorge de l'autre. Le cri d'agonie de Luke Tate s'amenuisa, pour ne plus devenir qu'un couinement tandis que la vie s'écoulait lentement hors de son corps. Sam contemplait la scène, songeant à ce qui s'était passé plusieurs années plus tôt, lorsque Travis avait tué Nathan Collins parce qu'il avait froidement assassiné John Wright, le père de Kitty, d'un coup de fusil dans le dos. Il sentit avec stupeur quelque chose d'humide couler le long de ses joues, lui qui n'avait jamais versé une larme. Il regarda Travis, dont les yeux étaient injectés de sang.

— Meurs, ignoble vermine, murmura Travis en écrasant son ennemi. Meurs comme tu le mérites.

Sam détourna le regard. Il n'interviendrait pas. Enfin, Luke Tate cessa de gémir, et Travis cessa de jurer.

Le silence les enveloppa comme un sinistre linceul. Après ce qui leur parut une éternité, Travis murmura :

— Il est mort. Il est mort, et Kitty est morte. Je n'ai plus rien...

— Tu as ton fils, Travis, votre fils, à Kitty et à toi. Tu ne peux pas te laisser aller, mon garçon, elle ne le voudrait pas.

Travis resta longuement muet, puis il prit une profonde inspiration et leva le visage vers les cieux.

— Je l'ai toujours aimée. Je l'aimerai toujours. Oh, si seulement...

Sa voix se brisa et il tomba à genoux, les épaules soulevées par les sanglots.

Sam repartit lentement vers la ville. Il n'avait jamais vu son ami pleurer, et ne voulait pas le voir. Travis vivait son propre enfer, et Dieu seul savait pour combien de temps.

13

Les sons lui parvenaient à travers un épais brouillard. Travis souleva la tête en clignant des yeux. Il eut un hoquet. Ce timbre lui semblait familier, qui pouvait-ce bien être ?

— Travis, bon Dieu, il est temps que tu te sortes de là ! Tu es en train de creuser ta tombe !

La voix était coléreuse. Travis ouvrit les yeux, mais l'image, l'image qui le hantait et lui faisait perdre l'esprit, était encore là. Kitty lui tendait les bras en souriant, avec ses lèvres sensuelles et ses yeux pervenche.

— Non, gémit-il d'une voix cassée. Le diable essaye de me rendre fou.

Il secoua violemment la tête et tendit une main... il trouva vite ce qu'il cherchait et ses doigts se refermèrent avidement sur la bouteille de whisky.

— Travis, non !

La flasque s'écrasa sur le sol. Il essaya de se lever, ses jambes se dérobèrent. Quelqu'un avait cassé sa bouteille... comment allait-il effacer la vision de

Kitty, maintenant ? Une main avança une tasse sous sa tête courbée et on lui ordonna doucement :

— Bois ça. Ça te fera du bien. J'ai commandé à dîner, et tu vas me faire le plaisir de manger. Cela fait des semaines que tu es ivre mort, Travis, et il faut que tu te reprennes en main, à présent.

Il devina confusément dégoût, pitié et colère, dans cette voix. Pourquoi ? Qu'avait-il fait ?

— Tu vas me boire ce café.

A contrecœur, il avala le liquide que l'on portait à ses lèvres ; il se sentit mieux, en effet.

— Voilà, fit la voix doucement. J'en ai toute une cruche pour toi, et tu vas me la finir. Ensuite, tu mangeras.

L'évocation de la nourriture lui creusa l'estomac et il but le reste de la tasse. Au bout de la deuxième, il leva deux yeux fatigués et la brume se dissipa.

— Sam... murmura-t-il avec reconnaissance. Sam.

— Oui, fit son vieux compagnon avec un sourire tordu. Il faut absolument que tu sortes de ta léthargie. Sais-tu depuis quand tu n'as pas dessaoulé ? Tu vas finir par te tuer si tu continues à boire comme ça et à ne rien manger. Regarde-toi, tu n'as plus que la peau sur les os. Je comprends ta douleur, mon garçon, mais la vie continue. Kitty n'aimerait pas te voir dans cet état, et il faut penser au petit John. Dès que tu seras d'aplomb, nous retournerons en Caroline du Nord.

La Caroline du Nord... Comme cela paraissait lointain.

— On doit me rechercher pour meurtre, ici. Je ne me déroberai pas.

— J'ai parlé au shérif. Tout est arrangé.

Travis n'en fut pas autrement surpris. Avec l'effervescence qui régnait sur la ville, quelques morts de plus ou de moins ne faisaient aucune différence... surtout une vermine comme Luke Tate.

Une assiette de ragoût de bœuf fumait devant Travis, qui s'aperçut qu'il mourait de faim. Sam avait raison, il était grand temps qu'il réagisse.

— Peut-être pourrons-nous repartir d'ici un jour ou deux, hasarda Sam.

— Pourquoi tant de hâte ? interrogea curieusement Travis.

— Je pensais que tu serais pressé de revoir ton fils.

— C'est vrai, mais j'ai besoin de quelques mois encore. Qu'ai-je à offrir à John ? Un homme brisé en guise de père ? Un petit garçon a besoin d'une mère. Je ne peux pas lui en donner une. Pour l'instant, je ne peux rien lui donner. Il est mieux avec Mattie Glass. Un jour, la terre de Kitty sera à lui. Quant à moi, il faut que je remette de l'ordre dans mon existence. Mais toi, Sam, toi qui m'as toujours assisté dans les moments difficiles, rien ne t'oblige à traîner ici. Tu as ta propre vie à mener.

— Tu sais, Travis, dit Sam d'une voix songeuse, au cours des dernières semaines, j'ai exploré le pays de fond en comble, et ce que j'ai vu m'a bien plu. J'aime l'Ouest, c'est un territoire neuf. C'est exaltant de faire partie d'un tel élan.

Il se pencha en avant, soudain enthousiaste, les yeux brillants.

— Ce pays est vivant, Travis, vivant ! Et dire que tout ça est arrivé presque par hasard. Au moment de la ruée vers l'or de 1849, les mineurs sont allés chercher leur précieux métal jusqu'au Nevada et au Colorado, et au lieu d'or ils ont trouvé de l'argent. Les choses bougent, dans ce pays, c'est ici qu'il faut être !

Travis repoussa son assiette vide et se servit lui-même une autre tasse de café. Il se sentait lentement redevenir humain.

— Tu veux dire que tu vas tenter ta chance, Sam ?

demanda-t-il, amusé. Tu aurais donc attrapé la fièvre de la prospection, toi aussi, comme tous ces fous ?

— Oh, non, pas la fièvre, pouffa Sam. C'est le pays, qui me plaît. J'ai l'impression de découvrir un nouveau monde. D'ailleurs, *c'est* un nouveau monde. Je comprends maintenant pourquoi les pionniers ont tellement d'énergie. On a ça dans le sang. A l'idée de vivre tranquillement en Caroline du Nord ou même dans les bayous de Louisiane, je piaffe déjà.

— Je te comprends. Si je n'avais pas à m'occuper de mon fils, je resterais probablement, moi aussi. L'ennui, soupira-t-il, c'est que je ne me sens pas encore prêt à l'affronter. Et puis... la mort de Kitty est trop récente, Sam. Si je rentrais maintenant, je tuerais Nancy et Danton.

Il secoua lentement la tête. Au bout de plusieurs minutes, il déclara :

— Je vais écrire à Mattie pour tout lui expliquer, la remercier encore de s'occuper de John. Je lui ai laissé presque toute ma paie de Haïti avant de partir, elle a donc amplement de quoi payer les frais. Mais je lui serai éternellement débiteur. Qu'aurais-je fait sans elle ?

Il poussa un long soupir.

— Ecoute, Travis, dit lentement Sam, si tu veux, tu peux venir avec moi dans le Kentucky.

— Le Kentucky ? fit-il en haussant un sourcil. Qu'est-ce que tu racontes ? Tu viens de dire que tu voulais rester au Nevada !

Sam se pencha en avant et lui raconta qu'à son retour de Saint-Domingue, Washington lui avait promis un emploi de shérif.

— Il paraît que, dans le Kentucky, on recherche des shérifs en permanence à cause de la situation avec les Noirs, qui sont en butte à une violence inouïe. Les maisons, les écoles, les églises sont incendiées, des familles entières sont chassées de chez elles par des meutes de Blancs en délire. Il paraît même qu'on en lynche en public. Et tout cela, ajouta-t-il en soupirant, parce que les extrémistes sudistes de là-bas ne voient pas d'autre solution au programme de reconstruction qu'ont imposé au Sud les républicains radicaux du Nord. Tu sais combien je me désintéresse de la politique. Mais je ne supporte pas l'idée que des Noirs soient tués et agressés, et que la foule fasse sa loi.

— Aussi, tu as envoyé un télégramme à Washington en disant que tu acceptais avec plaisir ce poste de shérif fédéral au Kentucky.

— Plutôt deux fois qu'une. Encore une mission à remplir. Et cela me permettra d'économiser pour mes vieux jours. Je ne suis plus un jeune homme, Travis, il faudrait que je songe à me poser. Ici, je trouverai tout ce que je cherche. Mais d'abord, je remplirai mon mandat dans le Kentucky.

Après un court silence, Travis déclara :

— Sam, je t'accompagne.

— Quoi ? Tu viens avec moi ? Nom de nom ! s'écria Sam en bondissant sur ses pieds pour esquisser une danse d'allégresse. Nous allons nettoyer l'Etat du Kentucky et, ensuite, nous irons chercher John et partirons pour l'Ouest ! Nous travaillerons dur, nous serons riches, et...

— Sam, arrête.

Surpris, il se tut et regarda Travis.

— Une chose après l'autre, Sam, expliqua ce dernier avec tristesse. Pour l'instant, je ne vois pas plus loin que cela. J'enverrai à Mattie tout ce que je gagnerai, c'est le seul projet que je puisse concevoir aujourd'hui.

— Je comprends... Mais je suis tout de même content que tu aies pris la décision de venir.

Sam avait confiance. Travis ne boirait plus. Il le savait assez volontaire pour s'arrêter. Sa douleur était toujours aussi vive, peut-être même le poursuivrait-elle jusqu'à sa mort, mais il la surmonterait. Travis Coltrane n'était pas un lâche.

14

Travis était assis devant un large bureau de bois. Combien d'autres y avaient pris place avant lui ? Quel genre d'hommes étaient-ils ? Il savait qu'ils n'avaient sûrement pas eu le courage d'affronter le Ku Klux Klan. Et c'était tout ce qui comptait.

Quelle ironie, songeait-il. Il n'avait plus besoin de ce travail, ni d'aucun travail. Une série d'événements venait d'intervenir dans son existence. Wiley Odom était mort des suites de ses blessures, d'une mauvaise alimentation, peut-être même de désespoir. Se sachant mourant, il avait légué sa mine d'argent à Travis « et son ami » pour les remercier de lui avoir sauvé la vie. A sa femme et son fils, il en avait donné une autre, plus petite, qui leur suffirait amplement. Peut-être n'avait-il pas voulu que sa famille hérite de tous les soucis liés à la richesse : la jalousie, le danger... Travis et Sam, avait-il dû se dire, étaient assez forts pour y faire face.

Sam avait donné sa part à Travis, d'une manière ne souffrant pas la discussion :

— Je n'ai pas de fils, moi. Et puis, si je possédais la moitié d'un filon, je n'aurais plus l'appétit d'aller faire fortune de mon côté. Non, sincèrement, Travis, il vaut beaucoup mieux que tu me débarrasses de cet encombrant cadeau. Si tu n'en veux pas, pense à John.

Et Travis s'était vu contraint d'accepter. Quand il s'y mettait, Sam était capable d'être aussi têtu que... eh bien, que lui !

Ainsi, songeait Travis, je suis un homme riche. Il poussa un soupir et consulta les rapports empilés sur la table. Depuis leur arrivée, Sam et lui avaient essentiellement enquêté sur des crimes. Tant de cruauté infligée aux Noirs... Et impunément.

— C'est révoltant ! s'écria-t-il en agitant un papier dans la direction de Sam. On pourrait espérer que quelqu'un parlerait ! Que les gens d'ici feraient tout pour soulever le lièvre ! Mais non, rien !

— Je sais, je sais, soupira Sam. Ils se contentent de regarder ailleurs. Les Noirs eux-mêmes refusent de dénoncer qui que ce soit. Remarque, depuis une semaine que nous sommes là, rien ne s'est passé. Les choses vont peut-être se tasser.

— Allons donc, tu n'y crois pas plus que moi. Ce maudit Klan est simplement en train de nous observer. On ne leur fait pas peur, ils veulent juste savoir si nous constituons une menace ou non, si nous sommes du côté des Noirs ou si nous fermerons les yeux. Eh bien, qu'ils se tiennent à carreau ! Nous ne quitterons le Kentucky que lorsque nous aurons coffré les responsables !

— Ça ne va pas être du gâteau, grogna Sam. On nous fuit comme la peste. Même les Noirs changent de trottoir en nous voyant. Ils ont trop peur qu'on les voie en train de nous parler. C'était bien la peine de venir s'installer dans ce bureau minable. Bien qu'on soit dans une impasse, ils continuent à ne pas oser venir. Enfin, laissons-leur le temps. Les Noirs non plus ne savent pas s'ils peuvent avoir confiance en nous.

— Le temps... répéta Travis. Je n'ai que ça pour moi. Le temps.

Sam se gratta la barbe, puis, n'y tenant plus, il déclara :

— Bon Dieu, Travis, mais pourquoi ne retournes-tu pas chez toi voir le petit John ? Il va finir par oublier qu'il a un papa !

— Je dois courir ce risque, répondit doucement Travis. Tant que je ne penserai qu'à tuer Nancy et Jerome Danton, je préfère ne pas y aller. Et maintenant, mettons un peu d'ordre dans cette paperasserie. Classons les délits par catégories : coups et blessures, pendaisons, tortures... Peut-être finirons-nous par trouver un indice. Il est plutôt curieux, ajouta-t-il, que le Kentucky ait épousé les convictions sudistes avec une telle ferveur, car, au début de la guerre, l'Etat était très divisé. Et pourtant, une fois les hostilités achevées, on aurait dit que tout le monde faisait partie d'une grande famille unie.

— Oui, reconnut Sam en classant des rapports. Mais lorsqu'on a voté cette loi, en 1833, interdisant l'importation et la vente d'esclaves, le Kentucky était déjà pour un quart noir. Les partisans de l'esclavage n'ont pas voulu laisser la loi changer les choses. Puis la guerre est survenue, et il reste quelques excités qui refusent de l'accepter.

— Et ce sont ces gens-là que nous devons démasquer.

Soudain, Sam poussa une exclamation de colère.

— Tu as vu ça, Travis ? Un garçon de quinze ans a été trouvé mort, une corde autour du cou, avec le message suivant épinglé sur sa chemise : « une voix de moins dans les urnes ». Un gosse de quinze ans, Travis !

— J'en ai deux autres ici... Et songe à tous ceux qui n'ont pas été signalés aux autorités par crainte de représailles. C'est un sale boulot que nous avons sur les bras, Sam, un sale boulot.

Il s'interrompit en voyant son ami regarder par la fenêtre, en alerte. Il se leva et alla le rejoindre.

— Là, derrière ce vieux tonneau, dit Sam. Un Noir. Je l'ai vu se glisser le long du mur en regardant derrière lui. Puis il s'est caché là.

Travis ouvrit la porte, jeta un regard circulaire pour s'assurer que l'allée était déserte, puis il appela doucement :

— C'est bon, personne ne vous a vu. Vous pouvez sortir, vite.

Très lentement, un chapeau de paille apparut derrière le tonneau, surmontant le visage épouvanté d'un vieux Noir. Il regarda Travis en tremblant, mais ne bougea pas.

— Venez, l'appela Travis. Entrez, nous ne vous ferons pas de mal.

Mais Travis dut aller lui-même le prendre gentiment par le bras. Le vieil homme chuchota d'une voix chevrotante :

— Si on me voit, je suis mo'. J'au'ais pas dû veni' jusqu'ici, shé'if. Laissez-moi 'epa'ti'.

— Allons, allons, dit fermement Travis en le poussant à l'intérieur et en refermant la porte à clef derrière lui. Nous sommes vos amis. Nous sommes venus au Kentucky pour aider votre peuple. Voici le shérif Bucher, et je suis le shérif Coltrane. Si vous nous disiez pourquoi vous vouliez nous voir ?

L'homme lançait de petits coups d'œil autour de lui. Il ôta son chapeau pour le tordre entre ses mains noueuses.

— Vous pouvez nous parler, insista Travis en le faisant doucement s'asseoir. Ayez confiance en nous.

— C'est mon fils, dit-il enfin. Mun'oe. Je c'ois qu'y vont le tuer...

Il frissonna.

— Qu'est-ce qui vous fait croire qu'on va tuer

Munroe ? demanda Travis. Parlez, nous ferons tout pour vous aider.

Les mots se précipitèrent sur les lèvres tremblantes du vieux Noir, qui se ressaisit à mesure qu'il se confiait.

— Il a t'op pa'lé. J'ui avais bien dit de pas se fai' 'ema'quer, pou'tant. Il a dit que, si nous aut' on se se'ait les coudes, on pou'ait se défend'. Y pa'le d'acheter des fusils et d'aller che'cher ceux qui tuent et malt'aitent not' peuple. Y dit qu'y va fai' sa p'op' loi pa'ce que vous êtes de leu' côté.

— Du côté de qui ? A qui faites-vous allusion ? le pressa Travis.

— Des cavaliers qui po'tent les cagoules blanches et so'tent que la nuit, murmura-t-il avec effroi. C'est eux qui vont veni' le tuer. Y savent tout, y savent ce qu'il a dit, et y vont le tuer.

Il y eut un bref silence, puis :

— Dites-nous votre nom. Où habitez-vous ?

Il regarda la porte avec nervosité et répondit :

— Is'ael. Je m'appelle Is'ael. Mon aut' nom, j'a'ive pas à le p'ononcer, c'est mon maît' qui me l'a donné. Je lui appa'tiens depuis toujou'.

— Vous êtes affranchi, Israel, déclara Sam avec fermeté. La guerre est finie depuis près de cinq ans. Vous n'êtes plus un esclave. Vous êtes un homme libre.

— Ça m'est égal, Missié Mason y dit que je suis t'op vieux pou' êt' battu, que je vais bientôt mou'i', alo' y me laisse habiter chez lui et je fais ce que je peux, comme nettoyer le poulailler et donner à manger aux poules. Tant que je peux lui 'end' des petits se'vices, y me chasse'a pas. Mais si jamais il app'end que je suis venu ici, ajouta-t-il en baissant la voix, y va êt' fu'ieux et me chasser, pou' sû', et je sau'ai pas où aller. Ma femme est mo'te l'année de'niè' et mes enfants y se sont enfuis pa' peu' des cavaliers de la nuit. Tous, sauf Mun'oe. Il est fou, ce petit, 'ien lui fait peu', et y faut que vous lui fassiez comp'end' qu'y 'isque sa peau ! Sauvez mon ga'çon, shé'if. Dites-lui qu'y vont le tuer. Pe'sonne y peut 'ien pou' lui.

Sam lui tendit un verre de whisky et déclara :

— Détrompez-vous, Israel. Nous pouvons quelque chose pour lui, le shérif Coltrane et moi, nous sommes là pour appliquer la loi. Dites à vos amis qu'ils peuvent avoir confiance en nous, qu'ils peuvent venir nous trouver s'ils ont un problème. Sinon, tout cela ne cessera jamais.

— Votre fils a un courage exemplaire, de rester ici, dit Travis. Mais il ne peut pas faire sa loi, cela aggraverait encore la situation. Ce sont des gens comme vous qu'il nous faut, des gens qui nous tiennent au courant, pour que nous puissions traquer les coupables.

— Vous comp'enez pas, shé'if. Je cou' un 'isque éno'me. Missié Mason y se'a fou de 'age et y me batt'a et y me chasse'a s'il app'end que je suis venu. Et maintenant, laissez-moi pa'ti', s'il vous plaît. J'au'ais même pas dû veni'. Faites ce que vous pouvez pou' mon fils mais, je vous en p'ie, oubliez que vous m'avez vu.

— Je ne dirai à personne que vous êtes venu, Israel. Vous pouvez avoir confiance en moi, le rassura Travis. Mais, maintenant que vous êtes ici, dites-moi au moins tout ce que vous savez.

— Vous comprenez, ajouta Sam, nous sommes des étrangers, dans ce comté, personne ne nous a encore parlé.

Israel secoua la tête.

— Je sais 'ien. Je peux 'ien vous di'. T'ouvez mon ga'çon et dites-lui qu'il a'ête de se fai' 'ema'quer.

— Ce Mason, dont vous parlez, est-ce l'un des

cavaliers de la nuit ? demanda Travis de but en blanc.

Israel sursauta.

— Je sais 'ien su' les cavaliers de la nuit ! s'écriat-il. Ils sont tout en blanc et ont des cagoules blanches avec des fentes pou' les yeux et la bouche, mais on voit jamais leu' visage.

— Mais sûrement des bruits courent parmi les vôtres, Israel, insista Travis. Vous devez bien avoir une idée sur leur identité.

L'homme leva des yeux emplis de larmes.

— Je vous en p'ie, laissez-moi pa'ti', shé'if. C'est dange'eux pour moi, ici.

Sam et Travis échangèrent des regards et des soupirs, puis Travis hocha la tête.

— Très bien. Allez-y. Mais, si vous ne nous dites même pas où nous pouvons trouver votre fils, comment voulez-vous que nous puissions le raisonner ?

— Y se cache dans les montagnes avec des amis à lui. Je sais pas où exactement, du côté de Blue Bi'd. Je peux pa'ti', maintenant ?

— Bien sûr. Mais surtout, dites aux vôtres que, s'ils veulent nous parler, ils peuvent avoir confiance en nous. Nous sommes venus mettre un terme à tout ceci, Israel, et vous nous avez rendu service en nous indiquant dans quelle direction chercher.

Une fois le vieux Noir sorti, ils gardèrent un silence pensif. Puis, Travis suggéra :

— Allons faire un tour en ville. Tâchons d'en apprendre plus sur cette montagne de Blue Bird et de nous renseigner sur le dénommé Mason.

— Bonne idée, mais nous avons déjà fait la tournée des saloons, et je pense que nous en apprendrions davantage à l'hôtel. Il y a un salon de thé, nous y croiserons des gens différents.

— Tu as raison. Il est impossible que toute la ville

soit de mèche avec ces cavaliers. Si nous faisons savoir de quel côté nous sommes, nous finirons peut-être par trouver des alliés.

— Ne compte pas sur ces gens pour nous aider, répliqua Sam. Les Blancs ont sûrement autant la trouille que ce pauvre Israel.

— Parfois, ce n'est pas ce que disent les gens, qui est intéressant, mais ce qu'ils *taisent*.

Le hall de l'hôtel était sombre. L'employé de la réception leur coula un regard soupçonneux de derrière son comptoir. Ils se dirigèrent vers le salon de thé, et dès leur entrée tous les yeux convergèrent vers eux. Un serveur s'approcha.

— Que puis-je vous servir, shérifs ? demanda-t-il rapidement.

Travis commanda du café pour eux deux, et le garçon repartit en cuisine aussi vite qu'il était arrivé.

Quatre tables étaient occupées, et les clients détournèrent les yeux lorsque Travis les dévisagea... A l'exception d'une jeune femme vêtue d'une robe de velours blanc, assise seule près de la fenêtre donnant sur la rue.

Son regard croisa celui de Travis avec amusement. Ses yeux émeraude brillaient sous de longs cils sombres. Elle avala une gorgée de thé en se penchant en avant ; deux petits seins ronds et laiteux dépassaient de l'audacieux décolleté.

Travis se rendit compte soudain que, hormis Kitty, cette jeune femme était la plus jolie personne qu'il eût jamais vue. Ses yeux verts pourtant sombres avaient un éclat magnifique. Quelques mèches dorées tranchaient sur ses cheveux châtains. Elle détourna la tête pour se plonger dans la contemplation de la rue. Son profil était parfait.

A cet instant, le serveur revint avec deux tasses de

délicate porcelaine remplies de café fumant. Il allait se retirer, lorsque Travis lui demanda :

— Cette jeune femme, puis-je vous demander qui elle est ?

L'homme hésita l'espace d'un instant, puis il haussa les épaules et répondit :

— C'est Miss Alaina Barbeau, shérif. On voit bien que vous n'êtes pas là depuis longtemps, si vous ne connaissez pas la famille Barbeau, ajouta-t-il avec un petit rire. Jordan Barbeau est l'homme le plus riche de la région, et peut-être le plus puissant de tout l'Etat du Kentucky.

Travis en avait entendu parler, mais il savait que la meilleure façon de soutirer des renseignements était de feindre l'ignorance. Les gens se sentent supérieurs lorsqu'ils pensent en savoir plus que vous, et n'hésitent pas à faire étalage de leurs connaissances.

— Ah bon ? dit-il. Je dois admettre que je n'ai jamais entendu parler des Barbeau.

Le serveur arbora une expression d'indicible fierté et épousseta une miette imaginaire sur la nappe.

— Eh bien, ne le proclamez pas sur les toits, shérif, si vous ne voulez pas qu'on vous prenne pour un imbécile. Jordan Barbeau possède presque tout le comté. Il a des centaines d'hectares de tabac, de maïs, et de gigantesques troupeaux. Son écurie de pur-sang est réputée bien au-delà des frontières du pays. Il possède même des intérêts dans deux grandes manufactures de Louisville.

— Vraiment ? s'extasia Travis. En effet, je dois vous paraître bien ignare.

— Je suis heureux d'avoir pu vous être utile, murmura son informateur en s'éloignant.

Travis regarda de nouveau la jeune fille, s'émerveillant encore une fois de sa frappante beauté. Elle les observait, et détourna rapidement les yeux.

— Une petite snob qui dort sur des matelas de dollars, fit Sam avec mépris. Je connais ce genre de fille à papa.

Travis ne répondit pas. Quelque chose lui disait qu'il n'avait encore jamais rencontré de femme de la trempe d'Alaina Barbeau. Derrière une façade froide, il devina quelque chose qui l'intrigua. Il remarqua du coin de l'œil qu'elle l'observait encore, et tourna la tête si vivement qu'elle n'eut pas le temps de se dérober. Elle soutint son regard. Soudain, elle repoussa sa chaise, se leva et s'avança en direction de leur table.

— Mais qu'est-ce qu'elle vient fabriquer ici ? grogna Sam dans sa barbe. Comme si on avait besoin qu'une bonne femme te coure après avec tout le boulot qu'on a sur les bras.

— Qui dit qu'elle me court après, Sam ? pouffa Travis.

Un sourire avenant aux lèvres, elle approchait, sans quitter Travis des yeux. D'une voix si douce qu'il sentit les poils se hérisser sur son avant-bras, elle lui dit :

— Si j'en crois cette étoile, monsieur, je suppose que vous êtes notre nouveau shérif.

Travis se leva poliment, bientôt imité de Sam.

— Oui, madame. Je suis le shérif Coltrane, et voici le shérif Bucher. Je dois vous confesser que je me suis permis de satisfaire ma curiosité à votre égard, Miss Barbeau. Voulez-vous vous joindre à nous ? demanda-t-il en tirant la chaise voisine de la sienne.

Elle jeta un coup d'œil par la fenêtre et répondit avec hésitation :

— Je ne devrais pas. J'attends quelqu'un. Oh, et puis, soit, autant profiter de l'occasion pour vous souhaiter la bienvenue au Kentucky.

Ses yeux pétillaient de malice. Elle s'assit et sourit modestement.

— Puisque nous en sommes aux confessions, je vous avouerai que je me suis permis, moi aussi, de satisfaire ma curiosité à votre égard, shérif, dit-elle à Travis. Mais mes sources m'ont certainement fourni bien plus de renseignements que ce pauvre serveur ne vous en a donné sur moi.

Il éclata de rire.

— Qu'est-ce qui vous fait croire que j'ai interrogé le serveur ?

— Allons, je me targue de savoir quand un homme s'intéresse à moi.

Sam ne s'était pas rassis. Il s'éclaircit bruyamment la gorge, et Travis leva les yeux.

— Si vous voulez bien m'excuser, dit-il, je crois que je vais « satisfaire ma curiosité » de mon côté. D'un point de vue *professionnel*, ajouta-t-il froidement.

— Je te retrouve au bureau, murmura Travis d'une voix absente avant de reporter toute son attention sur Alaina. Je suis certain que vous pouvez également vous targuer de savoir quand un homme vous trouve charmante, Miss Barbeau, comme c'est le cas pour moi.

Avec une candeur qu'il trouva fort plaisante, elle répondit :

— C'est vrai, je sens ces choses-là, je vous en prie, appelez-moi Alaina. J'ai bien l'intention de vous appeler Travis, c'est beaucoup moins cérémonieux.

Elle posa légèrement son menton sur ses mains croisées gantées de blanc.

— Si nous en avons fini avec les civilités, nous allons pouvoir bavarder. J'ai appris que vous venez du Nevada pour aider ces pauvres Noirs.

— Pour essayer de les aider, corrigea-t-il.

— Il paraît également que vous avez été un brillant officier de cavalerie pour l'armée de l'Union pendant la guerre. Mon père est resté loyal au Sud. Puisque vous allez être amené à le rencontrer, autant que vous le sachiez.

— La guerre est terminée, Miss Barbeau... Alaina. Peu importe le camp auquel s'est rallié votre père.

Elle eut un rire cristallin, très agréable.

— Si vous le connaissiez, vous comprendriez que cela importe beaucoup, au contraire.

Elle hocha la tête et déclara avec désinvolture :

— Nous nous arrangerons pour que vous rencontriez papa. Voudriez-vous venir dîner à la maison ce vendredi ? C'est mon anniversaire, et papa donne une soirée en mon honneur. J'aimerais beaucoup que vous soyez des nôtres.

Elle couvrit sa large main de la sienne, menue, et l'y maintint. L'instinct commanda à Travis de se méfier. Cette infime pression lui procura un frisson d'émotion le long de l'échine. Comme elle était belle ! Mais il y avait autre chose, chez elle, qui attirait Travis. Sa fraîcheur, sa délicieuse candeur.

— Allons, Travis, dit-elle en lui pressant la main. Ne me faites pas croire que vous êtes timide. Vous devez adorer fréquenter les réceptions et rencontrer des gens. Vous aimerez beaucoup ma maison. Si vous arrivez suffisamment tôt, nous pourrons faire une promenade à cheval, vous aurez droit à l'un des plus beaux pur-sang de papa. Il est excessivement fier de son écurie.

Travis haussa un sourcil.

— Votre père ne tiendra peut-être pas à me voir monter l'un de ses chevaux de course, Alaina.

Elle fit mine de bouder.

— Papa fera ce que je lui demande, surtout le jour de mon anniversaire. Oh, dites que vous acceptez,

Travis, s'écria-t-elle en riant gaiement. Toutes les jeunes filles du pays sont déjà captives de votre charme, et elles mourront de jalousie en vous voyant à mon anniversaire.

Dieu merci, il n'était pas homme à rougir.

— Dans ce cas, je viendrai avec plaisir, Alaina.

— Faites plus que cela, dit-elle en abaissant ses cils sur ses yeux émeraude, se transformant immédiatement en une jeune femme séductrice. J'aimerais que vous soyez mon hôte pour le week-end. Préparez-vous à rester jusqu'à dimanche. Ainsi, je serai certaine de bien profiter de votre présence. Nous pourrons pique-niquer le samedi, rien que nous deux.

— Je ne pense pas que mon travail me permette de m'absenter deux jours, Alaina. Pas en ce moment.

— Mais si l'on a besoin de vous, le shérif Bucher pourra venir vous chercher. Et puis, j'ai appris que vous dormiez dans l'arrière-salle de cet affreux petit bureau à l'écart de tout. Cela vous fera beaucoup de bien de vous changer les idées. Allons, dites que vous viendrez, fit-elle avec un sourire enjôleur.

Travis n'aurait pas demandé mieux. Le désir se lisait dans les prunelles d'Alaina, et cela faisait longtemps qu'il n'avait pas touché le corps d'une femme. Pourtant, quelque chose lui disait de garder ses distances.

— Je regrette, mais je ne peux accepter, Alaina. Plus tard, peut-être, quand les choses se seront un peu tassées ici.

— Oh, vous êtes terrible ! protesta-t-elle. Vous viendrez au moins à la réception, j'espère ?

A cet instant, un homme grand et musclé apparut sur le seuil du salon de thé. Ses yeux se posèrent sur Alaina, survolèrent Travis, puis se rétrécirent. Il approcha posément de leur table.

— Voilà votre ami, je crois, remarqua Travis en inclinant légèrement la tête en direction de l'arrivant.

Alaina se retourna et lui adressa un sourire innocent.

— Stewart ! Où étiez-vous, mon cher ? Vous êtes en retard !

— Je vois que vous avez trouvé à vous occuper, dit-il d'un ton acerbe sans même paraître remarquer Travis.

Ce dernier le jaugea rapidement. Il était probablement fortuné, si l'on en jugeait à sa mise. Plutôt séduisant, mais un peu mal dégrossi. Il n'avait sûrement pas toujours été nanti. Il semblait avoir un tempérament irascible. Ceci, ajouté à son imposante stature, en faisait un être assez brutal.

— Bien sûr que j'ai trouvé à m'occuper, dit rapidement Alaina, nullement intimidée. Voici Travis Coltrane, l'un de nos nouveaux shérifs. C'est un monsieur charmant, et nous avons fait connaissance.

L'homme dévisagea froidement Travis, puis se tourna vers Alaina.

— Il est temps de partir. J'ai besoin de discuter de certaines affaires avec votre père.

Elle fit un geste de la main.

— Pauvre Stewart, il est toujours débordé. C'est l'intendant de papa, voyez-vous. Il s'occupe de tout et veille à la bonne marche des choses. Papa, lui, se consacre aux affaires proprement commerciales.

— Alaina, il est temps de partir, répéta-t-il.

Elle soupira et prit sa petite bourse blanche ornée de perles.

— Oh, pour l'amour du ciel, Stewart. Vous êtes si fatigant, parfois. Je crois que je vous préférais avant que papa ne fasse de vous son intendant. Vous étiez plus drôle. Laissez-moi au moins vous présenter au shérif, ajouta-t-elle avec irritation.

Travis se leva en même temps qu'Alaina, et il tendit poliment la main à l'étranger. Ce dernier la serra à contrecœur et la lâcha immédiatement.

— Travis, je vous présente Stewart Mason, disait Alaina. Croyez-moi, il n'a pas toujours été aussi désagréable.

Travis cacha sa réaction en entendant le nom.

— Je dois vous confondre avec un autre, dit-il, sur ses gardes. J'avais entendu parler d'un monsieur appelé Mason, mais il était propriétaire terrien, non pas intendant.

Mason se raidit. Travis avait atteint son but.

— Je suis aussi propriétaire terrien. Est-il interdit à ce titre d'exercer une autre activité ?

Travis réprima l'envie de lui clouer le bec.

— Bien sûr que non. Si je vous ai offensé, veuillez m'en excuser.

Alaina éclata de rire.

— Mais non, vous ne l'avez pas offensé. Il est jaloux parce que nous étions en train de bavarder tous les deux, alors il en rajoute. N'y faites pas attention.

— Allons-y, Alaina.

Elle tendit sa main à Travis, qui la porta rapidement à ses lèvres, secrètement satisfait de l'éclat furieux qu'il lut dans les yeux de Mason.

— A vendredi, murmura-t-il en souriant chaleureusement à Alaina.

— Vendredi ? réagit immédiatement Mason. C'est le jour de votre anniversaire, Alaina.

— Je sais, soupira-t-elle en réprimant son exaspération. J'ai invité le shérif à ma soirée. Je lui ai aussi proposé de rester jusqu'à dimanche, mais il a décliné mon offre.

— Après réflexion, dit vivement Travis, je pense finalement pouvoir accepter cette aimable invitation, Alaina. Je viendrai avec grand plaisir.

— Oh, quel bonheur ! s'écria-t-elle en lui serrant le bras avec enthousiasme. Je vous attends vers quatre heures. Vous ne vous ennuierez pas, je vous le promets.

Mason le regarda dans les yeux pour la première fois, et Travis ne cilla pas. Ils étaient de taille égale. Le regard haineux que lui décochait Mason prouvait clairement qu'il ne se laisserait pas faire.

— Je vous verrai sûrement là-bas, Mason, dit Travis avec calme.

— Oui. Vous pouvez en être certain, shérif.

Stewart Mason prit la main d'Alaina et ils se dirigèrent vers la porte. Mais, avant de disparaître, Alaina se retourna imperceptiblement pour adresser à Travis un sourire tout particulier.

Il connaissait la signification de ce sourire. D'autres femmes lui avaient déjà souri de cette manière. Il les avait pour la plupart ignorées.

Celle-ci, il ne l'ignorerait pas.

15

Travis s'arrêta un instant, à l'écart de la grand-route, pour observer la propriété sans se faire remarquer des nombreux autres invités.

Il secoua la tête en voyant la demeure de Jordan Barbeau. Toute en pierre grise, elle se dressait sur quatre étages. Chaque angle était surmonté d'une tourelle. Les fenêtres à petits carreaux étaient hautes et étroites. Les portes d'entrée étaient larges et cintrées. Une terrasse reliait la maison à une petite cage d'escalier qui partait de l'allée pavée. Des arbustes soigneusement taillés encadraient la maison.

Il y avait six jardins différents, disposés selon des motifs originaux. Des chênes et des érables bordant la propriété à perte de vue grimpaient vers le ciel.

L'ensemble était un peu trop tape-à-l'œil au goût de Travis. Pour exhiber sa vaste fortune, se dit-il, Barbeau n'avait pas lésiné sur les moyens. Il était sans aucun doute tout-puissant. Travis s'était renseigné au cours des jours précédents : dans cette partie de l'Etat, ce qui n'appartenait pas à Barbeau était sous son contrôle.

Les commérages locaux lui avaient aussi appris que Stewart Mason et Alaina Barbeau étaient officieusement fiancés, mais que la jeune fille refusait de former des projets de mariage définitifs.

Mason... Israel avait prononcé son nom en frémissant. Les gens qu'avait interrogés Travis étaient réticents, comme s'ils craignaient de parler de lui. Pourquoi ? Il n'était pas riche : il n'avait pas fallu longtemps à Travis pour découvrir que ses terres étaient lourdement grevées d'hypothèques... au bénéfice de Jordan Barbeau. Mason était peut-être responsable de tout ce qui arrivait aux Noirs dans la région, et c'était Barbeau qui payait les notes et donnait les ordres... Le cerveau, en somme.

Sur la crête des montagnes, le crépuscule parait le ciel d'un éclat pourpre. Les premières étoiles scintillaient déjà, et une légère brise animait la vallée. Travis reprit le chemin de la demeure gothique. Dans le sac attaché au troussequin de sa selle, il avait emporté des affaires de rechange.

— Tu es fou d'aller passer deux jours chez l'homme qui est peut-être à la tête des activités du Klan ! lui avait dit Sam.

— Raison de plus, au contraire, avait répondu Travis en riant.

— Tu sais très bien que la seule raison qui te pousse à y aller, c'est cette fille. Ne le prends pas mal, loin de moi l'idée de te condamner, avait-il ajouté vivement. Mais sois prudent, elle n'est pas n'importe qui. A mon avis, mieux vaut éviter d'être mêlé à cette famille. Si ce que nous soupçonnons est vrai, cela pourrait s'avérer dangereux.

Sam avait raison, mais Travis se refusait à s'y arrêter. La vie continuait, et c'était le destin qui avait placé Alaina Barbeau sur sa route.

Il laissa son cheval au domestique noir en livrée qui attendait au pied du perron. Puis il monta jusqu'à la massive porte où un autre Noir, non moins élégant, attendait de l'annoncer.

L'endroit était d'une opulence époustouflante. Le plus grand lustre qu'il eût jamais vu, suspendu au plafond en dôme, étincelait de mille feux. Aux murs, des cadres de merisier poli mettaient en valeur les portraits d'austères ancêtres. Il foulait un riche tapis oriental tissé à la main, bordé d'une épaisse frange de fils d'or. De part et d'autre du vestibule, un escalier à double révolution, couvert de velours rouge, menait aux étages.

Partout, le luxe...

Jordan Barbeau était riche. Très riche.

— J'annonce votre arrivée, shérif Coltrane, déclara le majordome avec un accent parfait.

— Inutile.

Travis lui tendit son chapeau et décida de garder son revolver. Il n'était pas en tenue de soirée, mais portait un manteau de cuir neuf, une chemise blanche amidonnée et une cravate de velours noir. Son pantalon bleu nuit était également neuf, et on aurait pu se mirer dans ses bottes de cuir.

Le domestique toussota, gêné.

— Monsieur, dit-il doucement. S'il vous plaît, permettez-moi de...

— Ne vous inquiétez pas, Willis. Je me charge d'annoncer le shérif.

La voix douce et féminine venait du haut de l'escalier. Alaina Barbeau les considérait avec calme, une lueur amusée dans les yeux. Travis lui jeta un regard approbateur. Elle était vêtue d'une robe de soie moirée verte, dont chaque ondulation se reflétait dans ses magnifiques yeux émeraude. Des pierres assorties brillaient sur sa gorge et dans ses cheveux, qui formaient une masse voluptueuse.

Sa poitrine, petite mais de forme et de maintien parfaits, surgissait avec provocation du profond décolleté. Elle sourit à Travis.

— Shérif Coltrane, fit-elle d'une voix caressante, me ferez-vous l'honneur de m'escorter jusqu'à la salle de bal ?

Le domestique recula d'un pas, horrifié par cette entorse au protocole. Alaina descendit l'escalier sans quitter Travis des yeux, aérienne, les prunelles brûlantes.

Elle posa une main au creux de son coude.

— Je ne saurais vous dire à quel point je suis heureuse que vous ayez accepté mon invitation, Travis. Il faudra que je vous le prouve... plus tard, ajouta-t-elle avec un clin d'œil espiègle.

Travis se retint de hausser un sourcil surpris. Cette jeune demoiselle n'y allait pas par quatre chemins, songea-t-il, amusé... Ou se contentait-elle d'être suprêmement aguicheuse ? Eh bien, il savait comment traiter les jeunes coquettes qui poussaient leur jeu un peu trop loin. A ce jeu-là, il était invaincu.

— Alaina, répondit-il avec calme, vous m'avez

offert votre hospitalité et cela me paraît parfaitement suffisant.

Elle inclina la tête de côté.

— J'ai beaucoup plus que cela à vous offrir, shérif. Resterez-vous jusqu'à dimanche ?

— Avec plaisir. Cette petite chambre en ville est effectivement fort solitaire.

— Vous ne serez jamais seul, ici, je vous le promets.

Ils franchirent le seuil de sa salle de bal. Tous les regards convergèrent vers eux, comme aimantés. La musique ralentit, et un murmure étonné parcourut l'assistance. Travis regretta immédiatement de s'être affiché au bras d'Alaina à sa propre soirée. Il n'était qu'un étranger, après tout, et on ne l'avait même pas annoncé.

Un homme émergea de la foule, Jordan Barbeau, songea Travis. De taille moyenne, sa charpente et ses puissantes épaules lui donnaient l'air plus grand. Ses cheveux sombres étaient courts et argentés aux tempes. Les yeux verts, si chaleureux chez Alaina, irradiaient la colère chez son père. Toutefois, étant le maître de maison, il ne pouvait ni enfreindre les règles de la bienséance, ni faire un éclat en public, et il se contenta d'embrasser la joue de sa fille avant de tendre une main réticente à Travis.

— Shérif, murmura-t-il poliment. C'est fort aimable à vous d'être venu à la réception de ma fille.

— C'est à moi de la remercier de son invitation.

Travis remarqua l'expression sereine d'Alaina. Elle semblait lui signifier qu'il n'avait pas à s'inquiéter, qu'elle savait comment prendre son père.

Avec Stewart Mason, ce serait une autre histoire, songea Travis en le voyant fendre la foule. L'homme retira la main d'Alaina du bras de son cavalier et la prit dans la sienne en se tournant vers les invités.

— Voici ma fille! annonça fièrement Jordan. Je suis heureux de fêter ici avec vous son dix-huitième anniversaire.

Il y eut un tonnerre d'applaudissements, et l'orchestre entonna le traditionnel chant d'anniversaire. Seul Travis ne joignit pas sa voix à celles des autres. Lorsque la musique cessa, Jordan leva les mains et poursuivit son petit discours:

— Comme pour ma fille Marilee à l'occasion de ses dix-huit ans, j'offre à Alaina cinq cents hectares de mon meilleur terrain. (Des acclamations enthousiastes l'interrompirent, puis il ajouta:) Et, comme Marilee, Alaina reçoit ce cadeau de ma part et de celle de sa défunte mère, paix à son âme.

Alaina embrassa docilement son père, puis se laissa entraîner dans les bras de Stewart tandis que l'orchestre entamait une valse. Elle était désormais officiellement une adulte, et une riche jeune femme.

Jordan se tourna vers Travis.

— Mon majordome aurait dû vous annoncer, shérif.

— Je ne suis pas à cheval sur les formalités, vous savez. Ne lui en veuillez pas, c'est moi qui lui ai dit de ne pas le faire.

Jordan parut amusé.

— L'entrée d'Alaina illustre parfaitement sa farouche volonté d'indépendance. C'est une véritable petite rebelle lorsqu'il s'agit de conventions sociales. Très sincèrement, je serai soulagé de la voir mariée. Qu'un autre se charge de ses petites insurrections.

Travis ne dit rien, et Jordan cessa de sourire pour lui glisser un regard soupçonneux.

— Dites-moi, combien de temps pensez-vous rester chez nous, vous et l'autre shérif? Je dois dire que les gens d'ici n'aiment pas beaucoup que des étrangers viennent régler *leurs* problèmes.

— Lorsque les représentants de l'ordre locaux ne peuvent pas résoudre ces problèmes, Barbeau, c'est le devoir du gouvernement d'envoyer des étrangers. Le shérif Bucher et moi resterons jusqu'à ce que l'on n'ait plus besoin de nous.

Une ombre fugace traversa le visage de Jordan ; il fit un signe en direction de la porte.

— Puis-je vous proposer de venir boire un verre de mon brandy personnel dans mon bureau ?

Travis hocha la tête, et les deux hommes se trouvèrent bientôt dans une vaste pièce lambrissée.

— Ça vous plaît ? demanda Jordan en refermant derrière eux la lourde double porte. J'ai tout fait venir d'Angleterre. Les meubles en cuir, les chandeliers, et même le bureau en acajou. J'aime cette pièce. Et heureusement, car j'y passe le plus clair de mon temps.

— Elle est très belle, commenta brièvement Travis en se demandant si un tombeau pouvait être plus sinistre.

Jordan remplit deux verres, lui souhaita la bienvenue au Kentucky, puis il s'installa dans un profond fauteuil, croisa les jambes et le regarda droit dans les yeux.

— Bien. Dites-moi. Quelle opinion vous êtes-vous forgée, depuis votre arrivée ? Nous sommes tous une bande de racistes déterminés à faire disparaître les nègres ?

Travis considéra son verre et fit mine de réfléchir.

— Je ne pense pas que tout le monde ici haïsse les Noirs, Barbeau. Et il serait absurde de croire que l'on peut détruire une race. Disons qu'après avoir consulté les dossiers de mes prédécesseurs, je constate une criminalité anormale. J'ai l'intention d'en trouver la raison et d'y mettre un terme.

— Vous aurez peut-être du mal, shérif, fit Jordan.

Vous savez, les Sudistes ne se plieront jamais à la volonté d'un bureaucrate yankee. Ce n'est pas parce qu'on les a affranchis que les esclaves seront assez intelligents, du jour au lendemain, pour voter, posséder des terres et vivre parmi les Blancs. Vous n'êtes pas bête, vous l'avez sûrement déjà compris.

— Ils ont au moins la liberté d'essayer, répondit froidement Travis. Et c'est un crime de les en empêcher. Nous ne tolérerons pas qu'on les batte, qu'on les intimide ou qu'on les tue.

— Les nègres doivent apprendre à rester à leur place, répliqua Jordan sur le même ton. S'ils ne sont pas contents, qu'ils aillent ailleurs, en Alabama ou en Georgie.

— Barbeau, soyons réalistes. Les responsables des crimes qui ont été commis sont des membres du Ku Klux Klan, pour la plupart. Je suis certain qu'il y a des tas d'honnêtes gens dans le Kentucky qui ne partagent pas vos convictions.

Les yeux de Jordan s'élargirent et il répliqua, les narines palpitantes :

— Je me considère comme honnête, monsieur, et je ne suis pas un membre du Klan.

— Mais je suppose que vous savez qui l'est.

— C'est possible. Je suis au courant de tout ce qui se passe dans ce pays. Mais cela ne signifie pas que j'en fasse partie.

— Puisque vous êtes au courant de tout, alors vous saurez m'indiquer sur qui porter mes soupçons...

— Je n'ai pas dit cela, répondit vivement Jordan. Et vous devriez comprendre, monsieur, que, même si je savais qui vous cherchez, je ne trahirais pas mes concitoyens. Je crains que vous n'ayez du fil à retordre. Vous allez même au-devant de graves dangers. Les gens d'ici ne vous accueilleront pas avec le sourire.

Travis le considéra sans s'émouvoir.

— Je ne suis pas là pour servir d'ambassadeur. Je suis là pour que cessent les mauvais traitements infligés aux Noirs, et j'ai bien l'intention de faire mon devoir, quoi qu'il arrive. D'ailleurs, j'aimerais profiter de ma présence ici pour vous poser quelques questions.

— Faites, dit sèchement Jordan Barbeau. Je ne vous promets pas de vous répondre.

— Pouvez-vous au moins me dire *pourquoi* les Noirs sont persécutés ?

Jordan sourit.

— Ils sont prétentieux. Je vous le répète, ils ne savent pas rester à leur place. Peut-être les Yankees les ont-ils affranchis, mais cela ne fait pas d'eux des citoyens blancs. Aucune loi ne le peut.

Il se leva pour remplir leurs verres.

— Franchement, shérif, je n'aime pas du tout cette conversation. Je n'ai rien à voir avec les activités du Klan, mais je reconnais que je les approuve. Je suis homme d'affaires, fermier, et j'ai une famille. Cela ne me plaît pas beaucoup que vous m'imaginiez impliqué dans ces sales histoires ni que vous m'interrogiez.

— Je vous interroge parce que vous êtes une éminente personnalité dans la région, Barbeau. Mon travail consiste à connaître le plus de choses possible. Ne vous offensez pas.

— Soit, fit Barbeau sans sourire. En avez-vous terminé, à présent ? Maintenant que nous avons fait connaissance, j'aimerais retrouver mes invités.

— Une dernière question.

— Je vous écoute.

— Stewart Mason. Votre contremaître. Vous détenez l'hypothèque qui pèse sur ses terres. Tout le monde sait qu'il voudrait épouser Alaina. Je suppose que vous n'allez pas me dire s'il a à voir avec le Klan.

Jordan parut sincèrement surpris.

— Voyons, shérif. Me prenez-vous pour un idiot ? Croyez-vous que je laisserais mon propre contremaître et futur gendre être mêlé au Klan alors que la police ne songe qu'à en démasquer les membres ? Non. Si Stewart y est impliqué, il se garde bien de me le laisser savoir. On connaît mes convictions, ici, mais on sait également que jamais je ne ferai quoi que ce soit d'illégal.

Travis se leva.

— Fort bien. Je pense que je n'ai plus d'autres questions.

— Dans ce cas, retournons nous joindre à la réception.

Lorsqu'ils regagnèrent le vestibule, ils trouvèrent Alaina qui arrivait de la salle de bal.

— Ah, vous voilà ! s'écria-t-elle. J'aimerais danser avec vous, shérif.

— Alaina, crois-tu que cette attitude soit très féminine ? la gronda gentiment Jordan en fronçant les sourcils. Une dame n'invite pas un homme à danser.

— Oh, taratata, papa ! fit-elle en riant et en serrant le bras de Travis. C'est mon anniversaire, j'ai le droit de faire tout ce que je veux.

— J'ai comme l'impression, chuchota Travis tandis qu'ils s'éloignaient, que vous en faites à votre tête même quand ce n'est pas votre anniversaire.

— Bien sûr, déclara-t-elle avec un sourire radieux.

Travis l'enlaça et ils se mirent à danser. Les autres couples ne cachèrent pas leur curiosité.

— Vous valsez divinement, murmura-t-elle en lui adressant un regard alangui. J'en étais sûre. Dès que je vous ai vu, j'ai deviné que vous étiez le genre d'homme à savoir satisfaire les femmes... de toutes les manières possibles, ajouta-t-elle effrontément.

— Qu'en savez-vous donc ? Vous n'êtes encore qu'une enfant, Alaina.

— Vraiment ? s'écria-t-elle en feignant d'être vexée. Jamais vous n'avez rencontré une femme telle que moi, Travis Coltrane. Peut-être vous le prouverai-je.

Il lui adressa une petite grimace.

— On dirait davantage une menace qu'une promesse.

— C'est peut-être les deux. Attendez, et vous verrez.

Il retint un éclat de rire et, lorsque le morceau fut terminé, il la laissa aller. Stewart Mason apparut à cet instant, le front barré d'un pli.

— Votre père est prêt pour le champagne et les toasts, fit-il sèchement. Et il faut que vous coupiez votre gâteau. Venez.

Elle glissa sa main dans celle de Travis.

— Venez m'aider à découper le gâteau. Il est énorme.

— Alaina ! s'écria Stewart, furieux. Ne soyez pas ridicule ! Un étranger n'a pas à vous aider à couper votre gâteau d'anniversaire. Vous avez donc oublié toutes vos bonnes manières ?

Elle fit volte-face et rétorqua :

— Que savez-vous des bonnes manières, Stewart Mason ? Vous n'étiez qu'un paysan crasseux avant que papa ne vous donne un travail décent !

— Je vous interdis, Alaina, siffla Stewart. Et maintenant, cessez de jouer l'enfant gâtée ou je...

— Vous quoi ? le défia-t-elle. A présent, écartez-vous, Stewart. Le shérif est mon invité et, si je lui demande de m'aider à couper mon gâteau, il le fera.

Stewart adressa un regard menaçant à Travis, comme pour le mettre au défi. Travis lâcha la main de la jeune fille. Ce n'était pas le moment d'avoir une scène avec Mason. Il n'avait jamais reculé devant un affrontement, mais il n'aimait pas les provoquer inutilement.

— Allez avec Stewart, dit-il à Alaina en s'effaçant. Nous nous reverrons plus tard.

Il s'éloigna rapidement sans lui laisser le temps de discuter et sortit d'un pas vif sur la terrasse. Une fois dans l'ombre du chèvrefeuille, il poussa un soupir de soulagement et sortit un cigare, savourant ces quelques instants de paix.

« Barbeau ment », songea-t-il confusément en décidant de se tenir sur ses gardes. Stewart Mason était certainement l'un des chefs du Klan. Sinon, pourquoi Jordan Barbeau l'aurait-il pris sous son aile protectrice ? Il lui fallait un homme de confiance. Un homme de main pour accomplir ses sales besognes.

Soudain, il sentit une présence derrière le muret de pierre qui ceignait la terrasse. Il distingua une femme dans la pénombre.

— Eh bien, shérif, pourquoi restez-vous ici tout seul ? J'espère que vous n'êtes pas en train de vous demander que faire de ma précoce petite sœur ? Ce serait une perte de temps.

Elle rit doucement et s'approcha de lui.

— Pardonnez-moi, je ne vous espionnais pas. J'aime marcher la nuit, fuir les bruits et la fumée des soirées. Je suis Marilee, la sœur d'Alaina.

La ressemblance n'était guère frappante. Plus grande et plus âgée de trois ou quatre ans, Marilee n'avait manifestement pas l'insouciance de sa jeune sœur. Peut-être étaient-ce ses yeux, d'un brun mélancolique. Ses cheveux châtains étaient tirés en un chignon sévère sur sa nuque. Quant à sa silhouette, elle était informe sous sa stricte robe noire à col haut.

— Enchanté, fit-il en s'inclinant légèrement.

Elle eut un nouveau petit rire triste.

— Alaina éclipse toutes les autres. Oh, je ne voudrais pas vous paraître jalouse. Je l'aime beaucoup, mais elle sait ce qu'elle veut. Je la connais, shérif. Je vous ai regardés danser, tous les deux. Elle a jeté son dévolu sur vous.

Travis se sentit mal à l'aise.

— Je sais que cela ne me regarde pas, fit-elle hâtivement, mais je préfère vous avertir que vous risquez de vous attirer des ennuis, avec Alaina. Et avec son fiancé, Stewart Mason.

— Pourquoi prenez-vous la peine de me dire tout cela ? s'enquit-il avec curiosité.

Peut-être était-elle envieuse, malgré ce qu'elle en disait. Comparée à sa sœur, elle ressemblait presque à une vieille fille. A sa surprise, Marilee éclata de rire, comme si elle avait deviné le fond de sa pensée.

— Je ne jalouse nullement Alaina, shérif. En fait, je la plains, plutôt. Elle cherche une chose qu'elle ne trouvera pas avant de s'être d'abord trouvée elle-même. Quant à la raison pour laquelle je vous parle, c'est que je ne voudrais pas que vous en pâtissiez.

— Que j'en pâtisse ? fit-il avec un petit rire. Mais de quoi, Miss Barbeau ?

— Mrs Taylor, corrigea-t-elle avec calme. Mais appelez-moi Marilee.

Ainsi, elle n'était pas vieille fille.

— Le Kentucky est un endroit dangereux pour ceux qui s'opposent aux vues du Klan, poursuivit-elle de sa voix égale. Je ne pense pas que vous vous rendiez compte à quel point, surtout par ici. Vous avez assez à faire comme cela, ne vous laissez pas séduire par Alaina.

— Que voulez-vous dire au juste, Marilee ?

Pour la première fois, elle parut nerveuse.

— Si vous ne repoussez pas les avances d'Alaina, vous provoquerez ouvertement Stewart et mon père.

Je vous le dis pour votre propre bien. Vous êtes un étranger. Votre présence dérange les gens d'ici. Vous n'êtes pas le bienvenu, et le fait que vous intéressiez ma sœur n'y changera rien.

— Je comprends, dit-il. Mais... et vous ? Ma présence vous gêne-t-elle ?

— Je m'en moque éperdument, shérif.

— Et que pensez-vous des Noirs ? Croyez-vous que les corrections et les lynchages soient la meilleure façon de traiter les Noirs ?

Ses yeux se plissèrent.

— Je trouve cela répugnant. Mais comment pourrais-je intervenir ? Nos voisins me haïssent déjà suffisamment. Si en plus je me mettais à prêcher la tolérance et à dénoncer leurs péchés contre leurs frères...

Elle avait parlé avec amertume, et Travis insista :

— Pourquoi vos voisins vous haïraient-ils ? Je vous trouve directe et honnête, ce qui est au contraire fort plaisant.

Elle se mordit la lèvre inférieure, ferma brièvement les paupières et eut un petit sourire.

— Ne parlons pas de moi, shérif. Je voulais simplement vous mettre en garde à propos d'Alaina. Elle est très belle, je suis sûre que vous n'êtes pas sans l'avoir remarqué. Mais vous ne la connaissez pas comme je la connais... Elle est extrêmement rusée. Lorsqu'elle a décidé quelque chose, rien ne l'arrête.

Travis s'appuya contre un poteau et croisa les bras.

— Mrs Taylor... Marilee... Je trouve votre préoccupation touchante. Mais ne vous inquiétez pas, Alaina n'est pas la première femme désirable que je rencontre. Je pense que je saurai me défendre, ajouta-t-il en souriant.

Le visage de la jeune femme se ferma.

— Oui, sans doute, shérif. Bien, je vais vous laisser vous occuper de vos affaires.

Elle se détourna si vite qu'elle ne vit pas Alaina arriver derrière elle. Les deux sœurs entrèrent en collision.

— Oh, Marilee, fais donc attention, tu vas salir ma robe ! s'écria Alaina. Que faisais-tu ici avec *mon* invité ?

— Pure politesse, répliqua nonchalamment Marilee en disparaissant dans le vestibule.

Alaina secoua la tête et s'approcha de Travis, qui n'avait pas bougé.

— Oh, celle-là ! fit-elle avec mépris. J'aimerais bien qu'elle se trouve un fiancé et qu'elle cesse de flirter avec tous les hommes qui viennent me voir.

Il haussa un sourcil.

— Elle vient de se présenter à moi comme Mrs Taylor.

— Elle est veuve. Son mari est mort à la guerre. Elle finira sûrement seule, elle est devenue tellement acariâtre. Elle n'arrête pas de se disputer avec papa, parce qu'elle prend toujours la défense des nègres. Comme Donald. Il combattait avec ces maudits Yankees. Quand il a été tué, papa a dit qu'il n'a eu que ce qu'il méritait.

— Moi aussi, j'ai combattu avec ces « maudits Yankees », observa-t-il sèchement.

Elle fit un pas en avant et murmura :

— Je sais. Peu importe. Vous n'étiez qu'un soldat. Vous faisiez votre devoir, vous auriez agi de même aux côtés des Sudistes.

— Certainement pas, j'ai choisi mon camp et mes convictions sont toujours aussi fermes.

Elle se hissa sur la pointe des pieds. Ses lèvres étaient humides et invitantes, à quelques centimètres de son visage.

216

— Oh, Travis, ne parlons pas de choses désagréables, chuchota-t-elle d'une voix enrouée en collant ses seins contre la large poitrine. Je suis sûre que nous pouvons trouver beaucoup mieux à faire.

Il sentit la brûlure familière au creux de son ventre. Bon Dieu, cette fille était superbe, désirable, offerte... Qui l'aurait rejetée ? Un désir purement masculin l'envahit. Il la prit dans ses bras et écrasa sa bouche contre la sienne. Elle glissa ses doigts derrière sa nuque et se pressa contre lui. Bientôt, il s'écarta.

— Je crois que nous ferions mieux de rejoindre les autres. Après tout, cette soirée est en votre honneur.

Elle poussa un petit cri étouffé, remit quelques boucles en place et rosit.

— Oui, vous avez raison. Venez, dansons.

Après une deuxième valse, Travis se dirigea vers le bar, échangeant quelques propos avec les hommes qui se présentèrent à lui. Il devina l'hostilité qu'on lui portait, et aperçut Marilee qui l'observait dans un coin, une expression indéchiffrable sur le visage.

Il s'approcha et lui tendit la main, soulagé de s'éloigner du bar.

— M'accorderiez-vous cette danse, Marilee ?

— C'est très gentil à vous de vous apitoyer sur une pauvre fille qui fait tapisserie, shérif. Mais non merci. Je n'ai pas besoin de votre pitié.

Il eut un petit rire.

— Qui vous dit que j'éprouve de la pitié ?

— Je le lis dans vos yeux. Je suis très douée pour déchiffrer les regards des hommes. Vraiment, shérif, vous pouvez garder votre compassion.

Sur ce, elle tourna les talons, laissant Travis penaud et furieux. Pour qui se prenait-elle ?

Il était en train de se demander s'il n'allait pas s'en aller, lorsqu'un petit homme chauve qui semblait curieusement nerveux vint vers lui. Il se présenta, Norman Haithcock, fermier. Il jetait des coups d'œil inquiets alentour, comme s'il craignait qu'on l'observât, et se mit à poser des questions à Travis à propos de son enquête. Avait-il déjà trouvé des indices ? Travis répondit sans s'engager, et sans cesser d'observer son interlocuteur. L'homme semblait vraiment soucieux. Peut-être était-ce un allié ?

Captivé par sa conversation, Travis n'avait pas remarqué que la salle de bal s'était vidée. Soudain, Jordan Barbeau approcha.

— Eh bien, vous semblez avoir beaucoup de choses à vous dire, tous les deux, remarqua-t-il avec une jovialité feinte. Tout le monde est parti, Norman.

Norman Haithcock faillit trébucher dans sa hâte à prendre congé. Jordan le regarda s'éloigner les lèvres pincées, et déclara :

— J'espère qu'il ne vous a pas trop ennuyé, shérif. Ce pauvre garçon n'est pas très brillant. Je l'ai invité uniquement parce que ses terres jouxtent les miennes, pour entretenir des rapports de bon voisinage. Il n'a guère d'amis dans la région.

Travis ne répondit pas.

— Bien, fit Jordan. Mes filles sont allées se coucher. Venez, je vais vous montrer votre chambre.

Travis le suivit jusqu'au dernier étage de l'immense maison.

— J'installe toujours nos invités dans cette aile, expliqua Jordan en ouvrant la porte d'une suite bien éclairée. Vous avez une vue splendide sur la chaîne montagneuse à l'est. C'est magnifique, au lever du soleil, annonça-t-il fièrement.

Il y avait un petit salon, avec deux chambres de part et d'autre. Une jeune Noire surgit de l'une des chambres, fit une révérence et disparut.

— Selma a préparé votre lit, déclara Jordan en

sortant. Demain matin, je vous ferai monter un bain chaud par mon valet personnel. On sert le petit déjeuner à huit heures. Je suppose qu'Alaina voudra vous emmener faire une promenade à cheval. Je possède quelques bêtes de qualité, vous savez.

— J'en ai entendu parler, répondit poliment Travis. Je vous remercie pour votre hospitalité, Barbeau.

Jordan hocha la tête et disparut.

Travis parcourut la pièce du regard. Trop d'étalage de luxe, là encore. Il se dévêtit et s'allongea nu sur le lit. Il n'avait pas beaucoup bu mais se rendit compte soudain qu'il était très fatigué. La soirée avait été intéressante, mais épuisante. La colère sourde qu'il ressentait depuis son arrivée au Kentucky ne lui plaisait pas du tout. Et il ne voulait pas s'engager dans une aventure avec la fille de l'homme qui était peut-être à la tête des actions du Klan. Tout ceci contribuait à créer une situation délicate.

Travis ouvrit brusquement les yeux. Quelqu'un était là, dans sa chambre.

— N'ayez pas peur, Travis. C'est moi.

Il jura entre ses dents.

— Bon Dieu, femme, êtes-vous devenue folle ? Si votre père vous trouvait ici, je ne donne pas cher de ma peau...

Il se redressa en se rendant compte qu'elle était déjà dans l'immense lit... nue. Elle chercha ses mains dans l'obscurité et les posa sur sa poitrine.

— Eh bien, voyons si vous n'allez pas oublier papa, maintenant, chuchota-t-elle avec provocation.

Avant même qu'il ne réalise ce qui lui arrivait, il se trouva en train de caresser la tendre chair si hardiment offerte. Le désir l'envahit immédiatement. Elle s'allongea au-dessus de lui, leurs bouches se trouvèrent, s'explorèrent.

Elle ondula les hanches et murmura :

— Oh, Travis, prenez-moi, prenez-moi, je vous en prie. Ne me faites pas attendre...

Il l'embrassa de nouveau, presque violemment, les mains posées sur les reins d'Alaina. Il la désirait de tout son être, mais il connaissait bien les femmes. Il leur fallait du temps. Jamais il ne précipitait les choses, avec ses partenaires ; il ne cherchait pas uniquement son propre plaisir.

Brusquement, Alaina releva la tête en sanglotant.

— Pour l'amour du ciel, Travis...

Elle s'installa à califourchon au-dessus de lui et le supplia :

— Maintenant, je vous veux maintenant !

Elle écarta les cuisses et il se trouva naturellement en elle. Elle remua les hanches, ses paumes à plat contre la poitrine de Travis, et rejeta la tête en arrière en poussant des gémissements extatiques.

D'un mouvement rapide, il la prit par la taille et la fit glisser sur le dos. Puis il accéléra ses mouvements. La jouissance d'Alaina fut rapide, et il en fut soulagé. Il n'aurait pas pu se retenir longtemps.

Ils restèrent soudés l'un à l'autre, leurs corps luisants de sueur. Puis, Travis roula sur le côté. Très bientôt, il serait de nouveau prêt. Et, cette fois, ils prendraient leur temps, savoureraient chaque instant, et connaîtraient des sommets de béatitude plus hauts encore...

Marilee Barbeau progressait précautionneusement. Cachée derrière un tronc d'arbre, elle plaquait son corps contre l'écorce et tendait l'oreille avant d'avancer, tous ses sens aux aguets, jusqu'au buisson ou à l'arbre suivant. Elle avait quitté la maison à onze heures, et la réunion était à minuit.

La lune n'était qu'à son premier quart, et Marilee se déplaçait difficilement. Comme d'habitude, elle songea à la réaction qu'aurait son père s'il découvrait un jour ses activités secrètes. Eh bien, se dit-elle avec virulence, elle était prête à donner sa vie pour sa cause, car elle avait foi. Donald était mort pour ses convictions. Elle l'imiterait s'il le fallait.

A l'évocation de son bien-aimé disparu, les larmes lui montèrent aux yeux. Leur amour était né alors qu'ils étaient enfants, il s'était épanoui à l'adolescence, consommé dans le mariage, et achevé avec la mort. Par moments, elle avait le sentiment que Donald était encore près d'elle, à l'encourager et la protéger.

Pour l'instant, calcula Marilee, elle avait sauvé quatorze Noirs. Cachée sous la même robe et la même cagoule que les membres du Klan, elle les avait écoutés échafauder leurs plans, et avait pu prévenir les futures victimes.

Elle frissonna en songeant que son père faisait partie de ces crapules ! Il était la tête pensante, et Stewart Mason l'exécutant. Elle pensa avec tristesse à sa mère, cette femme si aimante et si douce. Jamais elle n'avait maltraité un esclave. Elle avait même souvent pris leur défense.

A quelque distance de là, Marilee distingua les contours du petit pavillon d'été. L'eau gazouillait doucement en dansant sur les rochers. Elle avait bien calculé, elle arriverait à temps pour se mêler aux autres qui venaient de l'autre côté de la montagne. Tout se déroulait normalement. Son déguisement était caché dans un arbre creux. Elle s'apprêtait à traverser la clairière jusqu'au sentier dans le sous-bois où l'attendait le cheval, lorsqu'elle s'immobilisa.

Des bruits de voix lui parvenaient. On murmurait. Un homme et une femme. Mais qui ? Et que faisaient-ils là ? Puis... elle les reconnut.

— Oh, Travis, mon chéri, si seulement nous n'étions pas obligés de nous retrouver en cachette. Je veux que le monde entier sache que je t'aime. Que tu m'aimes...

Alaina. Alaina et Travis.

Marilee serra les poings et enfonça ses ongles dans ses paumes. Que le diable les emporte ! Elle avait soupçonné quelque chose de ce genre depuis plusieurs semaines, ayant fréquemment entendu Alaina quitter sa chambre au milieu de la nuit. Ainsi, elle couchait avec le séduisant shérif ! Marilee n'en fut pas autrement surprise, mais elle fut choquée qu'ils continuent à se voir. Si Stewart Mason ou leur père l'apprenaient, ils tueraient le shérif. Coltrane était inconscient, songea-t-elle avec colère. Et il la gênait dans ses efforts pour protéger les Noirs de l'abominable Klan, alors qu'il était lui-même censé le faire !

— C'est impossible, murmurait-il d'une voix rendue rauque par le désir. Il faut nous contenter de ce que nous avons.

— Non ! Je veux plus que ces rencontres à la sauvette. Je veux être à toi pour toujours. Je me moque de ce que pensent papa ou Stewart. Je veux être à toi, Travis. Tu ne peux pas nier que tu m'aimes.

— Je n'ai jamais dit une chose pareille, Alaina.

— Tu me l'as prouvé de mille manières. Tu ne me ferais pas l'amour de cette façon si tu ne m'aimais pas de tout ton cœur.

Marilee entendit le soupir impatient de Travis.

— Alaina, désir et passion n'ont rien à voir avec l'amour dont tu parles. Je t'ai déjà dit que je ne pouvais éprouver ce sentiment que pour une femme.

— Je sais, je sais, l'interrompit-elle. Mais elle est morte, Travis. Et moi je suis vivante. Tu ne peux pas continuer à adorer les morts.

Il y eut une pause, puis elle reprit :

— Oh, Travis, c'est si bon quand tu me caresses comme cela. Tu... Tu me rends folle. Oh, continue, je t'en supplie...

Marilee appuya son visage contre la rude écorce de l'arbre, le cœur empli de répulsion. Elle était obligée de rester là et de les écouter faire l'amour ! Un autre sentiment se mêlait confusément à son dégoût. La jalousie ? Sûrement pas. Pourtant, cela faisait bien longtemps qu'elle n'avait pas été dans les bras d'un homme. Et il n'y en avait eu qu'un, Donald. Elle avait essayé de se dire qu'elle s'habituerait à se coucher seule chaque nuit, mais elle ne pouvait dormir, et revivait ses étreintes avec Donald, le corps en feu...

En écoutant sa sœur et Travis, elle se rendit compte qu'elle n'avait jamais rien connu de tel avec Donald. Ils avaient partagé des moments merveilleux, tendres, doux. Mais ces grognements animaux... Malgré elle, son corps s'embrasa lentement, et elle en fut horrifiée.

Que pouvait-il bien faire à sa sœur pour qu'elle réagisse ainsi ? Elle semblait si... impudique, si lascive, *vulgaire* ! Et il paraissait aimer la façon dont elle parlait ; il répondait à ses plaintes, lui disait combien elle était sensuelle...

Puis il n'y eut plus que des gémissements et des halètements. Marilee pressa ses poings sur ses paupières et essaya désespérément de penser à autre chose. Le cri perçant d'Alaina lui fit rouvrir brutalement les yeux. Etait-il en train de lui faire mal ? Marilee fit un pas en avant. Sa sœur était en danger ! Mais elle s'immobilisa, de glace, lorsqu'elle entendit :

— Oh, Travis, Travis... Ça n'a jamais été aussi bon ! Ô mon Dieu...

Alaina avait poussé un cri d'extase.

— Ne me quitte pas, disait-elle d'une voix brisée. Je veux rester dans tes bras toute la nuit.

— Tu sais bien que c'est impossible. Il faut que je rentre en ville.

— Mais ça te plairait de rester, n'est-ce pas ? demanda-t-elle d'une voix enjôleuse. De rester et de m'aimer jusqu'au matin.

Le silence retomba. Marilee prit une longue inspiration. Mon Dieu, quel genre d'homme pouvait faire ainsi hurler une femme, comme si elle mourait, puis lui faire oublier toute pudeur et en réclamer encore ? Quel était le secret de Travis Coltrane ?

Mais c'était un sauvage ! se reprit-elle avec colère. S'il faisait son travail, elle ne serait pas en train de risquer sa peau en se rendant à une réunion secrète du Klan. Il aurait déjà exterminé cette maudite organisation ! C'était pour cela qu'il était venu, non ?

Dans ce cas, pourquoi se taisait-elle ? Marilee connaissait la réponse. Son père. Elle l'aimait, malgré tout. Elle ne voulait pas qu'il soit envoyé en prison. Et si Stewart et les autres étaient démasqués, ils dénonceraient sûrement son père.

Non, elle ne pouvait que se taire. Pour l'instant. Et poursuivre sa lutte discrète mais efficace.

Elle entendit Travis demander à Alaina de se rhabiller, lui dire qu'il la raccompagnerait aussi près de

224

la maison qu'il le pouvait. Il ne fallait pas qu'on sache qu'elle était sortie.

— Oh, pas de danger ! fit Alaina en riant. La seule personne qui habite dans mon aile est Marilee, et elle se couche avec les poules et dort d'une traite jusqu'au lendemain matin. Si j'étais restée aussi longtemps sans un homme, je me morfondrais !

— Je veux bien te croire, fit Travis en riant doucement. Tu aimes ça autant qu'un homme, peut-être même plus !

— Et alors, c'est mal ? J'ai des besoins, des désirs que seul un homme comme toi peut assouvir. Je ne te laisserai pas partir, Travis. Tu m'en veux parce que tu ne m'as pas eue vierge, mais je n'ai jamais prétendu être effarouchée. Et tu sais que je dis la vérité lorsque j'affirme que tu es le seul homme à avoir su me combler.

Il rit de nouveau.

Bon sang, Alaina, laisse-le partir ! fulmina Marilee. Il va falloir que je chevauche comme une forcenée pour arriver à l'heure !

— C'était bien de se retrouver ici, disait la jeune fille. Moins risqué qu'à l'écurie.

Leurs voix se rapprochaient, et Marilee fit corps avec l'arbre.

— Demain soir ? demanda Alaina.

— Je ne peux rien te promettre, soupira Travis. Je te ferai envoyer un message.

— Ce brave Israel, fit Alaina. Il est capable de tout pour de l'argent. Même de transmettre un message à la fiancée de l'homme qu'il redoute plus que le diable en personne !

— Si Stewart Mason le frappe encore, je le tuerai ! s'écria Travis avec colère.

— Oh, ne t'inquiète pas pour lui. Il croit qu'Israel fait des courses pour moi. Il est ravi, il est si jaloux

225

qu'il n'aime pas me voir aller en ville, où je risque de rencontrer de beaux ténébreux comme toi.

Il y eut un long silence. Ils s'embrassaient de nouveau.

Soudain, Travis lâcha :

— Bon Dieu, femme, je t'ai dans le sang ! Je m'étais juré de ne jamais plus m'attacher, mais tu es un vrai volcan ! Je ne me lasse pas de ton corps.

— Peut-être un jour m'aimeras-tu pour autre chose que pour mon corps, Travis Coltrane, chuchota Alaina d'une voix tremblante. Peut-être voudras-tu m'épouser pour m'avoir toutes les nuits auprès de toi. Je te veux en moi chaque jour et chaque nuit jusqu'à la fin des temps. Je veux que tu sèmes un enfant en mon sein, et chaque cri que m'arrachera l'enfantement sera un plaisir, parce qu'il me viendra de toi.

Marilee réprima un haut-le-cœur. Comment pouvait-on dire des choses pareilles à un homme !

Enfin, ils s'éloignèrent, et elle put quitter prudemment sa retraite. Elle courut jusqu'au petit pavillon et enfila son déguisement. Comme chaque fois, elle se sentit traîtresse en ajustant la cagoule. Oh, combien elle détestait endosser ce costume de lâche !

Elle détacha le cheval, bondit en selle et guida lentement l'animal jusqu'au chemin qui les mènerait en haut de la montagne.

L'air frais lui fit du bien, et elle songea à la découverte accidentelle qui l'avait poussée à s'aventurer dans ces missions secrètes.

Un après-midi où elle s'ennuyait, elle était allée dans la petite pièce où venait coudre sa mère, à côté du bureau de son père. Elle avait caressé amoureusement la vieille machine à coudre, le long miroir mural devant lequel elle et Alaina essayaient leurs robes. Et soudain, son œil avait été attiré par une chose qu'elle n'avait jamais remarquée. Il y avait de minuscules charnières sur l'un des côtés du miroir, celui où sa mère nouait toujours des rubans. Marilee avait passé ses doigts avec curiosité sur le bord, et avait sursauté lorsqu'ils étaient tombés sur un taquet. Elle avait appuyé, et le miroir s'était ouvert comme une porte !

Marilee avait tâtonné dans le petit réduit sur lequel débouchait cette ouverture, en se demandant où était l'entrée du bureau de son père. Au moment même où elle avait senti la poignée sous ses doigts, elle avait entendu une voix furieuse :

— Tu n'aurais jamais dû pendre cette ordure sous les yeux de sa famille, Mason ! C'était idiot ! Il fallait te contenter de lui donner une bonne correction à coups de fouet en brandissant des croix enflammées. Maintenant, les braves gens ont beau détester les nègres, ils vont trouver que les choses vont trop loin.

Marilee avait cligné des yeux. Incapable de bouger, elle avait continué à écouter.

— Ecoutez, je ne peux pas toujours maîtriser mes gars, patron. Vous vouliez que le boulot soit fait, ça y est.

Marilee avait entendu tout le récit, pétrifiée, et pendant de longues heures ensuite elle était restée assise dans le petit atelier de couture. Le choc avait été trop atroce. Son père... Son père était mêlé au Ku Klux Klan. Il était même le *responsable* ! Pourtant, elle ne pouvait pas le dénoncer. Mais, ô mon Dieu, comme elle se sentait coupable chaque fois qu'un Noir était tué ou maltraité !

Elle avait alors décidé de se déguiser en membre du Klan, d'infiltrer les réunions et de faire tout ce qu'elle pouvait pour contrecarrer leurs desseins.

Les Noirs étaient au courant de ses activités. Sans leur aide, ses efforts n'auraient pas pu être aussi efficaces. Ils postaient un cheval là où elle en avait besoin et, lorsqu'elle revenait de ses chevauchées nocturnes, il y avait toujours quelqu'un pour l'attendre. Si elle avait entendu parler d'une agression, l'autre courait prévenir les intéressés.

Soudain, devant elle, une silhouette blanche se dressa au milieu de la route. Les flammes de sa torche projetaient une lueur rougeâtre sur les arbres.

— Halte, frère ! Mot de passe.

Elle lâcha les rênes, croisa ses bras sur sa poitrine, serra les poings et se frappa doucement à trois reprises.

— Avance ! fit la sentinelle en s'écartant.

Elle se souvint de la première nuit où elle avait observé les membres du Klan donner le signal. Elle avait d'abord longuement étudié toutes leurs habitudes, afin d'être certaine de bien connaître la procédure et de ne pas commettre d'impair avant d'assister à sa première réunion. Jusqu'à présent, elle avait eu de la chance. Ils n'avaient jamais ôté leurs cagoules, et personne ne l'avait questionnée.

A la lueur des torches, la scène était surnaturelle. Marilee mit pied à terre, attacha son cheval avec les autres et se mêla aux silhouettes blanches. La clairière était un lieu de rendez-vous idéal. Nul ne risquait de les débusquer. Elle-même avait eu du mal à trouver, la première fois.

Ô mon Dieu, songea-t-elle, quand tout cela allait-il cesser ? Ces réunions cauchemardesques, ces cruautés ? Pourrait-elle un jour mener une existence paisible ?

Il y avait une cinquantaine de personnes. Malgré l'accoutrement, Marilee devinait aisément que la haute silhouette postée sur le rocher plat était Stewart Mason. Il se tourna vers la foule et le cérémonial commença :

— Qu'on allume la lumière de la justice ! ordonna-t-il.

Quelqu'un s'avança avec une torche. En un instant, une grande croix fut la proie des flammes. Elle embrasa le ciel et Marilee se mordit la lèvre, déterminée à ne pas frissonner. Elle imaginait aisément la terreur des Noirs lorsqu'ils étaient réveillés par les claquements des sabots au milieu de la nuit.

La foule acclama l'embrasement de la croix, et Stewart agita les bras.

— Ce soir, nous allons parler d'un nègre appelé Tom Stanley ! Il a essayé de s'inscrire sur les listes électorales, l'autre jour.

— Non ! cria la foule dans un même élan, en brandissant le poing. Non ! Non ! Non !

— Non ! hurla Stewart. On ne va pas laisser voter les nègres dans ce pays ! Donnez-leur la main, ils vous prennent le bras ! Qu'ils restent à leur place ! Et si ça ne leur plaît pas, on a mieux pour eux : six pieds sous terre !

Sa voix s'enflait dangereusement. Il laissa la foule l'acclamer quelques minutes, puis réclama de nouveau le silence.

— Alors, qu'allons-nous faire à Tom Stanley ?

— Qu'on le pende ! Qu'on le tue ! Qu'on brûle sa maison !

Aurait-elle le temps de le prévenir ? Elle garda la tête haute, jetant discrètement des regards autour d'elle. Le plus souvent, elle profitait de l'enthousiasme de l'assistance pour s'éclipser. C'était risqué, mais elle n'avait pas le choix.

— Ecoutez-moi ! cria Stewart. Ecoutez-moi !

Elle fit quelques pas sur la gauche.

— Je veux aussi vous parler de ces nouveaux shérifs ! disait Stewart.

Marilee se figea sur place.

— Pour l'instant, ils se contentent de poser des questions et de fouiner un peu. Pas de quoi s'inquiéter. Ils ont l'air aussi crétins que les quatre autres que nous avons chassés.

Les silhouettes fantomatiques furent secouées par le rire. Elle les imita, prétendant partager leur hilarité.

— Mais gardez bien les yeux ouverts, chacun d'entre vous. S'ils commencent à nous encombrer, ils tâteront du fouet, eux aussi. Ça les fera décamper !

— C'est ça ! cria quelqu'un. Et peut-être que les suivants seront enfin de notre côté !

Il y eut une nouvelle vague d'hilarité, et Marilee en profita pour se rapprocher encore du sous-bois.

— Qui c'est, ces nouveaux shérifs ? cria quelqu'un. Je ne sais même pas à quoi ils ressemblent !

Tous se mirent à parler en même temps et Marilee réprima un soupir. Le sujet occuperait suffisamment la foule pour lui laisser le temps de fuir. Le cœur battant, elle disparut rapidement dans les bois et se fraya un chemin jusqu'aux chevaux.

Soudain, quelque chose de blanc attira son attention au milieu des animaux. Il n'y avait jamais de sentinelle, là-bas ! Elle se tapit au sol et ouvrit grand les yeux. Personne. Enfin, elle s'aventura à découvert, toujours accroupie, et atteignit sa jument. Elle avait taillé de petites encoches dans les étriers afin de la reconnaître dans la nuit.

Elle grimpa en selle, se coucha sur l'encolure et murmura doucement :

— Là, ma belle. Sage, sage, ne t'énerve pas, filons d'ici en vitesse.

Enfin, après avoir mené l'animal au pas pendant un quart de mille, elle s'autorisa à galoper, remerciant le ciel d'être une cavalière émérite. Elle montait en croupe, laissant à Alaina le gracieux maintien en amazone. Donald lui avait appris à se servir d'une arme à feu, et elle s'en réjouissait à chaque escapade.

Arrivée au petit pavillon, elle sauta à terre et appela :

— Il y a quelqu'un ? J'ai des nouvelles !

— Je suis là, M'ame Ma'ilee. C'est moi, Caleb.

— Caleb ! s'écria-t-elle avec soulagement, car il était bon cavalier. Connais-tu Tom Stanley ? Sais-tu où il habite ?

— Oui, M'ame, répondit-il d'une voix angoissée. Y sont ap'ès Tom ? Ça m'étonne pas, y s'est beaucoup fait 'ema'quer, ces de'niers temps.

— Est-ce loin d'ici ? le pressa-t-elle.

— Assez. Mais je peux y aller. Je suis à cheval. Je lui dis de se cacher pou' la nuit ?

— Non, de quitter le comté. Qu'il aille aussi loin d'ici qu'il le peut, et qu'il emmène sa famille. Ils veulent sa peau !

— Ô Seigneu' ! Je file, s'ils a'ivaient avant moi...

Quelques secondes plus tard, elle entendit le cheval de Caleb charger dans la nuit.

Elle s'effondra par terre, lasse et écœurée. Il arriverait sans doute à temps, et pour l'instant ses efforts n'avaient pas été vains. Pour l'instant...

Soudain, elle se redressa vivement. Ses joues s'enflammèrent, et elle réalisa qu'elle se trouvait à l'endroit exact où Travis avait pris Alaina. Et elle était là, seule...

Elle roula sur le ventre et enfouit son visage entre ses mains. Maudit soit Travis Coltrane. Maudit soit-il ! Jusqu'à cette nuit, jusqu'à ce qu'elle entende la glorieuse passion que l'homme et la femme avaient partagée, le désir n'avait jamais à ce point assailli Marilee.

Maudit soit-il ! Pourquoi avait-il réveillé cette faim terrée au plus profond de son corps et de son cœur ? En cet instant précis, elle sut que sa haine pour Travis n'avait d'égale que... sa jalousie envers sa sœur. Marilee n'avait pas sa beauté. Marilee n'était ni coquette, ni féminine, ni aguicheuse, tout ce qui semblait faire perdre la tête aux hommes. Simple et tranquille, Marilee se serait sans doute contentée sa vie durant de ce que lui donnait son mari.

Mais maintenant, après avoir entendu Travis faire gémir Alaina, elle comprit tout ce dont elle était privée. Tout ce dont elle resterait probablement privée jusqu'à ce que la mort la délivre.

Et elle souffrit.

17

Je ne suis pas un laideron et je ne suis pas sinistre ! Marilee était face au miroir qui surmontait sa coiffeuse. Des larmes brillaient aux coins de ses yeux couleur café. Donald me trouvait belle, lui. Il disait que j'étais belle et merveilleuse.

Elle se tourna légèrement en entendant s'ouvrir la porte de sa chambre. C'était Alaina. Elle s'assit au bord du large lit à baldaquin.

— Mets la robe vert olive, dit-elle en montrant la penderie ouverte. C'est la moins sinistre de ta garde-robe. Vraiment, Marilee, pourquoi continues-tu à porter ces oripeaux de deuil ? Cela fait six ans que Donald est mort. Tu ne vas pas le pleurer toute ta vie !

Marilee regarda la robe rose que portait Alaina. La jupe était parsemée de nœuds d'un rose plus soutenu. Ses cheveux brun clair étaient tout bouclés, et quelques mèches dansaient de manière provocante autour de son adorable visage. Comment deux sœurs peuvent-elles être si différentes ? s'étonna une fois de plus Marilee.

Elle sortit la robe vert olive. Le col était haut, bordé de fine dentelle. Les manches étaient longues et la jupe assez ample.

— Tu pourrais être jolie, si tu t'en donnais la peine, lâcha tranquillement Alaina.

Marilee se tourna vers elle, stupéfaite.

— C'est vrai ! insista Alaina. Tu n'essaies même pas, Marilee. Tu gardes toujours cette espèce de chignon affreux, qui n'est ni à la mode, ni flatteur. Tu ne mets jamais de rouge, et tes vêtements... On dirait que tu fais tout pour t'enlaidir.

— Mais non, soupira Marilee. C'est comme ça, c'est tout.

— Tu ne t'habillais pas ainsi quand Donald te faisait la cour, je me souviens. Tu portais des couleurs vives, et tu te lavais les cheveux tous les jours, tu les brossais jusqu'à ce qu'ils brillent et crépitent. Et même après ton mariage, tu faisais encore des efforts pour être jolie. Et *tu l'étais*. Tu pourrais le redevenir, si tu le voulais.

— Peut-être ne vois-je aucune raison d'essayer.

— Si tu ne prends pas soin de ta personne, aucun homme ne te donnera jamais de raison de le faire, Marilee, fit Alaina avec exaspération.

— Je peux me passer d'homme, Alaina, si bizarre que cela puisse te paraître.

— Si tu continues comme ça, tu n'auras pas le choix. Ecoute, je veux seulement t'aider. Il y aura des tas de célibataires à la soirée de papa, tout à l'heure. Pourquoi ne me laisses-tu pas t'arranger les cheveux et le visage ? Je peux te prêter l'une de mes robes.

233

— Non ! s'écria Marilee. (Puis elle baissa les yeux.) Pardonne-moi. Je ne voulais pas être méchante, mais je n'ai pas besoin de ton aide. Ni de celle de personne.

— Comme tu voudras, fit Alaina en haussant les épaules.

Elle se leva et s'approcha de la porte de la véranda. Sans se retourner, elle murmura :

— Tu sais, Sam Bucher est un bon parti.

— Sam Bucher ? Tu veux dire, le shérif Bucher ? Mon Dieu, il est assez vieux pour être mon père ! Ecoute, Alaina, occupe-toi plutôt de tes affaires. D'après ce que j'ai entendu dire...

Elle s'interrompit, honteuse.

— Quoi ? Qu'as-tu entendu dire ? Que je vis une aventure passionnée avec Travis Coltrane ? Eh bien, oui, c'est vrai ! Et maintenant, notre amour est devenu si fort que nous ne voulons plus nous cacher. Nous voulons le proclamer à la terre entière.

Marilee se retourna pour s'habiller. Elle s'interdisait de penser à Travis Coltrane. Elle aussi avait l'esprit ailleurs. Quelques heures plus tôt, elle s'était cachée dans le passage secret et avait écouté Stewart et son père parler d'un traître parmi les membres du Klan.

— Travis vient à la réception, ce soir, et ce sera notre façon d'annoncer à tout le monde qu'il me fait la cour.

— Tu parles sérieusement ? s'écria Marilee, brutalement tirée de ses pensées. Le shérif Coltrane va te faire la cour, Alaina ? Mais... Et Stewart ? Crois-tu que père permettrait... ?

— Papa n'aura pas le choix, coupa Alaina. Lorsqu'il verra combien nous nous aimons, il ne voudra plus s'y opposer. Quant à Stewart, dit-elle en faisant la grimace, je ne saurais trop lui conseiller de ne pas se dresser contre Travis. Travis vaut cent fois mieux que lui, et je plains celui qui le mettra en colère.

Marilee s'assit sur la coiffeuse et regarda sa sœur, songeuse. Elle prit une profonde inspiration et demanda :

— Aimes-tu sincèrement le shérif Coltrane, Alaina ? Suffisamment pour l'épouser ? Il est plus âgé que toi, il est veuf et il a un fils. Es-tu prête à élever l'enfant d'une autre ?

Elle haussa les épaules.

— Travis possède une mine d'argent au Nevada. Il est riche. Moi aussi. Nous pourrons nous offrir une gouvernante qui s'occupera de son fils et des enfants que nous aurons peut-être tous les deux. Tu sais, je n'ai pas l'intention de passer ma vie avec des bébés accrochés à mes basques. Travis et moi allons devenir le roi et la reine du Nevada. Nous y construirons notre propre empire, ce sera le paradis !

Elle se leva et tournoya sur elle-même en dansant à travers la chambre.

Marilee secoua la tête. Ils n'étaient pas faits l'un pour l'autre. Alaina était beaucoup trop puérile et égoïste pour être mère, ou pour être unie à un seul homme. Quant à Travis, il aurait du mal, lui aussi, à se contenter d'une seule femme. Partageait-il l'opinion d'Alaina sur le sérieux de leur relation ? Ou celle-ci ne voyait-elle, comme à l'accoutumée, que ce qu'elle voulait voir ?

Marilee observa sa sœur. Que pourrait-elle dire pour lui faire entendre raison ? Alaina était têtue et gâtée et n'écoutait jamais personne. On frappa à la porte.

— Marilee ? appela gaiement Jordan Barbeau. Alaina est-elle avec toi ? J'aimerais voir mes deux adorables filles avant que les invités n'arrivent.

Marilee resserra sa robe de chambre autour d'elle

et lui dit d'entrer. Il embrassa ses deux filles tour à tour.

— Peut-on savoir de quoi vous parlez, mes chéries ? Mon Dieu, ne prends pas cet air si sérieux, Marilee !

— Nous avions une discussion entre filles, père, répondit-elle en se détournant pour lui cacher son visage soucieux.

Il sourit.

— Je vois. Loin de moi l'idée de m'en mêler. Je voulais seulement te dire, Alaina, qu'un jeune homme particulier sera là, ce soir. Il était assez triste cet après-midi lorsqu'il a appris que je donnais une soirée et que tu ne lui avais pas demandé de venir.

— Si tu veux parler de Stewart, papa, tu n'aurais pas dû l'inviter. J'ai déjà convié quelqu'un d'autre. La présence de Stewart risque de rendre les choses gênantes.

— Tu... Tu as convié quelqu'un d'autre ! bafouilla Jordan. J'avais entendu dire que tu voyais ce cowboy de shérif, mais je pensais que c'était impossible, que c'étaient des commérages à la suite de ton comportement le jour de ton anniversaire. Je me persuadais que ma fille n'allait pas s'abaisser à fréquenter un... un roturier.

— Un roturier ? répéta Alaina avec stupeur. Papa, il possède une mine d'argent ! Il est riche ! Il a été décoré avec les honneurs pendant la guerre, félicité en public par le général Sherman lui-même. C'est un gentleman.

— Un gentleman ! C'est un maudit Yankee ! Et Sherman était un monstre sanguinaire. Sherman... C'est la meilleure !

Marilee s'interposa :

— Papa ! Alaina ! Je vous en prie ! Ce n'est pas le moment de discuter de cela. Les gens vont arriver d'une minute à l'autre. Le shérif a déjà été invité, manifestement, et il sera bientôt là. Alors ne donnons pas aux mauvaises langues des raisons supplémentaires pour parler de nous.

Jordan jeta un regard glacial à Alaina, qui le soutint avec défi.

— Ne laisse pas cet homme m'approcher ce soir, grinça-t-il entre ses dents. Il ne nous causera que des ennuis. C'est à cause d'individus de sa sorte que les nègres se montent la tête. Et, après la soirée, j'espère bien ne plus jamais entendre parler de lui, est-ce clair ?

Alaina soutint son regard, les lèvres serrées.

— Tu m'as entendu ? cria-t-il en la secouant par les épaules. Et surveille ton attitude, ce soir. Je t'interdis d'afficher un comportement équivoque, sinon je le jette moi-même dehors comme un malpropre ! Et si j'apprends que tu le revois, tu recevras la raclée de ta vie !

Alaina éclata en sanglots et recula vers la porte.

— Je te hais ! s'écria-t-elle. J'aime Travis et il m'aime, et tu ne nous sépareras pas. Ni maintenant, ni jamais ! Je préfère quitter cette maison.

Elle courut dans le corridor et claqua la porte derrière elle.

— Mon Dieu, mon Dieu, fit Jordan en se passant une main dans les cheveux. Pourquoi Alaina est-elle attirée par un tel... un tel sauvage ? Que lui trouve-t-elle donc ?

Il secoua la tête, puis considéra Marilee.

— Oh, pourquoi le Seigneur ne m'a-t-il pas donné *deux* filles raisonnables ? La seule fois où tu m'aies jamais déçu, c'est quand tu as épousé un sympathisant de l'Union...

— Papa, je t'en prie, ne revenons pas là-dessus.

— Bien sûr, bien sûr, excuse-moi, mon petit.

Donald était un garçon bien, je l'ai toujours aimé, et tu le sais. Enfin, le passé est le passé ; tu es une jeune femme ravissante, sensible ; un jour tu tomberas amoureuse et tu feras une épouse parfaite pour un heureux élu. Mais Alaina... soupira-t-il. Je crains que sa beauté et son manque de discernement ne nous causent bien des soucis. Il faut que je fasse cesser cette idylle entre elle et Coltrane avant qu'il ne soit trop tard.

Marilee aurait pu lui dire qu'il était déjà trop tard, mais ce n'était pas à elle de s'en mêler. Si Travis aimait Alaina, c'étaient *ses* affaires. Qu'il se débrouille.

— Veux-tu aller voir si tu ne peux pas la calmer ? demanda Jordan. Je dois descendre accueillir les premiers invités. Dis-lui que nous reparlerons de cela demain. Et qu'elle ne se donne pas en spectacle. Il n'a pas intérêt à faire de vieux os sous mon toit, ce paysan !

Marilee revint en soupirant à sa toilette. Elle hésita devant la robe olive. *Des oripeaux de veuve* ! Elle la jeta sur le lit et sortit du fond de l'armoire une robe de satin jaune vif qu'elle n'avait pas portée depuis des années. Depuis la nuit où son père avait annoncé ses fiançailles avec Donald.

La robe était encore magnifique et, comme Marilee avait gardé sa taille de guêpe, elle lui irait parfaitement. Armée d'une audace inhabituelle, elle alla tirer le cordon pour appeler une domestique. Avec un peu d'aide, elle se sentirait jolie.

Lorsqu'elle passa le bustier, ses seins, plus ronds qu'ils ne l'étaient à l'époque, émergeaient du balconnet pigeonnant. Ses mamelons roses en dépassaient presque.

— Je ne peux pas mettre cela !

— Oh, que si ! protesta Rosa. Si vous voyiez comment les aut' femmes elles s'exhibent.

— Mais je suis veuve !

— Et vous le 'este'ez si vous continuez à vous habiller comme si vous 'eveniez du cimetiè'. Et maintenant, je vais donner un peu de lâche à la coutu' sous les b'as, pou' que vous puissiez bien enfoncer vot' poit'ine, et ça se'a pa'fait.

Marilee regarda avec appréhension Rosa se mettre à l'ouvrage, et, très vite, elle dut reconnaître que son apparence n'avait rien d'effronté.

— Avec vos cheveux tout ma'on et b'illants, ce jaune il est magnifique, déclara Rosa en reculant avec satisfaction pour mieux juger de l'effet. Et maintenant, on va vous a'anger les joues, vous êtes toute pâlichonne. Vous allez êt' la plus jolie de la soi'ée.

Quelques instants plus tard, Marilee contemplait le reflet que lui renvoyait le miroir.

— Je n'arrive pas à croire que c'est moi ! s'écria-t-elle.

— Vous êtes belle comme un cœu'. Et vous fe'ez mieux de vous dépêcher, sinon vous se'ez la de'niè' en bas, 'ema'quez, c'est le meilleu' moyen de 'éussi' vot' ent'ée !

Marilee l'interrompit d'un geste.

— Non, je dois aller voir si Alaina va bien.

— Pou' ça, m'ame, nous aut' on se doutait bien que ça fini'ait pa' mal tou'ner avec vot' papa un jou' ou l'aut', cette histoi'.

— Oh, si seulement le shérif faisait son travail et cessait de courir après Alaina !

— Je c'ois plutôt que c'est l'inve'se, m'ame.

Marilee se tourna vers Rosa, perplexe.

— Le shé'if, y fait son t'avail, lui annonça cette dernière. Je peux pas vous di' ce que je sais ; comme vous, j'ai des sec'ets à ga'der. Mais, c'oyez-moi, y se c'oise pas les b'as. Et quant à Mam'zelle Alaina, y a qu'à ouv'i' les yeux pou' voi' que c'est elle qu'est ap'ès lui. Même le vieux Ba't y m'a dit que pa'fois, au milieu de la nuit, elle l'oblige à l'emmener en ville chez le shé'if et que, plusieu' fois, le shé'if y s'est fâché et l'a 'envoyée chez elle.

— Rosa ! s'écria Marilee, horrifiée. Assez ! Je ne veux pas que tu répètes les ragots que tu entends à propos de ma sœur.

— Mais c'est v'ai ! geignit la domestique, sur la défensive.

— Je ne veux pas le savoir. Et maintenant, s'il te plaît, redescends. Je vais voir Alaina.

Marilee était réellement inquiète, à présent. Si Rosa avait dit vrai, et qu'Alaina poursuivait le shérif de ses assiduités, la situation risquait de devenir extrêmement embarrassante. Elle frappa à la porte de sa sœur. Pas de réponse.

— Alaina ! Je sais que tu es là. Je voudrais te parler.

— Va-t'en ! répondit Alaina en sanglotant.

Marilee tourna la poignée. Sa sœur était allongée sur le lit, en chemise, sa robe framboise étalée à côté d'elle.

— Tu comptes rester bouder ici et laisser le shérif seul face à la colère de père ?

— C'est injuste ! s'écria Alaina en donnant des coups de poing dans l'oreiller. Pourquoi ne devrais-je plus le voir ? Il n'a pas le droit de nous séparer ! Je vais m'enfuir.

Marilee s'assit et caressa les cheveux de sa sœur. Alaina était gâtée et parfois cruelle, mais Marilee l'aimait de tout son cœur. Maudit soit Travis Coltrane, il avait ensorcelé sa petite sœur !

— Reprends-toi, Alaina, lui dit-elle d'une voix douce. Tu l'as invité, tu connais les sentiments de père, alors c'est à toi de lui tenir compagnie. Tu n'as

240

qu'à lui raconter ce qui s'est passé, et il partira de bonne heure. Toi et père reparlerez de tout cela demain.

Elle soupira et se leva.

— Tu as sans doute raison.

Ses yeux s'arrondirent comme deux billes et elle regarda Marilee en la voyant pour la première fois.

— Mais qu'as-tu fait ? s'écria-t-elle. C'est incroyable ! Tes cheveux ! Ton visage ! Cette robe ! Mon Dieu, cela fait des années que je ne t'ai pas vue comme ça !

Marilee sourit gaiement.

— Peut-être en ai-je enfin assez de mes accoutrements de deuil, petite sœur...

Quelqu'un frappait à la porte. Rosa entra, nerveuse.

— Le shé'if, il est en bas. Y dit qu'y peut pas 'ester longtemps. Descendez tout de suite, vot' papa y 'essemble à une pastèque qu'est 'estée t'op longtemps au soleil. Y s'est enfe'mé dans son bu'eau avec Missié Mason, qu'est fu'ieux de voi' le shé'if ici.

Alaina la fit taire d'un geste et se tourna vivement vers Marilee.

— Il faut que tu ailles lui tenir compagnie pendant que je m'habille. Je ne serai pas longue, Rosa va m'aider.

En descendant l'escalier, Marilee réprima un sentiment de panique. Si son père et Stewart étaient enfermés dans le bureau, il fallait qu'elle sache ce qu'ils disaient. Travis se tenait dans un coin du vestibule, ses yeux gris étaient voilés par l'ennui. Il l'observa à travers ses paupières à demi fermées, et un sourire éclaira son visage. Elle jura intérieurement car elle ne put s'empêcher de se demander ce que l'on ressentait lorsqu'on était embrassé par cet homme.

Elle s'approcha de lui avec toute la grâce qu'elle

put déployer, décidée à s'excuser auprès de lui et gagner au plus vite le réduit secret.

— Bonsoir, shérif Coltrane, dit-elle avec amabilité. Alaina m'a priée de vous dire qu'elle était retardée. Elle ne sera pas longue ; je vous en prie, buvez quelque chose et faites comme chez vous.

Il saisit sa main au vol, la porta à ses lèvres, et ne la lâcha pas.

— Pourquoi tant de hâte, charmante enfant ? murmura-t-il sans la quitter des yeux. C'est bien vous, n'est-ce pas ? Mon Dieu, mon Dieu, la jolie dame a enfin quitté le deuil.

Son ton était légèrement moqueur, et elle fut immédiatement furieuse. Elle dégagea sa main et déclara tranquillement :

— Cela ne vous regarde pas, shérif. Et maintenant, si vous voulez bien m'excuser, j'ai des choses à faire.

— J'estime que le premier élément figurant sur votre liste de priorités devrait être de tenir compagnie à l'invité de votre sœur. Qu'est devenue votre bonne éducation, Marilee ?

— Je vous ai dit que j'avais à faire ! répéta-t-elle, des éclairs dans les yeux. Laissez-moi partir.

Il rit doucement.

— Pourquoi avez-vous peur de moi ?

— P... Peur de vous ? bredouilla-t-elle. Mais c'est absurde ! Qu'est-ce qui vous fait croire cela ?

— Vous tremblez.

— Je... Pas du tout, mentit-elle en se forçant à lever les yeux vers lui.

— Allons, n'ayez pas peur. Je ne vais pas vous mordre. Du moins, pas ici, il y a un temps et un lieu pour tout.

— Monsieur ! s'écria-t-elle, indignée.

242

Voyant que les autres se tournaient vers eux, elle baissa la voix et déclara d'un ton mordant :

— Shérif, vous êtes l'invité de ma sœur. Elle vous tient en très haute estime. Je ne pense pas qu'elle serait heureuse de vous voir me tenir ce genre de propos. Si vous ne me laissez pas aller, je vais crier, ce qui va attirer mon père. Croyez qu'il était très perturbé lorsqu'il a appris qu'Alaina vous avait invité ce soir. N'aggravons pas davantage la situation.

Elle le toisa d'un œil glacial. Dieu, que cet homme était sûr de lui et arrogant. Sans se laisser démonter, il continuait à sourire.

— Je trouve votre attitude du plus mauvais goût, shérif. A présent, excusez-moi, je vous laisse.

Il la regarda de si étrange manière qu'elle lui demanda à brûle-pourpoint :

— Puis-je savoir pourquoi vous me dévisagez ainsi, shérif ?

Il croisa les bras sur sa poitrine et inclina légèrement la tête.

— Je trouve que vous êtes une femme extraordinaire, Marilee.

— Où voulez-vous en venir ? s'exclama-t-elle avec irritation.

— Pour l'instant, nulle part. Vous êtes libre, belle enfant, je vais me servir un verre en attendant votre sœur.

Marilee secoua la tête, perplexe. Mais elle n'avait pas de temps à perdre. Elle s'éclipsa aussi discrètement que possible, fila dans le petit atelier et s'enferma à clef. Une fois dans le passage, elle s'approcha silencieusement de la porte du bureau et tendit l'oreille.

— Bon sang, Jordan, ça ne me plaît pas qu'il traîne avec Alaina.

— A moi non plus, crois-moi, mais oublions ça

pour l'instant. Je m'occuperai de lui plus tard. Cette histoire a au moins le mérite de lui faire oublier sa mission au Kentucky. Et maintenant, dis-moi, es-tu sûr de pouvoir convoquer le Klan dans un délai si rapide ?

Le cœur de Marilee battit la chamade. Ils allaient se réunir le soir même ! Quelque chose se tramait. Quelque chose de grave !

— Oui, répondit Mason avec assurance. Je n'ai qu'à aller à Turkey Ridge et lancer quatre coups de sifflet. Ils se feront passer le mot. En une heure, je peux rassembler tout le monde.

— Eh bien, file.

Elle l'entendit sortir du bureau et elle quitta sa cachette en tremblant. Il fallait qu'elle aille à la réunion. Tant pis pour la soirée. Lorsqu'elle regagna le vestibule, elle dut accueillir quelques nouveaux arrivants. Elle leur sourit sans cesser de réfléchir à un plan d'action. Elle aperçut Willis, le majordome de son père. Elle avait une confiance absolue en lui. Elle lui fit signe et l'attira à l'écart, prétendant examiner le plateau de canapés qu'il faisait passer. Elle lui apprit la nouvelle et dit :

— Qu'un cheval m'attende au pavillon dans un quart d'heure. Je vais prétexter une migraine et me retirer dans ma chambre.

Il hocha la tête.

— Va, chuchota-t-elle avant de se retourner.

En bas de l'escalier, elle croisa Alaina.

— S'il te plaît, lui dit-elle en pressant une main contre son front, excuse-moi auprès de tout le monde, j'ai une migraine épouvantable. Je monte me coucher.

— Oh, je peux faire quelque chose pour toi ? s'inquiéta Alaina.

— Non, non. Je voudrais être seule. Cela va passer.

— Où est Travis ?

— Là-bas... commença Marilee.

Elle s'interrompit. Travis avait disparu.

A cet instant, Willis s'approcha des deux jeunes femmes.

— Miss Alaina, dit-il. Le shérif m'a prié de vous présenter ses regrets. Il a dit qu'il avait des affaires inattendues à régler, et que Miss Marilee saurait vous expliquer.

— Moi ? fit celle-ci, surprise. Je ne sais rien sur son départ précipité !

— Oh, Marilee ! s'écria Alaina, les yeux brillants de larmes. Que lui as-tu dit ?

Marilee maudit silencieusement Travis Coltrane de la placer dans une telle situation. Elle retint son souffle, puis déclara :

— Je lui ai dit que père n'était pas content, mais cela n'a franchement pas eu l'air de le perturber. Quand je l'ai quitté, il allait prendre un verre en t'attendant.

— Oh, c'est terrible ! gémit Alaina. Que vais-je faire ?

Marilee lui tapota gentiment l'épaule.

— Allons, va, amuse-toi. Ne pense plus à lui.

— Oh, mais si ! Tu ne comprends pas, Marilee. Je... Je l'aime.

— Tu t'es déjà crue amoureuse avant lui.

— Mais là, c'est différent ! s'écria-t-elle en tapant du pied et en serrant les poings.

— Que se passe-t-il, ici ?

Jordan Barbeau apparut soudain au pied de l'escalier.

— Que faites-vous là, toutes les deux ? Alaina, pourquoi pleures-tu ?

— Le shérif est parti... Sûrement à cause de la conversation de tout à l'heure.

— Allons donc! Ressaisis-toi, Alaina. Je ne veux pas voir ma fille se ridiculiser pour un Scalawag.

— Ce n'est pas un Scalawag! Il est merveilleux, et tu ne t'interposeras pas entre nous.

— S'il était aussi merveilleux que tu le prétends, il ne t'aurait pas abandonnée, lui rappela Jordan.

Marilee vit le menton de sa sœur se soulever imperceptiblement, avec dégoût. Les yeux brillants, Alaina déclara:

— Où est Stewart? Je veux un cavalier ce soir. Il dansera avec moi.

— Il a dû partir, lui aussi. Viens avec moi, tant que je suis là, tu n'as pas besoin de t'inquiéter d'avoir un cavalier.

Alaina le suivit docilement, et Marilee put enfin se précipiter dans sa chambre. Une fois là, elle appela Rosa, qui accourut presque immédiatement.

— Que se passe-t-il, Missy?

— Il faut que j'y aille, Rosa. Ce soir. Mais comment vais-je pouvoir m'esquiver avec tout ce monde dans la maison? Oh, quelle engeance! s'écria-t-elle avec frustration.

— Attendez, attendez, je 'éfléchis, dit Rosa en arpentant la chambre et se tordant les mains. Oh, je sais! s'écria-t-elle. Vous n'avez qu'à passer pa' la fenêt'!

Marilee la contempla comme si elle avait perdu l'esprit.

— Rosa, le mur est lisse! Il n'y a aucun treillis, rien! Je vais me briser le dos si je saute du balcon.

Rosa sortit de l'armoire une robe de mousseline noire et la lui lança.

— Enfilez ça. Vous vous change'ez au pavillon d'été. Je vais vous fab'iquer une co'de.

Incrédule, Marilee la vit tirer le couvre-lit en satin, puis les draps, et les nouer bout à bout.

— Vous n'au'ez qu'à vous laisser glisser. Quand vous 'eviend'ez, je vous attend'ai en bas. Si la soi'ée elle est pas te'minée, je viend'ai ici pou' vous aider à 'emonter pa' le même chemin.

Comme Marilee se contentait de secouer la tête, éberluée, Rosa insista.

— Y a pas d'aut' solution, Missy. Vous n'avez pas peu', dites ?

Marilee se raidit. Comparé aux dangers qu'elle affrontait dans ce genre d'expédition, se laisser glisser sur deux étages le long d'une corde était un jeu d'enfant !

— Très bien, Rosa. Si je me brise la nuque, j'espère que vous me ferez un bel enterrement.

Les yeux de Rosa s'embuèrent soudain, et elle serra rapidement sa maîtresse dans ses bras.

— S'y vous a'ivait quelque chose, mon peuple y vous oublie'ait jamais. Y fe'ait une jou'née de deuil national tous les ans pour vous. On vous doit tant...

— Vous ne me devez rien, murmura Marilee en se retournant.

C'est pour cela que je le fais, se dit-elle pour la centième fois. Parce qu'il n'y a personne d'autre pour aider ces gens. Et parce que j'ai besoin de croire que ma vie a un sens.

18

La chaleur était étouffante. Marilee brocha des éperons en direction de l'arbre mort. Willis l'attendait. Seul le blanc de ses yeux luisait au faible clair de lune.

— Vous avez découvert quelque chose ? murmura-t-il avec anxiété lorsqu'elle mit pied à terre. C'était important ?

— Très ! souffla-t-elle, épuisée et fébrile. Tu connais le vieux Israel, qui travaille pour Mr Mason ? Ils veulent son fils, ce soir, Munroe. Il se cache car il savait qu'ils chercheraient tôt ou tard à l'avoir. Eh bien, ils ont découvert sa cachette ! Il faut que tu le préviennes, ils sont déjà en route ! Ils veulent le pendre, Willis. Pas seulement le battre. Ils veulent sa mort !

Willis sauta sur le cheval.

— Je sais où il est ! cria-t-il. J'y serai avant eux.

Elle le regarda claquer les rênes sur le dos de l'animal, qui partit au galop.

Elle était seule. Une brise fraîche apaisa lentement sa fièvre. Elle se tourna vers le pavillon d'été... Ses yeux s'arrêtèrent sur le sol. Elle retira ses chaussures et foula de ses pieds nus le doux tapis de verdure. Un flot de désir envahit soudain son corps. C'était là que Travis avait aimé Alaina. Là qu'ils s'étaient allongés ensemble, qu'ils avaient atteint l'extase.

Sans réfléchir à ce qu'elle faisait, elle tomba à genoux et passa ses doigts dans l'herbe en imaginant la scène qui s'était déroulée là, sur le lit offert par la nature.

Non, se dit-elle soudain avec colère. Elle ne pouvait rien imaginer. Elle essaya de se souvenir de ce qu'elle avait connu avec Donald, tant d'années auparavant. Cela se passait toujours rapidement, puis il roulait sur le côté et lui disait qu'il l'aimait avant de sombrer dans le sommeil. Souvent, oh, si souvent, elle était restée allongée à côté de lui, éveillée, en se demandant pourquoi elle se sentait si vide. Et maintenant, elle savait qu'elle attendait alors ce qu'Alaina avait éprouvé dans les bras de Travis Coltrane.

Mais pourquoi Travis était-il différent de Donald ?

Peut-être, se dit-elle avec une vague honte, peut-être n'était-ce pas Travis, ni Donald. Peut-être était-ce sa faute à elle. Elle n'était pas une femme passionnée.

Elle avait chaud. Très chaud. Elle ôta son pantalon et sa chemise, songea vaguement à enfiler la robe de mousseline qu'elle avait laissée dans le creux de l'arbre mort. Mais l'air frais procurait une sensation agréable sur sa peau brûlante. Pourquoi se presser ? Nul ne pouvait la voir.

Elle s'allongea sur le dos et les brins d'herbe la chatouillèrent délicieusement. Comme ce serait merveilleux d'être étendue là avec un homme. Un homme comme Travis Coltrane. Il était si séduisant, si brillant. Il émanait de lui une telle puissance... Lorsqu'on plongeait son regard dans ses yeux gris, on avait l'impression enivrante d'être emportée dans un tourbillon, aspirée toujours plus loin.

Elle passa une main sur sa poitrine, doucement.

— Laissez-moi faire.

Marilee rouvrit instantanément les paupières et poussa un cri étranglé. Travis Coltrane était penché au-dessus d'elle. Elle resta figée, muette, tandis qu'il écartait ses mains pour effleurer ses seins.

— Je... Non, il ne faut pas... souffla-t-elle.

— Oh, si, charmante dame, il faut.

Sa voix était profonde et chaude.

— Vous étiez là cette nuit-là, reprit-il. La nuit où j'étais avec Alaina. Vous nous avez entendus.

— Oui.

— Vous avez envie de moi.

— Oui.

— Attendez, précieuse enfant, murmura-t-il d'un ton rauque. Je vais vous emmener dans un endroit magique.

Ses lèvres se posèrent sur les siennes, et elle frissonna lorsque la langue de Travis entra dans sa bouche. Emerveillée de cette sensation, elle répondit à son baiser avec bonheur, en se laissant caresser par les doigts experts et puissants.

Il s'écarta légèrement, et du genou lui entrouvrit les jambes. Il savait exactement où la faire vibrer. Et elle aussi sembla savoir que faire. Comment ?

La passion... C'était la passion, une passion sauvage, ardente, exigeante. Elle éprouva des spasmes de joie incontrôlables. Ses muscles se tendaient, pour mieux satisfaire l'insatiable désir. Il haussa légèrement les hanches et fut au-dessus d'elle.

— S'il vous plaît... gémit-elle.

Il souleva les jambes de Marilee et lui fit replier les genoux autour de son cou. Puis il posa ses mains sur sa croupe ferme et la regarda avec une infinie tendresse. D'une poussée décidée, il fut en elle. Il avala entre ses lèvres son cri de plaisir et de douleur et la garda serrée contre lui.

Elle enfonça ses ongles dans son dos pour l'approcher plus près d'elle, encore plus près. Oh, comme elle le voulait... Et soudain, ce fut un glorieux embrasement de tout son être, qui la consuma en quelques minutes et la laissa épuisée.

Elle sentit les doigts de Travis la quitter lentement. Il se retira et s'allongea sur le côté, tourné vers elle. Elle le regarda à son tour, haletante.

Il souriait.

— Un homme sait toujours quand une femme le désire.

— Je ne comprends pas comment cela a pu se produire, dit-elle, soudain horriblement gênée.

Elle essaya de s'asseoir, mais il la retint contre lui.

— Je vous observais, poursuivit-il tranquillement sans la lâcher. Je vous ai vue marcher jusqu'ici. J'ai

250

deviné que vous vous souveniez de cette nuit-là, avec Alaina.

— Vous saviez que j'étais là ? s'écria-t-elle, stupéfaite. Comment avez-vous pu continuer... ?

Il pouffa doucement.

— Je ne l'ai compris que plus tard, *trop* tard. Croyez-moi, je ne suis pas exhibitionniste.

— Oh, mais je n'ai rien *vu*, s'empressa-t-elle de préciser. Je vous ai seulement entendus. Ô mon Dieu ! ajouta-t-elle en se débattant.

— Ne faites pas la coquette, Marilee. C'est l'une des raisons pour lesquelles je vous trouve si attirante. Vous êtes d'un merveilleux franc-parler. Et mûre. Ça me plaît, chez une femme.

La tête lui tournait.

— Je suis en train de rêver. Je vais me réveiller, c'est irréel.

— Pourquoi ne serait-ce pas réel ?

— Parce que ce n'est pas moi. Jamais je n'ai été avec un autre homme que mon mari. Et jamais je n'ai connu cela. Jamais je ne me suis conduite avec une telle... impudeur !

— C'était sa faute à lui.

Elle lui jeta un regard perçant. Les yeux d'acier brillaient d'une douce lueur, et son sourire la fit frissonner.

— Oui, dit-il en hochant la tête. C'était la faute de votre mari. Comment pouvait-il espérer que vous vous comportiez en femme s'il n'agissait pas lui-même comme un homme ?

— Vous pouvez vous abstenir de ce genre de commentaires, Travis Coltrane. Vous ne connaissiez pas Donald et il est mort. Il ne peut plus se défendre.

— Je ne voulais pas lui manquer de respect, dit-il, immédiatement contrit. Quant à le connaître, inutile. Il me suffit de vous avoir fait l'amour pour tout

251

comprendre. J'ai eu le sentiment d'ouvrir la porte d'une cage et d'en laisser sortir une tigresse. Donald n'a jamais ouvert cette porte, Marilee. C'est dommage, mais peut-être n'avait-il pas la clef.

Elle essaya une fois de plus de se dégager.

— Je vous en prie, laissez-moi partir. C'est fini, maintenant. Je mentirais si je vous disais que je n'ai pas aimé, mais c'est fini.

— Pourquoi fini ?

Elle le regarda avec surprise.

— Rien n'est éternel, Travis. Nous le savons aussi bien l'un que l'autre. J'étais très seule, et je chérirai à jamais les sensations que j'ai connues dans vos bras, mais cela ne peut pas se reproduire. Il se trouve que j'aime ma sœur, et j'ai mauvaise conscience de l'avoir trahie avec son fiancé.

Il se redressa avec une extrême lenteur, les yeux rivés aux siens.

— Son fiancé ? Ecoutez-moi bien, Marilee, que les choses soient claires, dit-il d'une voix tendue. Jamais je n'ai évoqué le mariage avec Alaina. Je lui ai toujours clairement expliqué que nous ne nous engagerions pas. Et elle était parfaitement d'accord. Lorsque vous m'avez dit ce soir que votre père s'opposait à notre relation, j'ai été surpris. De toute évidence, elle s'est fait des idées.

— Pourquoi ne pas avoir dit cela à mon père au lieu de vous enfuir ?

— J'aime votre franchise, Marilee, dit-il en souriant. C'est que, voyez-vous, j'avais des choses à régler, moi aussi.

— Dans ce cas, que faites-vous ici ?

— Je pourrais vous poser la même question.

— Je suis sur les terres de mon père. J'ai le droit de me promener par ici.

— Drôle d'heure pour une promenade, ne trouvez-vous pas ? Surtout en vêtements d'homme, pour rencontrer un Noir qui enfourche votre cheval et détale comme s'il avait le diable à ses trousses.

— Shérif Coltrane, nous n'aurions jamais dû nous oublier ainsi. Je ne vous dois aucune explication quant à mes agissements, et j'estime que, si quelqu'un a quelques éclaircissements à fournir, c'est vous. A présent, je vous ordonne de me laisser aller !

— Nous n'avons pas terminé notre conversation.

Elle lui décocha un regard furieux.

— Je n'ai plus rien à vous dire.

— La dernière fois que je vous ai vue, vous portiez une robe exquise. Je me demande ce qui s'est passé depuis.

— Eh bien continuez à vous le demander, lâcha-t-elle d'un ton acerbe.

— Que faites-vous ici à une heure si tardive ? insista-t-il.

— Pourquoi ne faites-vous pas votre travail ? riposta-t-elle. La seule chose qui vous intéresse, c'est d'accumuler les conquêtes, n'est-ce pas ? Vous vous moquez bien des Noirs, mais je vous rappelle que c'est pour les aider que vous êtes ici. Qu'attendez-vous pour arrêter le Klan ? Vous oubliez où vous êtes, vous oubliez votre devoir, et vous bafouez l'étoile que vous portez !

— Bon Dieu, Marilee, vous ne mâchez pas vos mots, grogna-t-il. Quelle femme étonnante ! Je n'ai connu qu'une femme qui possédait votre cran. Et je m'étais promis de ne jamais...

Il secoua la tête et marmonna :

— Oh, au diable !

Il l'embrassa, longuement, possessivement, puis il murmura :

— Ne me repoussez pas, Marilee. Vous savez que

vous avez encore envie de moi, tout comme j'ai envie de vous.

Elle poussa un léger gémissement. A quoi bon lutter ? Elle le voulait, oh, oui, et bientôt elle sanglotait d'émerveillement dans ses bras tandis qu'il lui faisait découvrir des extases insoupçonnées... Encore, inlassablement, oh, jamais ça ne s'arrêterait...

Plus tard, elle repenserait à ces instants et essayerait de se rappeler à quel moment il avait enfin explosé, mais elle ne se souviendrait que de lui dans ses bras.

Il lui adressa un large sourire.

— Vous êtes un sacré bout de femme, Marilee, murmura-t-il avec émotion.

Elle détourna le visage, mais presque brutalement, il lui prit le menton et la contraignit à lever les yeux.

— Regardez-moi en face, toujours, dit-il doucement. Après ce que nous avons partagé...

— Vous m'avez offert quelque chose dont je me souviendrai éternellement, Travis. Je sais maintenant ce que c'est qu'être une femme. Je ne l'oublierai pas.

— Non, vous ne l'oublierez pas. Parce qu'il y aura d'autres nuits aussi merveilleuses que celle-ci. Vous avez du cran, de l'énergie, le feu brûle en vous. Peut-être sont-ce là les qualités les plus grandes qu'une femme puisse posséder.

Les prunelles de Travis brillaient dans la pénombre.

— Je viens aussi de faire l'amour à l'homme qu'aime ma sœur.

— Cessez d'être aussi grandiloquente ! Ça ne vous ressemble pas. Et nous savons tous deux qu'Alaina ne m'aime pas. Elle me veut uniquement parce qu'elle sait qu'elle ne peut pas m'avoir. Je le lui ai déjà dit.

Malgré elle, les mots lui échappèrent, si vivement qu'elle ne put les retenir, et elle s'en voulut de s'écrier :

— Parce que moi, je peux vous avoir, peut-être ? C'est cela que vous êtes en train de me dire ?

Il garda le silence de longs instants, en proie, songea-t-elle, à un combat intérieur. Enfin, il murmura :

— Je peux tout vous donner, Marilee, hormis mon cœur. Jamais mon cœur.

— Je ne vous demande pas votre cœur, ni rien d'autre, d'ailleurs, dit-elle en s'efforçant d'adopter un ton léger. Nous avons partagé un moment très agréable. Maintenant, c'est terminé. Puis-je vous quitter ? Il faut que je rentre avant que l'on s'aperçoive de mon absence.

Le regard de Travis se perdit à l'horizon, qui se striait de pourpre et de corail. Elle l'imita et s'écria :

— Ô mon Dieu, c'est déjà l'aube !

Elle bondit sur ses pieds et se rhabilla à la hâte. Rosa l'aurait-elle attendue ? Il fallait faire vite.

— Je peux vous prendre en croupe jusqu'à la maison, proposa Travis.

— Non, on risque de nous entendre. Il vaut mieux que j'y retourne à pied. J'ai encore le temps d'arriver avant le jour.

Il lui prit le bras.

— Vous ne m'avez jamais dit ce que vous faisiez ici habillée comme un homme au beau milieu de la nuit.

— Je... J'aime marcher dans le noir. Ainsi vêtue, j'attire moins l'attention.

— L'attention de qui ?

— De gens comme vous, Travis Coltrane, qui guettent les femmes la nuit. C'est pour cela que vous paie le gouvernement ?

Il laissa retomber son bras et une ombre traversa son visage.

— C'est la deuxième fois que vous y faites allusion. Je fais mon travail. Pourquoi ne me dites-vous pas plutôt ce qui vous pousse à accomplir des choses pour lesquelles vous, vous n'êtes pas payée ?

— Je ne vois pas ce que vous voulez dire. Et maintenant, laissez-moi rentrer.

— Très bien. Mais vous savez parfaitement ce que je veux dire.

Elle rejeta en arrière ses longs cheveux bruns.

— Vous êtes un curieux bonhomme, Travis Coltrane. Quoi que vous et ma sœur puissiez signifier l'un pour l'autre, cela ne regarde que vous deux. Je regrette ma faiblesse. Ou devrais-je dire ma folie ? Cela ne se reproduira plus.

Elle tourna les talons et s'enfuit sans lui laisser le temps de répondre. Travis la regarda s'éloigner. Son sentiment familier de solitude l'étreignait de nouveau. Pendant quelques instants, il avait presque tenu Marilee contre son cœur. Jamais il n'avait été si proche de l'amour. Depuis Kitty.

Kitty.

Il serra les poings. Marilee possédait le même genre d'énergie que Kitty, le même rayonnement. Quelle autre femme oserait infiltrer si dangereusement le Ku Klux Klan ?

Oui, il savait. Il savait beaucoup de choses. Les pièces du puzzle s'assemblaient lentement. Et le tableau n'était pas beau à voir. Il se força à ne pas y songer pour l'instant, et préféra revivre les moments qu'il venait de partager avec cette femme. La passion qu'elle lui avait rendue, sincère, absolue.

Comme Kitty.

Mais elle n'était pas Kitty. Il n'y aurait jamais une autre Kitty. Et il était inutile de poursuivre ce rêve, ce seul véritable amour.

Pourtant, Marilee exerçait sur Travis une fascination unique. Jamais elle ne posséderait la beauté éthérée de Kitty, mais son charme était irrésistible.

Dieu merci, elle ne ressemblait pas à son écervelée de sœur. Celle-ci s'offrait à lui avec tant d'insistance, de manière si éhontée, qu'il ne pouvait résister à sa pression. Il était humain. Et il ne lui avait jamais caché qu'il n'éprouvait avec elle qu'une satisfaction physique. S'était-il montré trop égoïste ?

Il poussa un soupir empreint de lassitude et regagna son cheval. Il se figea en entendant craquer une brindille.

— Ne tirez pas, shérif, c'est moi, Willis.

Le Noir se leva précautionneusement de derrière le buisson où il se cachait.

— Méfiez-vous, Willis, si vous ne vous annoncez pas mieux, un de ces jours, vous allez récolter une balle.

— Je ne savais pas que vous étiez encore là. Je suis retourné à la maison, et Rosa se cachait dans les fourrés, folle d'inquiétude parce que M'ame Marilee n'était pas rentrée. Je savais que vous étiez là quand elle est arrivée, alors je suis revenu en courant pour vous dire qu'il lui était arrivé quelque chose.

— Non, rassurez-vous, Willis, il ne lui est rien arrivé, dit-il avec calme. Elle vient de repartir. Elle doit sans doute être déjà à la maison. Avez-vous trouvé Munroe ? Etes-vous arrivé à temps ?

— Oui, oui, je l'ai aidé à s'enfuir. Ils nous suivaient de près, mais on a pu les semer.

— Bien, tant mieux, soupira Travis avec soulagement. Marilee vient encore de vous rendre une fière chandelle.

— Oh, ça oui. Vous ne lui direz jamais que je vous ai appris tout ça, hein, shérif ? Elle serait furieuse.

— Non, Willis, je ne dirai rien. Vous avez eu raison de vous confier à moi. Ce qu'elle fait est extrêmement dangereux. Il y a des individus haineux et prêts à tout, dans ce Klan. S'ils découvraient qu'elle les double, ils n'hésiteraient pas à la punir comme un homme.

— Vous allez la faire cesser ? demanda Willis en frissonnant.

— Il sera bientôt temps. Mais laissez-moi m'en charger. Continuez à agir avec elle comme vous le faites depuis le début.

— Oui, monsieur. Et je vous rapporterai tout, comme d'habitude.

Le domestique se retira et Travis songea de nouveau à Marilee. Il ne lui avait pas menti. Il était prêt à tout lui donner, sauf son cœur, car il n'avait plus de cœur.

Son cœur était enterré dans une tombe, au Nevada.

19

Travis n'éprouvait aucune douleur. Le bourbon tapissait son ventre comme une grande couverture bien chaude. De temps à autre, il levait la tête pour contempler la salle d'un œil vide et flou. C'était sa première nuit de congé depuis des semaines, et bon Dieu, il avait bien droit à une bonne cuite !

L'image flotta de nouveau dans son âme, l'image des cheveux dorés aux reflets roux, des yeux lavande. Kitty. Elle lui souriait comme elle seule savait le faire, et il lisait le désir dans ce sourire.

Il ne se rendit compte de la force avec laquelle il serrait son verre que lorsqu'il se brisa entre ses doigts. Le sang coula.

Sam quitta le bar et vint s'asseoir à côté de lui.

— Bon, dit-il doucement. Que s'est-il passé pour que ça recommence ?

— Bon Dieu, Sam ! s'écria Travis. Pour une fois que je m'accorde un peu de temps en dehors du bureau, je peux tout de même boire un coup, non ?

— Quelque chose te ronge. Qu'est-ce que c'est ? Alaina ? Ou Kitty ?

— Sam, mêle-toi de tes oignons.

— Soit, je vais donc rester là tranquillement pendant que tu te vides de ton sang à cause d'Alaina Barbeau. Je dois dire que je suis assez surpris. J'aurais cru que tu saurais te maîtriser mieux que cela. Je reconnais que c'est une belle plante, remarque. Moi-même, si j'étais plus jeune... Mais, puisque je ne le suis pas, je n'ai rien d'autre à faire que te regarder faire l'imbécile.

— Tais-toi, Sam ! dit sèchement Travis.

— Ce n'est pas elle, n'est-ce pas ? C'est à cause de Kitty que tu souffres.

Travis se leva laborieusement et s'agrippa au rebord de la table. Sam ne cherchait qu'à l'aider. Mais il y avait des moments où personne ne pouvait rien pour lui.

— Laisse-moi au moins regarder ta main.

— Sam, je te remercie, mais...

Il se tut en reconnaissant Stewart Mason qui se dirigeait vers eux.

— J'aimerais vous parler, shérif. Et, je vous préviens, le badge que vous arborez ne m'impressionne pas.

— Si vous avez quelque chose à dire, Mason, dites-le.

— Travis, intervint Sam en se levant. Je ne pense pas que...

— Ne te mêle pas de cela, Sam. Nous allions retourner au bureau, Mason. Vous pourrez me parler en chemin.

Ils sortirent tous les trois, et Sam murmura à Travis :

— Bon sang, il a l'air dans tous ses états.

— Je ne vous le fais pas dire ! cria Stewart. Dégagez de mon chemin, espèce de vieille bique.

Il poussa rudement Sam, qui s'écroula sur le trottoir. Travis se retourna juste à temps pour voir venir le coup de poing. Sa main droite blessée lui était inutile, et il leva l'avant-bras pour se protéger tandis que, du poing gauche, il balançait un uppercut au menton de Mason.

Ce dernier chancela, et Travis le frappa au ventre. Mason tomba à genoux. Dans la pénombre, Travis distingua le mouvement rapide que fit son adversaire en direction de son revolver, et il heurta Mason au visage d'un coup de pied. Mason s'effondra en arrière et se retrouva bientôt face au canon d'un pistolet.

— Qu'est-ce que ça signifie ? gronda Travis, les dents serrées, tandis que les curieux s'attroupaient déjà.

Les yeux de Mason lancèrent des éclairs et il cracha en tremblant de rage :

— Tu sais très bien ce qu'il y a, espèce de fils de pute ! Tu sais ce que tu as fait à Alaina ! Je te conseille de me tuer pendant que tu le peux encore, parce que, si je me relève, c'est toi qui es un homme mort !

— Eh bien, relève-toi, le défia Travis en rengainant son arme. Tu me cherches ? Viens, je t'attends !

Mason cracha du sang, puis s'essuya la bouche du dos de la main. Il jeta un coup d'œil vers les badauds.

— Pas maintenant, grommela-t-il.

— Venez dans mon bureau, nous allons parler.

— Je ne vais nulle part avec vous.

— Dois-je vous menacer d'une arme pour que vous obéissiez, Mason ?

Mason jeta un nouveau regard circulaire. Les curieux attendaient la suite avec avidité. Il avança, suivi des deux shérifs.

Une fois dans le bureau, Sam fit signe à Travis de s'asseoir.

— Vous allez attendre que j'aie soigné cette main avant de vous expliquer, tous les deux.

— Nous parlerons pendant que tu me soignes, déclara Travis avec calme.

Sam alla chercher de l'eau, des chiffons, une aiguille et un petit couteau.

— Serre les dents, espèce de fou. Ça va faire mal, mais tu ne peux t'en prendre qu'à toi.

Travis se mordit la lèvre. Mason le regardait d'un air triomphant.

— Allez-y, parlez.

— Vous savez très bien de qui je veux parler. D'Alaina.

Il s'assit sur le bureau de Travis, ravi de pouvoir le prendre de haut.

— Eh bien ? Quoi ?

— Elle m'a tout dit. Sur vous deux. Elle prétend qu'elle ne veut pas m'épouser à cause de vous. Si vous croyez que je vais laisser un putain de Yankee s'approprier ma femme, vous...

— Ça suffit, espèce de fumier ! cria Travis en pointant un doigt menaçant. Ne venez pas me dire ce que je peux ou ne peux pas faire. Si Alaina était votre femme, comme vous dites, elle n'aurait pas besoin de moi. Je continuerai à la voir tant que nous en aurons tous les deux envie. Si vous êtes venu pour me donner des ordres, je vous recommande de déguerpir avant de terminer en bouillie.

Ils se mesurèrent du regard. Sam les observa tour à tour, et dit :

— Suivez son conseil, Mason. Il y a eu assez de casse pour ce soir.

— Elle m'épousera, dit-il tranquillement. Alaina est jeune et volage. Elle l'a toujours été. Son père l'a gâtée, mais moi, je sais comment la prendre. Elle se sert de vous pour me rendre jaloux, c'est tout.

— Eh bien, quelle efficacité !

— Mais c'est terminé ! rugit Mason. Son père lui a interdit de vous revoir. Si vous continuez à la poursuivre, shérif ou non, vous finirez au cimetière avant votre heure.

— Ça vous va bien, le blanc ?

— Quoi ? fit Mason en fronçant les sourcils.

Travis sourit.

— Vous avez l'air du genre à vous cacher derrière les robes et les cagoules du Ku Klux Klan. Vous ne voulez pas plutôt parler de ça, au lieu d'Alaina ?

— Ce que fait le Klan ne vous regarde pas, shérif. Vous êtes en ville depuis assez longtemps pour savoir que vous ne démasquerez jamais personne. Pourquoi ne pas plier bagage avant de vous retrouver pendu à un arbre comme un nègre ?

— Sam, dit Travis d'une voix glaciale. Fais sortir d'ici ce fils de pute avant que je ne l'étrangle.

Sans lever les yeux, Sam ordonna :

— Mason, fichez le camp ou c'est moi qui vous tuerai. Estimez-vous heureux d'être encore en vie.

L'homme alla lentement jusqu'à la porte et, la main sur la poignée, lança :

— Vous entendrez parler de moi, tous les deux. Et

vous feriez mieux de ne pas vous éterniser chez nous. On ne veut pas de vous, ici.

— Nous ne partirons pas avant de vous avoir tous bouclés, Mason, déclara Sam en continuant de soigner la main de Travis. Vous pouvez aller dire ça à vos amis du Klan.

— Vous n'êtes que deux sombres crétins ! Vous croyez vraiment pouvoir briser le Ku Klux Klan ? Pauvres inconscients ! C'est le Klan qui vous brisera. Et vous êtes incapables de prouver que j'en fais partie ! railla-t-il. Je me tiens au courant, c'est tout, vous ne pouvez rien contre moi.

— Vous m'assommez, Mason, soupira Travis. Pour la dernière fois, dehors.

Les lèvres de Stewart remuèrent avec nervosité, aucun son n'en sortit. Puis, il disparut en claquant violemment la porte. Sam laissa échapper un long sifflement.

— Eh bien, tu t'es fourré dans une de ces situations... Tu ne pouvais pas trouver mieux à faire que de séduire la fiancée du chef du Klan ?

— C'est elle qui a tout fait, Sam, je ne lui ai jamais couru après.

— Parfois, tu as le bon sens de repousser certaines avances. Regarde où ça nous mène, maintenant !

— Nous aurons Mason et ses acolytes en temps et en heure. Nous ne sommes toujours pas certains que ce soit lui le chef, tu sais.

— Qu'est-ce qui te fait dire cela ? s'étonna Sam.

— C'est simple : il n'est pas assez intelligent. Il y a forcément un cerveau, quelqu'un qui chapeaute l'organisation et qui a la finesse de garder secrète son identité.

— Mais tu as bien dit avoir vu Mason parler aux autres, la nuit où tu t'es glissé parmi eux sous ton déguisement.

— Oui. Mais ça ne prouve pas qu'il agisse de sa propre initiative. Je pense qu'il suivait les instructions... de Jordan Barbeau.

— Bon Dieu ! s'écria Sam. Tu en es sûr ?

Travis hocha la tête.

— Je ne vois pas de meilleure raison aux agissements de Marilee.

— Attends une minute, fit Sam en se redressant, le couteau dans une main, l'aiguille dans l'autre. Qu'est-ce que tu racontes ?

Travis lui expliqua tout ce qu'il avait appris.

— Quelle histoire ! s'exclama Sam. Ainsi, tu crois que Marilee fait tout ça pour aider les Noirs au lieu d'aller dire la vérité aux autorités, à cause de son père ?

— Ça me paraît plausible. Mason n'est donc que la marionnette de Barbeau.

Sam tendit la main de Travis au-dessus d'un seau et y versa une généreuse rasade de whisky. Travis jura.

— Il faut que je te fasse un bandage. Il y a encore des éclats de verre, je n'ai pas pu tout retirer.

— Ça ira.

— Alors, que vas-tu faire, pour Marilee ? C'est beaucoup trop dangereux pour elle ! S'ils la démasquent, ils se moqueront bien qu'elle soit la fille de Barbeau.

— Exactement, fit Travis d'un air sombre. C'est pourquoi il est temps de crever l'abcès.

— Et comment comptes-tu t'y prendre ?

— Il faut agir avec prudence.

— Je sais, mais je sais aussi qu'il est temps d'intervenir, Travis. Tu as un fils en Caroline du Nord qui a besoin de son papa. Tu as une mine d'argent dans le Nevada, que tu n'es même pas allé voir. Plus tu resteras ici, plus les ennuis s'accumuleront. Et en plus, tu t'es compromis dans une histoire avec une fille qui n'est pas faite pour toi.

Travis éclata de rire.

— Mais ça n'a jamais été sérieux avec Alaina !

— Je te connais depuis très, très longtemps, Travis Coltrane. Je t'ai vu avec trop de femmes pour pouvoir les compter. Mais il n'y en a qu'une... une seule, qui t'ait jamais mis dans un état pareil. Kitty. C'est pourquoi je suis surpris, car cette Alaina n'a pas la carrure. Et pourtant, tu penses à elle plus que tu ne veux le reconnaître.

Non, se rendit compte soudain Travis. Juste avant que le verre ne se brise entre ses doigts, le visage de Kitty s'était estompé pour être remplacé par celui d'une autre. Une autre qui n'était pas Alaina.

Marilee.

Il ferma les yeux. Le cœur, le courage, c'était cela qui l'avait attiré en Kitty. Marilee ne serait jamais Kitty, mais elle avait presque autant de charisme.

— Ce n'est pas Alaina, prononça-t-il avec détermination.

Sam l'avait observé attentivement, et soudain il comprit.

— Marilee ?

— Oui.

Sam poussa une exclamation.

— Eh bien, tu t'es surpassé, cette fois ! Te voilà embarqué avec deux femmes, ni plus ni moins que les filles du cerveau du Ku Klux Klan... et l'une d'elles est fiancée à l'un de ses membres. Tu n'y vas pas par quatre chemins ! Dépêchons-nous de finir ce boulot et de décamper d'ici !

— As-tu déjà vu une femme me poser un problème que je ne sache résoudre ?

— Oui. Kitty. Tu es tombé amoureux.

— Et on ne m'y prendra jamais plus, décréta Travis en allant s'asseoir devant son bureau. Je m'en sortirai, ne t'inquiète pas pour ça. Pour l'instant, finissons-en plutôt avec nos affaires.

Ils se plongèrent dans une longue discussion. Soudain, on gratta contre la porte. C'était Bart, l'un des employés de Jordan Barbeau.

— Qu'y a-t-il ? demanda Travis en le faisant entrer. Des ennuis ?

— On peut appeler ça comme ça, shé'if, fit le Noir en manière d'excuse. Je voulais pas l'amener. Vous m'aviez demandé de plus le fai'. Mais elle m'a fo'cé, elle m'a menacé de me fai' 'envoyer.

— Oh, cette fille ! Où est-elle, cette fois ?

— Je l'ai conduite à l'a'iè' de la ca'iole, cachée sous une couve'tu'. J'ai laissé le wagon dans l'écu'ie. Y a pe'sonne. Elle m'a dit de cou'i' vous che'cher.

— Alaina ! fit Sam avec dédain. Il ne manquait plus qu'elle.

Travis se grattait le front, pensif. S'il n'allait pas à l'écurie, Alaina viendrait jusqu'à son bureau. Elle n'avait pas fait tout ce chemin pour repartir sans le voir. Il n'avait pas le choix.

— Retourne à l'écurie dans une demi-heure pour la ramener. Ne sois pas en retard.

— D'acco', shé'if.

Ignorant les protestations de Sam, Travis sortit dans la nuit. L'écurie était à la lisière de la ville. Elle était plongée dans le noir.

— Travis, c'est toi ?

— Femme, grogna-t-il. Tu es folle ? Je t'ai déjà dit de ne pas venir en ville, c'est très dangereux.

— Si tu étais venu me voir toi-même, je n'aurais pas eu à courir ce risque, n'est-ce pas, mon chéri, fit-elle en lui prenant le bras.

Elle était nue. Travis sentit le désir monter en lui, et en fut encore plus furieux. Il était venu pour lui

266

parler, lui faire entendre raison, et uniquement pour cela.

— Ecoute-moi bien, Alaina. Stewart Mason est venu me provoquer et a failli se faire tuer, ce soir. Il est fou de rage. Ton père aussi. Ça ne peut plus durer.

— Oh, non ! s'écria-t-elle. Tu m'aimes, et je t'aime.

— Alaina, je n'ai jamais dit que je t'aimais. Je te désire, c'est vrai, mais je te répète que je ne t'ai jamais rien promis. Il faut que nous cessions de nous voir.

— Oh, Travis !

Il ne répondit pas, et soudain elle éclata en sanglots rageurs.

— Espèce de mufle ! Tu t'es servi de moi !

Il plaqua une main sur sa bouche.

— Tais-toi ! On risque de nous entendre. Et cesse de dire des bêtises. Je ne me suis nullement servi de toi. Tu sais mieux que quiconque comment les choses se sont passées.

— Laisse-moi te dire une chose, Travis Coltrane, siffla-t-elle. Tu vas payer pour ça. Tu t'es moqué de moi.

— Alaina, dit-il avec calme. Nous avons pris du bon temps, tous les deux. Je ne me suis pas moqué de toi, et tu le sais. Maintenant, si tu n'aimes pas Stewart et si tu n'as pas l'intention de l'épouser, dis-le-lui. Mets les choses au point avant de te lancer dans une autre aventure.

— Tu ne m'as jamais aimée, n'est-ce pas ? demanda-t-elle d'une voix tremblante d'émotion. Notre histoire n'a jamais rien signifié, pour toi !

Il partait, et se retourna pour lui répondre :

— J'aimais ton corps, Alaina. Je t'ai donné du plaisir, et j'en ai pris. C'est aussi simple que cela et tu as toujours été d'accord.

— Fumier ! cria-t-elle. Je t'aurai ! Je le jure !

Il quitta l'écurie aussi vite qu'il le pouvait sans courir, en se maudissant de s'être laissé entraîner dans une telle histoire. Sam avait vu juste.

Perdu dans ses pensées, il s'engagea dans l'impasse menant à son bureau, sans remarquer l'homme tapi dans l'ombre.

Il ne ressentit qu'un coup sec sur la nuque. Puis, ce fut le néant.

20

Le tonnerre grondait sur les majestueuses montagnes du Kentucky. Les éclairs zébraient le ciel, et les arbres ployaient sous les rafales. La pluie était imminente.

Marilee mit pied à terre en tremblant. Son ample robe blanche s'enroulait autour de ses jambes ; elle avança précautionneusement à travers les taillis et se mêla aux autres.

La croix embrasée projetait un halo rougeoyant sur les silhouettes assemblées comme autant de fantômes.

Ô Seigneur, quand ces mascarades et ces horreurs cesseraient-elles enfin ? Elle songea à Travis Coltrane. Où était-il ? Pourquoi ne menait-il pas sa tâche à bien ? Ses pensées se tournèrent ensuite vers Alaina, qu'elle avait trouvée en larmes sur son lit ce matin-là.

— Je ne veux plus entendre parler de lui ! s'était-elle écriée. Plus jamais ! Oh, si seulement il était mort !

Travis. Ainsi, c'était terminé ? Seul le temps panserait les blessures d'Alaina.

La voix forte ramena brutalement Marilee à la réalité.

— ... et cela devient louche. Trop de nos plans ont échoué, ces derniers temps. A croire que quelqu'un aurait chaque fois prévenu ces putains de nègres.

Marilee frissonna. C'était inéluctable, elle savait depuis le début qu'ils concevraient tôt ou tard des soupçons.

— Et ce soir, nous allons régler son compte à un autre traître ! criait l'homme sur sa pierre plate. Nous lui réservons un traitement de faveur... Le goudron et les plumes !

La foule cria son approbation. Marilee retint un haut-le-cœur. Elle avait déjà vu un homme enduit de goudron et recouvert de plumes. Une couche de peau était venue avec le goudron, et elle avait entendu ses cris de douleur et d'angoisse.

— Qu'est-ce qu'il a fait, ce salopard ? demandait un membre de l'assemblée.

— Il a aidé un homme et une femme blancs à se voir en cachette, dans le péché ! Un nègre n'a pas à se mêler des affaires des Blancs !

— Non ! hurlèrent les autres à l'unisson.

— On va lui donner une leçon qui servira d'exemple à toute cette bande de peaux de boudins. C'est Bart, un des nègres qui travaillent chez les Barbeau.

Marilee s'interdit toute réaction. Il fallait faire vite, très vite, mais elle devait se montrer plus prudente que jamais.

Le chef disait que l'un des frères avait une annonce à faire concernant des problèmes survenus dans d'autres comtés. Elle disposait d'un peu de temps devant elle.

Elle disparut dans le sous-bois et accéléra l'allure. Dieu merci, songeait-elle en rampant sur le feuillage, elle connaissait le chemin par cœur. Willis devait l'attendre au pavillon d'été.

Soudain, les cieux s'ouvrirent avec un formidable coup de tonnerre, et elle fut rapidement trempée jusqu'aux os. Elle avait déjà un pied à l'étrier lorsqu'elle sentit un objet pointé contre son dos.

— Ne bouge pas ou je tire, siffla une voix dure, que l'on tentait manifestement de déguiser.

Elle regarda droit devant elle, paralysée par la terreur.

— Je t'ai suivi, ordure, grogna l'homme. Espèce de fumier de défenseur de nègres !

Il lui arracha sa cagoule et s'écria :

— Une femme ! Merde ! Higgins, viens voir, c'est une femme !

Son ravisseur l'obligea à se retourner vers lui et, à la lueur d'un éclair, il distingua ses traits.

— Bon Dieu ! Marilee Barbeau ! Mais qu'est-ce que vous faites là ?

Elle repoussa ses cheveux de son visage et, les yeux rivés sur les fentes de la cagoule, elle déclara les dents serrées :

— Vous n'êtes qu'un gang de fous dangereux. Et idiots, de surcroît, puisqu'une femme a pu infiltrer vos réunions secrètes !

— Si vous étiez un homme, je vous ferais exploser la tête ici même, gronda-t-il.

— Laisse-la ! cria son acolyte.

C'était Tom Higgins, elle le connaissait et le méprisait de toute son âme.

— Mais qu'est-ce qu'on va faire d'elle ? Je n'ai jamais tué une femme !

— Comment ? railla-t-elle. Il existerait donc une atrocité que vous n'ayez pas commise ? Étonnant. Un homme qui se cache derrière une cagoule pour terroriser les Noirs et qui hésite à abattre une simple femme. Allez-y, Tom Higgins, tirez ! Montrez comme vous êtes viril !

Elle ne vit pas venir le coup et tomba par terre lorsqu'il lui heurta violemment la tempe.

— La ferme, salope.

Elle déploya tous ses efforts pour ne pas sombrer dans l'inconscience. La tête lui tournait, tout était flou. Les voix lui parvenaient à travers de la ouate.

— Pourquoi tu l'as frappée ?

— Elle devenait hystérique, cette femelle.

— Je me demande comment elle a pu savoir nos codes de reconnaissance. Quelqu'un a dû la mettre au courant. Nous avons peut-être d'autres espions ?

— Ça sent le roussi.

— Pour l'instant, occupons-nous déjà d'elle.

— Tu vas la descendre ?

Il y eut un long silence.

— Non, son vieux nous tuerait.

La voix était autoritaire, et Marilee reconnut enfin celle de Stewart Mason. Stewart ne les laisserait pas la tuer.

Elle sentit qu'ils remuaient et garda les yeux fermés. Ses oreilles tintaient moins, et la douleur était supportable. Ils lui ligotèrent les poignets derrière le dos et glissèrent un morceau de tissu entre ses lèvres, avant de la soulever pour la jeter en travers de sa selle. Elle retint un cri de douleur. Il ne fallait pas qu'ils la sachent réveillée.

Les animaux se mirent en route, pour ce qui lui parut une chevauchée interminable. Elle sentit qu'ils grimpaient dans la montagne.

Enfin, ils s'arrêtèrent. Elle se tendit.

— Laissons-la ici, dit Stewart. Tu n'as qu'à la surveiller, puisque de toute façon elle t'a reconnu.

— Pendant combien de temps ? protesta Higgins.

J'ai du travail, moi, je ne peux pas rester ici indéfiniment.

— Je vais aller demander l'aide du Klan qui opère à l'ouest du pays.

— Que veux-tu qu'ils fassent de plus que nous ? demanda l'autre, sarcastique. Qu'ils la tuent ?

— Non, qu'ils nous débarrassent d'elle. Nous changerons nos signaux et nous serons tranquilles. Les autres trouveront bien quelque chose à faire d'elle.

— Quelque chose à faire *avec* elle, tu veux dire ? renchérit Higgins avec un rire gras. Elle est plutôt mignonne, elle me plaît bien, à moi.

— Si tu poses une main sur elle, je te tue, Higgins. Bon, et maintenant dépêchons-nous de la confier au Klan de l'ouest avant que sa disparition ne mette tout le comté en émoi. Je ne tiens pas à avoir son sort sur la conscience.

Comme si tu avais une conscience, fumier ! songea Marilee tandis qu'ils la soulevaient de la selle.

— O.K., je reste ici. Mais fais vite, je n'ai pas l'intention de moisir deux jours dans ce trou.

— Tu attendras mon retour, un point c'est tout, grogna Stewart.

Elle entendit un martèlement de sabots décroissant. Stewart Mason était parti. Elle entrouvrit les yeux et distingua une ouverture béante au-dessus de sa tête. Ils étaient dans une grotte éclairée par une torche, quelque part au milieu des montagnes.

— Alors, on se réveille, ma petite dame ? Tu dois regretter de t'être mise dans une embrouille pareille, hein ? Figure-toi que j'ai l'intention de te faire cracher tout ce que tu sais. Tu vas me raconter ça bien gentiment, hein ? Sinon tu le regretteras.

D'un mouvement brusque, il lui arracha son bâillon, et elle ne put réprimer son mépris :

— Je n'ai aucune intention de vous parler. Si j'ai pu vous démasquer, combien de temps croyez-vous qu'il faudra aux shérifs pour en faire autant ? Ils vont tous vous arrêter.

— C'est ça qui m'intéresse, justement. Pourquoi tu en sais plus qu'eux ? C'est pas qu'ils m'inquiètent, après ce qui leur est arrivé hier soir, ils ne vont pas tarder à détaler comme des lapins.

Un vent de panique souffla sur Marilee.

— Que... Que leur avez-vous fait ?

— Ils ont eu droit à la raclée de leur vie, répondit-il en riant. Je crois que le plus vieux a une jambe cassée et Coltrane la mâchoire brisée. On leur a bien dit que, s'ils recommençaient à fouiner, la prochaine fois, on les achèverait.

Travis et Sam blessés ! Non ! Un terrible remords la tortura. Elle s'était tue à cause de son père. Et à présent, par sa faute, la situation avait pris un tour dramatique.

Il faisait froid et humide, des ombres menaçantes dansaient sur les murs. Higgins s'approcha d'elle. D'un geste précis, il coupa la corde qui lui liait les poignets. Elle se les frotta en grimaçant de douleur.

— Je ne suis pas idiot au point de te détacher les chevilles. Déshabille-toi, et vite.

Elle tourna la tête avec terreur.

— Dépêche-toi. Sinon c'est moi qui vais le faire.

— Non... Vous ne pouvez pas...

— Si, je peux, répondit-il tranquillement en buvant une rasade de whisky. Et si tu es docile, tu vas bien t'amuser, toi aussi, tu verras. Je veux tout savoir.

— Je ne vous dirai rien. Violez-moi... Tuez-moi si vous voulez... Je ne dirai rien.

Il la considéra un instant, songeur, puis déclara :

— Avec le caractère que tu as, je sens que je ne vais

pas m'ennuyer avec toi. Mais je te materai. Et maintenant, mets-toi toute nue.

Il déchira sa robe blanche et la chemise qu'elle portait en dessous. Marilee tenta de cacher sa poitrine exposée, mais il lui écarta rudement les bras en riant.

— Voyons ça ! Oh, mais dis-moi, c'est très appétissant. Quand tu auras fini de me raconter ce que tu sais, on va prendre du bon temps, tous les deux.

— Allez au diable ! hurla-t-elle en donnant des coups de pied tandis qu'il lui retirait son pantalon.

— Et maintenant, debout ! ordonna-t-il en la tirant violemment par les cheveux. Par ici ! cria-t-il en la traînant un peu plus loin. J'ai découvert quelque chose. Qu'est-ce que tu dis de ça ?

Elle suivit craintivement son regard et leva les yeux. De longues racines horizontales dépassaient de la voûte, semblables à des poutrelles. Il lui saisit les bras, et en quelques secondes, elle se retrouva suspendue par les poignets. Seuls ses orteils touchaient le sol.

— Non, je vous en prie, détachez-moi !

Il promena son regard sur Marilee, s'approcha en passant une langue gourmande sur ses lèvres et caressa le corps tremblant.

— C'est beau, murmura-t-il d'une voix empâtée. Oh, ma belle, que c'est beau. Mais j'aurai tout le loisir d'en profiter plus tard. Pour l'instant, parle, je te décrocherai si tu es obéissante. Dis-moi seulement comment tu savais où et quand nous nous réunissions. Et je veux les noms des nègres et de tous ceux qui t'ont aidée.

Vive comme l'éclair, elle leva les jambes et lui frappa la tempe avec une force telle qu'il trébucha en arrière.

— Je ne dirai rien, espèce de fumier ! hurla-t-elle.

Il se précipita sur elle et, les ongles plantés dans ses fesses, il lui mordit cruellement les seins. Puis il recula et grogna :

— Petite mijaurée. Je n'ai jamais pu te sentir. Tu t'es toujours crue mieux que les autres, hein ? Epouser un putain de Yankee ! Eh bien, si le patron n'est pas content, tant pis pour lui, parce que je vais te faire ta fête, ma belle.

Il prit la torche et dénicha un long bâton fourchu. Il disparut ensuite en marmonnant dans les confins de la grotte.

Le cœur de Marilee battait à tout rompre. Qu'avait-il en tête ? Ses bras lui faisaient terriblement mal.

— Me revoilà, ça n'a pas été long, hein ? cria-t-il d'une voix triomphale. J'ai déniché un nid intéressant.

Un cri déchirant lui échappa lorsqu'elle vit le serpent à la tête ovale qui se tortillait sur le bâton.

Un crotale !

Higgins le laissa tomber sur le sol à un mètre de Marilee. Le serpent se lova en sifflant avec colère, préparant son attaque.

Higgins recula en souriant.

— Je vais t'expliquer les règles du jeu. Pour chaque question que je te poserai, si la réponse ne me satisfait pas, je pousserai vers toi notre petit ami avec mon bâton. Ça risque de ne pas lui plaire beaucoup, et, tôt ou tard, il mordra ces jolies gambettes. Alors sois raisonnable. Si tu es sage, quand tu auras fini de parler, je le tuerai. Et après, on s'amusera tous les deux. Qu'est-ce que tu dis du programme ?

L'immense serpent était enroulé sur lui-même, déjà assez proche pour frapper.

— D'abord, commença Higgins, comment savais-tu qu'on se réunissait ?

Elle ne répondit pas. Il prit son bâton et repoussa le serpent de quelques centimètres. La bête bondit en direction d'Higgins et elle ne put retenir un cri.

— Allons, allons, tu n'aurais pas dû crier ; maintenant, il sait que tu es là. Comme il m'a raté, c'est sur toi qu'il va sauter la prochaine fois.

Il repoussa plus près encore le crotale, qui était maintenant à dix centimètres d'elle.

— Quel gâchis, soupira Higgins. Enfin, je dirai au patron que tu t'es fait attaquer en essayant de fuir. Alors qu'il te serait si facile de parler. Je ne peux pas croire que tu aies tant envie de mourir.

La scène était une véritable vision d'enfer. Les ombres de son corps dansaient sur les murs de la grotte. Le corps massif d'Higgins était ramassé dans un coin, et le serpent à sonnettes ondulait au milieu, produisant un bruit de crécelle. Higgins avait les yeux rivés sur la poitrine palpitante de Marilee.

— Non ! décréta-t-il soudain. On aura tout le temps plus tard pour ça. J'ai trop envie de toi maintenant.

Il souleva le reptile avec son bâton et l'envoya voler vers le fond de la grotte. Puis il se précipita en grognant vers Marilee. Il lui mordilla les seins, la caressa de sa langue brûlante et avide, tandis qu'elle fermait les yeux et se tordait de dégoût.

— Je vais te descendre de là, ma beauté, et t'allonger par terre pour mieux te prendre.

Il s'apprêta à dénouer les cordes qui la retenaient. Subitement, il poussa un hurlement qui glaça les sangs de Marilee.

— Oh, bon Dieu, non !

Il chancela et tomba à genoux.

— Non, non, non !

Il tenait sa jambe gauche entre ses deux mains, et elle se tordit pour essayer de voir. Là, au-dessous d'elle, replié sur lui-même, un crotale était prêt à frapper de nouveau.

Cette grotte était leur nid. Il y en avait probablement partout.

Higgins sautillait en direction de la sortie.

— De l'aide... Il me faut de l'aide... criait-il, hystérique.

Sa voix diminua dans le lointain. Il courait vers sa tombe, songea Marilee. Son père l'avait souvent mise en garde contre les morsures de serpent. Si l'on s'affole, si l'on bouge, le poison circule plus vite et la mort est certaine.

Elle se força à respirer avec calme, s'interdisant de céder à la panique. Un autre serpent approchait sur le sol humide de la grotte. Il venait droit vers elle. Il s'arrêta et darda sur Marilee deux yeux noirs et ronds. Marilee se mordit la langue et sentit le goût du sang dans sa bouche. Elle canalisa son esprit sur la douleur et mordit plus fort. Elle ne hurlerait pas. Le crotale s'enroula autour de sa jambe, réchauffant contre le sien son corps froid et visqueux.

Elle ferma les yeux, et soudain le mouvement de la chair contre la sienne s'interrompit. Elle rouvrit lentement les paupières et s'autorisa un infime mouvement de tête pour regarder vers le bas.

Le serpent s'était enroulé autour de ses pieds. Marilee sombra dans une bienheureuse inconscience.

21

Le sifflement strident de la balle ricocha contre les parois de la caverne, et Marilee reprit brutalement conscience, le cœur serré par l'horreur. Elle laissa échapper un cri de joie en voyant le long reptile qui gisait à ses pieds, la tête éclatée.

— Tenez bon, mon cœur, je vais vous décrocher.

Elle tourna la tête, reprenant espoir. Puis elle vit le visage défiguré.

— Oh, non ! Mon Dieu, Travis ! Que vous ont-ils fait ?

Il tira un couteau de sa botte et taillada les cordes. Elle s'effondra dans ses bras.

— N'essayez pas de bouger, s'écria-t-il. Je ne sais pas depuis combien de temps vous êtes suspendue comme ça mais vous êtes sûrement trop ankylosée pour marcher. Bon Dieu, vos poignets sont en sang ! Filons d'ici en vitesse, cette grotte est un repère de serpents.

Il la prit au creux de ses bras et, avant qu'elle n'ait le temps de réaliser ce qui se passait, il tirait un nouveau coup de feu. Elle vit alors un autre reptile, mort, à quelques pas d'eux.

Lorsqu'ils furent enfin dehors, Marilee cligna des yeux. Le soleil se levait et les oiseaux gazouillaient, rendant gloire à Dieu. Elle le remercia silencieusement, elle aussi, de lui avoir permis de connaître une aube nouvelle.

Travis l'allongea délicatement sur un lit d'aiguilles de pin, puis ôta rapidement sa chemise pour l'en couvrir. Il lui prit les mains et demanda :

— Où avez-vous mal ? Vous a-t-il fait quelque chose ?

— Non. Mais il s'y apprêtait quand le crotale l'a mordu.

— Il est mort, annonça Travis. Il vivait encore quand je l'ai trouvé, il a grommelé quelque chose à propos d'un serpent et d'une grotte, puis il a rendu l'âme.

Elle voulut toucher Travis, mais retira vivement la

main de crainte de le blesser. L'un de ses yeux était tuméfié, il pouvait à peine l'ouvrir, et sa joue était balafrée d'une longue cicatrice.

— Ne vous inquiétez pas pour mon visage, mon cœur, dit-il en souriant. C'est peut-être lui qui attire les dames vers moi, mais ce ne sont pas quelques estafilades qui les dissuaderont de revenir.

Elle ne put s'empêcher de rire.

— Travis Coltrane, je ne connais que vous pour penser à des choses pareilles à un moment comme celui-ci. Mais vous êtes sûr que cela va aller ? Et Sam ?

— Sam a une jambe cassée, fit-il d'un air sombre. Ils m'ont sauté dessus dans l'impasse qui mène à mon bureau avant-hier, puis ils ont eu Sam alors qu'il sortait, attiré par le bruit. Ils ne nous ont pas ratés. En me réveillant, chez le Dr Humboldt, j'ai appris que j'étais resté inconscient toute la nuit et toute la journée.

Elle le considéra avec stupeur.

— Mais comment m'avez-vous retrouvée ? Si loin de tout et...

— Je pense, dit-il, qu'il est temps que nous ayons une petite conversation tous les deux.

Elle le regarda s'asseoir en tailleur et s'émerveilla malgré elle de son torse magnifique, musclé et couvert d'une toison épaisse et noire. Elle se sentit rougir et espéra qu'il ne devinait pas ses pensées.

— Je sais depuis pas mal de temps, dit-il, que vous espionnez le Klan.

— Comment ?

— Vous transmettiez des renseignements à Willis et à d'autres, qui me l'ont rapporté. Je les ai priés de ne pas vous dire que j'étais au courant. Vous faisiez du bon boulot. C'était extrêmement dangereux, mais je croyais que, si je vous protégeais en restant dans les parages, les choses suivraient leur cours jusqu'à ce que j'aie le temps d'intervenir de mon côté.

— Et moi qui vous accusais de ne pas faire votre travail ! gémit-elle.

Il sourit et poursuivit.

— Hier soir, au petit pavillon, Willis m'a dit que vous n'étiez pas revenue. Il semblait très inquiet. Nous avons attendu, et je m'apprêtais à partir à votre recherche lorsque Israel est venu nous raconter ce qui s'était passé.

— Israel ? Mais comment le savait-il ?

— Je vous l'ai dit, je vous faisais protéger. Perché sur un arbre, Israel vous surveillait à chaque réunion. Il m'a dit dans quelle direction vous étiez partis, et j'ai suivi la piste.

— Ils devaient s'attaquer à Bart, hier soir ! s'écriat-elle soudain. Ont-ils...

— Non, la rassura-t-il rapidement. Israel nous a prévenus. Bart est en sécurité. Bref, je vous ai suivis. J'ai vu Mason revenir mais, comme il était seul, j'ai poursuivi mes recherches... qui m'ont conduit jusqu'à Higgins. Vous ne pouviez pas être loin.

— Ainsi, vous savez que Mason est impliqué ?

Il la regarda droit dans les yeux et répondit calmement :

— Je connais tous les noms, Marilee.

Il ne pouvait pas être au courant, pour son père, songea-t-elle. Et elle ne lui dirait rien.

— Mason ne voulait pas me tuer, expliqua-t-elle. Il voulait me remettre à un groupe du Ku Klux Klan de l'ouest de l'Etat, pour qu'ils me gardent prisonnière, car il savait que mon père passerait la région au peigne fin pour me retrouver.

— Mason se doute-t-il que vous l'avez démasqué ? fit Travis en haussant un sourcil.

— Non. Il croit que le seul homme du Klan que j'aie reconnu est Higgins.

— Et Higgins est mort, murmura-t-il, songeur. Dans ce cas, vous n'êtes plus en danger. Il va falloir que vous rentriez chez vous en jouant l'innocente. Le Klan va probablement changer le lieu de rendez-vous, mais de toute façon il n'est pas question que vous poursuiviez vos activités.

— Higgins m'a attachée pour me torturer. Il voulait que je lui dise d'où je tenais mes renseignements. Puis il y a eu ces serpents... L'un d'eux s'est enroulé autour de ma jambe...

— Je sais, l'interrompit-il avec douceur. C'est ainsi que je vous ai trouvée. Je craignais qu'en vous réveillant brutalement vous ne lui fassiez peur. J'ai préféré tirer, conclut-il simplement.

Elle se redressa.

— Vous l'avez tué alors qu'il était encore... *enroulé autour de mes pieds* ?

— Je n'avais guère le choix, délicieuse créature, grimaça-t-il. J'ai beaucoup de travail, vous savez, je ne peux pas perdre de précieuses heures à venir au secours de demoiselles en détresse.

— Eh bien, je vous remercie, preux chevalier, dit-elle, sarcastique. Vous auriez fort bien pu me tirer dessus.

— Je ne tire que lorsque je suis certain d'atteindre ma cible. Vous avez vu le résultat.

Elle le regarda avec perplexité tandis qu'il s'étirait.

— Bien. Je crois que vous devriez rentrer, à présent. Il faut que nous vous trouvions des vêtements. Vous direz à votre père que vous avez été jetée à bas de votre cheval, qui s'est cabré devant l'orage, et que vous avez dû rentrer à pied. Vous prétendrez que vous avez été prise dans les rênes en tombant. Heureusement, vos blessures ne sont pas sérieuses. Je vous raccompagnerai aussi loin que la prudence me le permettra.

— Et Stewart ?

— Pour l'instant, il ne représente aucune menace. Et vous n'en constituez pas pour lui puisqu'il croit que vous ne l'avez pas reconnu. Il pensera que vous vous êtes enfuie quand Higgins s'est fait mordre.

— Mais ne s'étonnera-t-il pas que je ne raconte rien à mon père ?

Il garda le silence un instant, songeur, et répondit :

— Il comprendra que vous ne voulez pas dire à Jordan Barbeau que vous êtes au courant de ses activités.

Elle poussa un petit cri.

— Vous le savez donc ! Je voulais lui parler, le raisonner. Vous ne pouvez pas arrêter mon père, Travis !

— Ma chérie, je comprends ce que vous ressentez, mais vous voyez bien que les choses ne se déroulent pas comme vous l'espériez. Je n'ai pas encore démantelé le Klan parce que je veux identifier les cerveaux qui en sont à la base. En homme intelligent, votre père a bien protégé ses arrières. J'ai eu du mal à en arriver là où j'en suis. Je ne voudrais pas tout gâcher maintenant.

Les larmes coulaient le long des joues de Marilee.

— Non, je ne vous laisserai pas faire cela à mon père.

— Cela ne dépend pas de vous, dit-il sèchement.

Puis il lui souleva doucement le menton et l'obligea à croiser son regard.

— Ecoutez-moi, il n'y a aucune alternative. Je sais que vous aimez votre père, et votre loyauté est admirable. Mais il est trop tard. J'en sais déjà trop sur son compte.

— Vous pourriez arrêter Mason et les autres, et laisser mon père tranquille. S'ils sont en prison, il n'en restera pas assez pour former un nouveau Klan.

— Vous savez bien que c'est impossible. Haïssez-moi si vous le voulez, mais je ne puis le laisser en liberté. Et même si vous le prévenez, je l'aurai. Comprenez-vous ce que je vous dis ? Et cessez de vous en vouloir. Votre père savait ce qu'il faisait, depuis le début. C'est lui qui s'est attiré tous ces ennuis.

— Et Alaina ? Si vous arrêtez notre père, elle vous détestera davantage encore.

— Je ne suis pas responsable des émotions d'Alaina. Je suis chargé d'appliquer la loi.

— C'est vous qui l'avez séduite, accusa-t-elle. Comment pouvez-vous faire fi de ses sentiments ?

— Je ne lui ai jamais demandé de tomber amoureuse de moi.

— Comment osez-vous dire qu'elle vous est indifférente ! s'écria Marilee.

— Je lui ai donné la seule chose que je lui aie jamais promise, dit-il avec simplicité.

— C'est-à-dire ?

— J'ai comblé son désir. C'était cela qu'elle voulait, et rien d'autre. C'est tout ce que demande ce genre de femme. Elles prétendent chercher l'amour et la romance ! Allons donc ! C'est uniquement pour obtenir la respectabilité qu'exige la société. Si un homme et une femme se désirent, qu'ils prennent leur plaisir sans se soucier du qu'en-dira-t-on !

Marilee inspira profondément et lâcha lentement son souffle.

— J'avais raison. Vous êtes un sauvage, Travis Coltrane.

Il la prit par les épaules et l'allongea par terre. Puis, à califourchon au-dessus d'elle, il murmura avec un sourire amusé :

— Ainsi, vous trouvez que je suis un sauvage ? Et alors ? Il me semble que cela ne vous a pas déplu lorsque nous avons fait l'amour.

— Que le diable vous emporte ! Allez-y ! Prenez-moi ! le défia-t-elle, des larmes amères aux yeux. Violez-moi ! C'est ce que vous faites aux femmes !

— Je n'ai jamais violé une femme. Et je vais vous dire pourquoi : parce que ce sont elles qui me supplient de les prendre.

Ses lèvres s'écrasèrent sur les siennes et elle se débattit, mais la bouche de Travis était implacable. Il roula sur le côté et lui serra les poings entre ses doigts. Malgré elle, elle répondit à son baiser, se cambra vers lui. Elle oubliait déjà de le haïr.

L'ouragan du plaisir traversa leurs corps. Ils virent des milliers d'étoiles merveilleuses et Marilee cessa de penser. C'était magnifique... interdit... et elle devina que le péché véniel était plus doux que le nectar des dieux.

Travis chevauchait en silence. Marilee se tenait à la selle, pas à sa taille. Très bien, qu'elle boude. Et alors ? Il s'en moquait bien.

Pourtant non, lui soufflait une petite voix. Il ne s'en moquait pas du tout. Il y avait quelque chose en elle qui la rendait chaque minute plus désirable. Et Travis s'en maudissait intérieurement. Il n'était pas question d'aimer de nouveau. C'était arrivé malgré lui avec Kitty, et en mourant, Kitty avait tout emporté. Tant pis, et tant mieux.

Ô Seigneur, oublierait-il un jour ses cheveux, ses yeux, ses lèvres succulentes comme des fraises... Les souvenirs le hanteraient-ils donc à jamais ?

La voix de Marilee le sortit de sa douloureuse stupeur.

— Nous y sommes presque.

Il tira les rênes et l'aida à mettre pied à terre. Puis il alla chercher l'un des ouvriers noirs et lui dit quelques mots à voix basse. Il revint en annonçant :

— Rosa va vous apporter des vêtements. Je vous laisse, il ne faut pas qu'on me voie ici. Vous savez que dire, n'est-ce pas ? Vous savez de quoi est capable le Klan, vous voulez y mettre un terme autant que moi.

— Quand aurai-je de vos nouvelles ? Quand allez-vous intervenir ?

— Je vais en discuter avec Sam. Ne vous inquiétez pas. Et surtout, ajouta-t-il en lui tapotant d'un doigt le bout du nez, restez en dehors de tout cela, désormais. Quoi que vous puissiez apprendre. Ils vont vous surveiller, soyez extrêmement prudente.

— Je sais ce que j'ai à faire, rétorqua-t-elle. Jusqu'à présent, je m'en suis très bien sortie sans votre virile protection, shérif.

— Allons, Marilee, ne me prenez pas de haut, fit-il en riant doucement.

Il la serra contre lui et l'embrassa jusqu'à lui couper le souffle.

— Lâchez-moi ! protesta-t-elle.

— Oh, bon sang, femme, je suis las de jouer la comédie. Rendez-moi ma chemise. Je ne peux pas retourner en ville torse nu.

— Et moi ? Vous croyez que je vais rester ici en costume d'Eve ?

— Cachez-vous dans les buissons, Rosa ne va pas tarder.

Elle ôta la chemise et mit les poings sur les hanches, sans essayer de cacher sa nudité.

— Merci, shérif ! rugit-elle avec colère. Merci infiniment, trop aimable à vous !

— Vous voyez, fit-il en montant en selle, je savais que vous me remercieriez !

Il talonna son cheval et partit au galop. Les cris

furieux de Marilee le suivirent. En vérité, se répétat-il, amusé, c'était une sacrée femme ! Mais non, libre il était, et libre il resterait. Marilee n'était qu'une passade. Comme les autres.

Il ne tomberait plus dans le piège de l'amour.

22

— Vot' papa il est dans une humeu' ! s'exclama Rosa en versant un nouveau seau d'eau fumante dans la baignoire. Y dit que, si vous descendez pas tout de suite, y va monter vous voi' même que vous êtes dans le bain !

Marilee poussa un soupir et s'enfonça plus profondément dans la mousse. Comment pourrait-elle jamais regarder son père en face ? Comment prétendre que tout allait bien, alors qu'il risquait d'être arrêté à tout moment ?

— Rosa, tu ne lui as rien dit, au moins ?

— Allons, vous me connaissez, M'ame Ma'ilee. Je lui ai dit juste ce que vous m'aviez demandé de lui di'. Mais moi, ajouta-t-elle avec un reniflement réprobateur, on me la fait pas, et j'aime'ais bien savoi' de quelle maniè' vous avez pu pe'd' vos vêtements !

— Rosa, oublie toute cette histoire, maintenant, veux-tu ?

— Et je me demande aussi ce que vous faisiez en compagnie du shé'if...

— Cela ne regarde que moi.

Rosa éclata de rire.

— Celui-là... Il a le chic pou' mett' son nez pa'tout. 'ema'quez, ça so' pas de la famille ! Et l'aut' nuit enco', Mam'zelle Alaina qu'est allée le voi' en ville...

Marilee se redressa brusquement.

— Quand cela ?

Rosa fit une grimace. Avait-elle commis un impair ? Les deux sœurs ne se disaient donc pas tout ?

— Rosa, gronda Marilee, je te conseille de parler. Et ne crains pas de trahir Alaina, je suis déjà au courant. Je veux seulement savoir quel jour elle s'est rendue en ville.

Rosa répondit avec un soupir de soulagement :

— Ba't l'a emmenée, comme y l'avait déjà fait. Mais cette fois, avant-hie' soi', quand elle est 'evenue, elle pleu'ait toutes les la'mes de son co'. Y dit qu'elle ju'ait et maudissait le shé'if.

— C'était donc la nuit où ils ont été agressés.

— Oui, m'ame. Tout le monde il est au cou'ant. Y pa'aît que le shé'if Colt'ane il est bien amoché. Lui qu'est si beau ! Mais y s'en ti'e'a. Et Ba't y m'a dit que, quand il a quitté Mam'zelle Alaina, il allait enco' bien, il a dû se fai' attaquer ap'ès.

— La même nuit, répéta Marilee, songeuse.

Stewart Mason avait dû apprendre que Travis avait rencontré Alaina et s'était vengé, espérant chasser les shérifs de la ville. Elle claqua l'eau du plat de la main. Maudit soit ce Ku Klux Klan ! Maudite soit Alaina qui était allée se fourrer dans les bras de Travis. Maudit soit-il de ne pas lui avoir résisté. Et maudite soit-elle de s'être retrouvée mêlée à toutes ces histoires.

— Oh, qu'ils aillent tous au diable ! s'écria-t-elle en se levant. Il est temps que cela cesse.

— Qu'est-ce que vous 'acontez, M'ame Ma'ilee ? s'inquiéta Rosa en lui tendant une serviette.

On frappa à la porte et Marilee ordonna :

— Si c'est mon père, dis-lui que j'arrive, mais ne le laisse pas entrer.

Elle entendit la porte s'ouvrir, puis la voix d'Alaina qui pénétrait précipitamment dans la chambre.

— Où est-elle ? Je viens d'apprendre la nouvelle. Oh, le ciel soit loué, tu n'as rien !

Elle embrassa Marilee sans se soucier de mouiller sa robe et la regarda, les yeux brillants :

— Tu te rends compte de la frayeur que tu nous as causée ?

— Allons, calme-toi, Alaina, dit-elle en souriant. Tout va bien.

Alaina se tordait les mains en gémissant.

— Mais que se passe-t-il dans cette maison ? Tu as failli te faire tuer sous l'orage, papa est on ne peut plus bizarre, et impossible de mettre la main sur Bart ! Il faut que j'aille en ville, j'ai appris qu'on avait battu Travis. Marilee, aide-moi, je t'en prie. Papa t'écoute, toi, tu es si raisonnable. Il refuse de me laisser aller en ville, mais il le faut ! Et il ne reste plus que toi pour m'y emmener. Insiste auprès de papa, dis-lui que je dois absolument voir Travis.

Marilee tourna le dos et déclara d'une voix calme :

— Si Travis veut te voir, Alaina, c'est lui qui viendra. Que fais-tu de ton amour-propre ?

— Ce n'est pas une question d'amour-propre ! s'écria Alaina, au désespoir. Il faut que je sache s'il va bien. Tu ne comprends donc pas que c'est le seul homme que j'aie jamais aimé, Marilee ? Je ne peux pas vivre sans lui.

Elle se couvrit le visage de ses mains, puis leva les bras en l'air.

— Mais comment pourrais-tu comprendre ? Personne ne le peut ! Si tu savais... Si tu avais goûté ses baisers, frémi sous son étreinte, tu te rendrais compte à quel point je l'aime !

— J'imagine, Alaina, mais laisse-moi te rappeler que, depuis l'âge de quatorze ans, tu t'es prétendue amoureuse une douzaine de fois ! Cette petite aventure avec le shérif Coltrane n'est ni plus importante ni plus durable que les précédentes. Tu verras.

— Je ne verrai rien du tout ! fit Alaina en serrant les poings.

— Dans ce cas, pourquoi a-t-il rompu ?

Alaina rejeta ses cheveux en arrière.

— Nous avons eu une querelle d'amoureux. Ça arrive, non ? Mais non, comment le saurais-tu ? Tu as épousé le seul homme qui t'ait jamais courtisée. Et il n'y en a pas eu d'autres, n'est-ce pas ? Que sais-tu de la passion ? Donald ne m'a jamais paru du genre à savoir embraser une femme.

Marilee regardait en silence par la fenêtre, et ce fut Rosa qui explosa.

— Mam'zelle Alaina, c'est aff'eux de di' des choses pa'eilles à sa sœu', su'tout ap'ès ce qui vient de lui a'iver. Pe'due toute la nuit dans la tempête et dans le noi'... Vous êtes bien mauvaise !

Alaina leva le menton.

— Peut-être. Mais c'est vrai, personne ne peut comprendre ce que j'éprouve pour Travis Coltrane.

— De toute façon, poursuivit Rosa, vot' papa y vous a exp'essément inte'dit de continuer à le voi'. Et vous m'avez dit que le shé'if y veut plus vous voi' non plus. Alo' a'êtez de fai' le bébé. Vous avez des tas de p'étendants, c'est pas la peine d'aller en che'cher un qui plaît pas à vot' papa.

Alaina lui jeta un regard furieux.

— Je croyais que tu étais mon amie, Rosa.

— Pa'fois, c'est les amis qui doivent vous mett' en ga'de quand vous faites des bêtises. Je vous dis ça pa'ce que je vous aime bien, et je veux pas vous voi' souff'i' à cause d'un homme.

Alaina renifla.

— Je ferais peut-être mieux d'épouser Stewart

Mason et de quitter cette odieuse maison. Comme cela, je n'aurais plus à vous supporter toutes les deux.

Marilee ne put s'empêcher de rire.

— Tu n'es pas si bête ! Stewart ne t'est rien, rien du tout. Alors, cessons cette discussion idiote et laisse-moi m'habiller, veux-tu ?

Alaina pivota sur ses talons.

— Tu verras ! dit-elle d'une voix tremblante. Vous verrez toutes les deux !

Elle claqua la porte derrière elle.

Marilee enfila la robe de taffetas ivoire que lui tendait Rosa. Il était temps d'affronter son père.

Il l'attendait dans son bureau, les lèvres pincées, la mine sombre. Il la serra brièvement dans ses bras, s'installa dans son fauteuil de cuir et ordonna :

— Maintenant, raconte-moi ce que tu faisais la nuit dernière sous un tel orage ! Je veux tout savoir. J'en ai assez que mes filles courent le galant au milieu de la nuit ! ajouta-t-il en claquant du poing sur la table.

Le cœur battant, elle le regardait en s'exhortant intérieurement au calme. Oh, si seulement son propre père n'était pas mêlé au Klan !

Elle lui raconta l'histoire qu'elle avait soigneusement répétée.

— Et cette stupide négresse, Rosa ! Pourquoi a-t-il fallu qu'elle attende trois heures du matin pour m'avertir de ton absence ? Comment a-t-elle pu s'endormir en te sachant dehors ?

Marilee ferma les yeux.

— Comme si les ragots dont fait l'objet Alaina à propos de ses petites escapades nocturnes chez le shérif ne suffisaient pas ! Je ne sais pas quel sort cet homme lui a jeté ! J'ai bien envie de lui mettre le Klan aux trousses pour lui administrer une leçon. S'il s'imagine...

Il s'interrompit devant l'expression de sa fille.

— Eh bien, qu'y a-t-il ?

Elle murmura en baissant les yeux :

— Qu'as-tu dit, père ? Lui mettre le Klan aux trousses ?

— Mais oui ! J'ai des relations.

— C'est bien ce qui me fait peur. Tes relations. Bon sang, je ne peux donc pas me taire ?

Il sursauta.

— Qu'est-ce que tu racontes ? Peur de quoi ? Que veux-tu dire ?

Elle prit une profonde inspiration, chercha ses mots, puis plongea :

— J'ai peur que tu n'aies trop de relations, père. Je ne voudrais pas que cela t'attire des ennuis.

— Une seconde, petite !

Il se leva et se dressa au-dessus d'elle. Elle garda les paupières baissées.

— Je ne vois pas ce que tu insinues. Oui, j'ai des relations. Dans tout le comté, tout l'Etat, même, peut-être. Mais ça ne signifie pas que je sois directement impliqué, ni responsable de quoi que ce soit. Me suis-je bien fait comprendre ?

Elle ferma les yeux. Elle s'était doutée qu'elle ne pourrait pas raisonner son père.

— Si les autorités démantèlent le Klan, et que tu es compromis, même d'infime manière, tu risques la prison.

Il gloussa.

— Tu me prends pour un abruti ? Crois-tu que je serais devenu l'homme le plus riche et le plus influent de l'Etat du Kentucky si j'étais stupide ? Je ne vois pas pourquoi tu te mets des idées pareilles dans la tête, mais je te suggère...

On frappa à la porte et, sans attendre de réponse, Stewart fit irruption dans le bureau.

— J'ai appris que vous l'aviez retrouvée... commença-t-il.

A cet instant, il remarqua Marilee. Son visage prit la couleur de la cendre. Ses lèvres remuèrent en silence pendant quelques secondes, et il parvint enfin à prononcer :

— Comment... Comment allez-vous ?

Malgré la haine farouche que lui inspirait cet homme, et le ridicule de sa question, Marilee répondit avec calme :

— Je vais bien, Stewart, merci.

Il semblait terrifié, et elle réprima à grand-peine un sourire tandis qu'elle lui faisait la même narration qu'à son père.

— Et voilà, conclut-elle gaiement. Tout est bien qui finit bien, Dieu merci.

Il restait suspendu à ses lèvres, comme s'il attendait qu'elle hurle la vérité. Manifestement, son esprit fonctionnait à toute allure. Comment s'était-elle enfuie ? Où était Tom Higgins ? Pourquoi ces mensonges ? Et surtout, l'avait-elle démasqué ?

Marilee se tourna vers son père :

— J'ai appris que Bart avait disparu. Tu ne penses pas que le Klan aurait quelque chose à y voir, par hasard ?

Sa lèvre supérieure s'ourla avec mépris et il cria :

— Arrête de t'inquiéter pour ces nègres et ne te mêle pas des histoires du Klan ! Et maintenant, dehors, Mason et moi avons à parler.

Elle se leva lentement, blessée par cet éclat. Stewart ne la quittait pas des yeux. Elle tourna les talons et sortit.

Mais elle ne remonta pas dans sa chambre. Il fallait qu'elle sache ce qu'ils avaient à se dire.

Tapie dans le passage secret, elle distingua la voix assourdie de son père.

— ... Il faut absolument le neutraliser une bonne fois pour toutes, disait-il. Cette rossée n'a servi strictement à rien, sinon à attiser sa détermination. Et tu me dis que Bart a disparu alors que le Klan allait l'enduire de goudron et de plumes. Ça ne me plaît pas. Pas du tout. Il y a un espion dans la place, et je soupçonne Coltrane d'être derrière tout ça. Je joue gros, Mason. Et toi aussi.

— Bon Dieu, oui. Alaina s'est entichée de lui, il me l'a volée !

— Il ne te l'a pas volée, imbécile, dit Barbeau avec dégoût. Il lui a simplement tourné la tête, voilà tout. Mais on ne le laissera pas continuer. J'en ai assez de le voir fourrer son nez dans mes affaires et dans ma famille. Il a signé son arrêt de mort, Mason !

Marilee ne put réprimer un hoquet d'horreur.

— Qu'est-ce que c'est ? demanda vivement son père, alarmé.

— Je n'ai rien entendu, fit Mason. Mais ça fait des semaines que je vous répète qu'on devrait les tuer, lui et Bucher. Ils en savent sûrement trop.

— Pour notre sécurité à tous les deux, nous allons nous débarrasser définitivement de lui.

Marilee pressa ses poings sur ses lèvres tremblantes et se plaqua contre le mur. Quel plan allaient-ils ourdir ? Comment prévenir Travis ? Ô mon Dieu, songea-t-elle tandis que la bile lui montait à la gorge, son père était encore plus cruel qu'elle ne l'avait cru. Elle l'entendit qui poursuivait :

— Il faut que l'on croie à un accident. Qu'on ne soupçonne pas le Klan. On n'assassine pas un shérif fédéral comme on assassine des nègres.

— Et si on faisait en sorte que ce soient des nègres qui le tuent ?

Il y eut une pause, puis :

— Comment comptes-tu t'y prendre ?

— C'est très simple. Vous savez que nous croyons avoir repéré ce semeur de troubles, Munroe. Tout le monde sait qu'il a une grande gueule. Nous n'avons qu'à tuer Coltrane et Bucher en faisant croire que c'est lui. Nous dirons qu'ils allaient l'arrêter, et qu'il a tiré sur eux. Quelques braves citoyens zélés seront comme par hasard témoins et tireront sur le nègre lorsqu'il essayera de s'enfuir. Les représentants de l'ordre qui viendront enquêter partageront nos problèmes avec ces sales nègres. Et tout ça se retournera finalement à notre avantage. Bon débarras, Coltrane et Bucher, conclut-il fièrement.

— Félicitations, Mason. Encore quelques bonnes idées comme celle-ci et, qui sait ? peut-être seras-tu assez futé pour diriger tout toi-même. Bon, où est ce Munroe ? J'aimerais que cette affaire soit réglée au plus vite.

— Je saurai vers le milieu de l'après-midi si c'est bien sa planque ou non. Le seul ennui, c'est que Bucher est alité avec une jambe cassée. Il va falloir agir en ville, c'est la seule manière d'avoir les deux à la fois.

— Mais non, crétin. C'est beaucoup trop dangereux. Arrange ton petit manège là où tu trouveras Munroe, peu importe où. Puis, fais porter un message à Coltrane disant que le Klan va pendre un nègre. Il rappliquera au galop. Tu n'auras qu'à le surprendre et tuer le négro. Quant au shérif Bucher, poursuivit-il avec désinvolture, débrouille-toi pour que quelqu'un l'accompagne sur les lieux du crime une fois Coltrane disparu. C'est là qu'on l'abattra, on n'a pas besoin de les avoir tous les deux en même temps. Bien sûr, tout cela devra se dérouler de nuit.

Mon Dieu, songeait Marilee. Comment pouvait-il parler si froidement de tuer des hommes ?

— Tu n'as qu'à envoyer les principaux membres du Klan dans des lieux publics, ce soir. Ainsi, ils ne seront pas soupçonnés du meurtre des shérifs. Et laisse des sous-fifres s'occuper de la sale besogne : tu ne courras pas de risque non plus. Vous aurez tous des alibis en béton.

— Patron, c'est impossible. Si je protège tous nos chefs et que je confie le boulot à des membres ordinaires, il sera mal fait, c'est certain. Et puis, mieux vaut ne pas ébruiter notre petit secret.

— Comme tu veux, soupira Jordan Barbeau. Je te laisse juge. Ce soir, je m'enfermerai dans le bureau. Dès que c'est fini, reviens me trouver. S'il se passe quoi que ce soit, je jurerai que tu étais ici avec moi. Mais sois prudent !

— Ne vous inquiétez pas. Ça fait trop longtemps que j'attends ce moment pour commettre un impair.

— Bon. Ensuite, nous n'aurons plus qu'à démasquer le traître ou l'espion.

Marilee retint sa respiration. Qu'allait dire Mason ?

— On s'en occupera, patron. Vous en faites pas.

Quelqu'un frappa à la porte du bureau et Jordan cria avec impatience.

— Quoi ? Qu'y a-t-il ? J'ai demandé à ne pas être dérangé.

— Excusez-moi, Missié Ba'beau, dit faiblement Rosa. Mais y a quelqu'un à l'ent'ée de se'vice qui demande à voi' Missé Mason tout de suite.

— Ce doit être Lonnie Bruce Burnham, dit Mason. C'est lui qui devait aller vérifier la planque de Munroe.

— Faites-le entrer, ordonna Jordan.

Puis il baissa la voix.

— Je vous laisse une minute tous les deux. J'ai des caisses en provenance de Paris à réceptionner.

— Bien sûr, patron. Allez-y. Je parlerai à Lonnie Bruce.

Marilee entendit la porte s'ouvrir et se refermer. Elle patienta quelques instants, espérant découvrir où se cachait Munroe afin de prévenir Travis. Soudain, elle entendit un bruit de petites pattes résonner juste au-dessus de sa tête. Une souris ? Un rat ? Au moindre cri, au moindre geste brusque, on l'entendrait du bureau !

La bestiole se rapprochait ; quelque chose toucha les cheveux de Marilee et balaya son visage. La queue d'un rat ! Il était sur sa tête, immobile. Elle s'interdit de hurler ou de remuer.

Il fallait à tout prix qu'elle concentre son attention sur quelque chose.

Travis.

Son visage, ses yeux d'un gris argenté. Ses cheveux noirs brillants. Il souriait. Oh, ce sourire irrésistible. Parfois arrogant, parfois moqueur. Pourquoi éprouvait-elle pareille émotion lorsqu'elle pensait à lui ? Pourquoi ne parvenait-elle pas à le détester ?

Il était superbe, magnifique, solide, ne craignait rien ni personne... Et il lui avait révélé, ô suprême mystère, l'essence de sa féminité.

La queue du rat balaya une fois encore son visage.

Réciter quelque chose ! Lentement, un vers de Sir Richard Steele lui vint à l'esprit.

« De tous les sentiments qui animent l'être humain, l'amour de la gloire est le plus violent. »

L'amour de la gloire... de la splendeur. Travis lui était tout cela, et elle n'allait pas laisser ce maudit rat la trahir et coûter la vie de son bien-aimé.

Rosa ouvrit la porte de la lingerie et s'effaça pour faire entrer deux hommes porteurs d'une lourde caisse.

— Vous n'avez qu'à la laisser ici, dit-elle en jetant un coup d'œil dans la petite pièce. Missié Ba'beau l'ouv'i'a plus ta', il a dit. C'est quoi ?

— D'après le papier, dit l'un des manutentionnaires en s'épongeant le front, des statuettes en marbre, mais c'est lourd comme des pierres tombales, si vous voulez mon avis ! Alors, où on vous la met ?

Rosa réfléchit rapidement. Marilee venait parfois dans la petite pièce, il ne fallait pas l'encombrer. Occupé comme il l'était, Dieu seul savait quand Mr Barbeau aurait le temps d'ouvrir la caisse.

— Femme ! Vite ! grognèrent les hommes en vacillant sous le poids. Dépêchez-vous, sinon on lâche tout !

Elle claqua des doigts.

— Là ! Pa' te'e. Ça ne gêne'a pe'sonne, ici.

Et elle montra du doigt le long miroir.

23

La chaleur était accablante. Pas un souffle d'air pour rafraîchir les rues désertes.

Assis sur une chaise, les bottes négligemment posées sur le rebord de la fenêtre, Travis réfléchissait. Cette mission s'avérait plus longue qu'il ne l'aurait cru. Ils avaient mis beaucoup de temps à obtenir la confiance des Noirs. Maintenant qu'ils avaient découvert la vérité, il fallait agir avec prudence.

Il secoua légèrement la tête en songeant à Marilee.

Elle ne manquait pas de cran, pour espionner le Klan comme elle l'avait fait. Kitty en aurait été capable, elle aussi, mais elle n'aurait sûrement pas résisté à la tentation de tirer dans le tas de robes blanches ! Marilee était plus réservée. Et pourquoi pas, après tout ? De toute manière, aucune femme ne pouvait ressembler à Kitty.

Derrière lui, Sam se réveillait.

— Maudit soit ce lit infernal, jura-t-il. J'ai besoin d'air, Coltrane. Va dire à ce fichu docteur que j'exige des béquilles pour sortir d'ici. Je n'ai pas le temps de traîner au lit. Ces ordures ne m'ont pas raté ! Ils me le paieront.

— Tu n'auras peut-être pas l'occasion de te venger, Sam. J'ai l'impression que je vais devoir intervenir rapidement.

Il raconta à Sam comment Marilee avait été surprise.

— Ça devient trop dangereux.

— Je veux aller avec toi. Tu ne peux pas régler cette affaire tout seul, ils sont trop nombreux. Ils te feront sauter la cervelle sans l'ombre d'une hésitation !

— Sam, je ne suis pas aussi fou que tu le crois ! Aurais-je survécu à quatre ans de guerre si j'étais une tête brûlée ?

Sam grommela dans sa barbe et fit un geste de la main.

— D'accord, vas-y. Explique-moi ton plan. Je sais que tu te moques éperdument de mon avis, mais satisfais au moins ma curiosité.

— D'abord, il faut que je découvre leur nouveau point de rendez-vous. Une douzaine de Noirs surveillent la montagne pour moi.

— Ils peuvent ne jamais trouver, tu sais.

— Ça m'étonnerait. Ces gens-là connaissent les

lieux mieux que leur poche, Sam. Ils ont des yeux de lynx. Ils verront forcément une croix enflammée. Mais j'espère qu'ils repéreront l'endroit avant cela. J'ai désigné officiellement vingt Noirs pour m'assister. Ils seront prêts à charger avec moi lorsque je leur en donnerai le signal.

Sam frappa de la main sa jambe valide et s'écria :

— Nom d'un chien, j'aimerais bien voir tes adjoints débarquer avec leur étoile sur la poitrine ! Ces poltrons sous leurs déguisements vont détaler comme des lapins et on ne sera pas près d'entendre à nouveau parler d'eux.

— Nous tâcherons de les encercler. Je ne veux surtout pas rater Mason. J'ai des comptes à régler avec lui.

— Casse-lui une jambe de ma part, grogna Sam. Oh, si seulement je pouvais vous accompagner.

— Mon petit bonhomme, vous allez rester là bien sagement pour laisser cet os se ressouder, décréta Travis. Pas de bêtises, hein ? Et, quand tout sera terminé, nous retournerons en Caroline du Nord.

— Ton petit te manque, n'est-ce pas ? fit Sam avec attendrissement. A moi aussi. Il a dû prendre au moins trente centimètres. Mattie Glass va pleurer des seaux entiers quand tu le lui reprendras. Mais la place d'un garçon est avec son père.

Travis hésita.

— Qu'est-ce qui te fait croire que je vais le lui reprendre ? Un enfant de l'âge de John a besoin d'une femme.

— Tu n'as qu'à te marier, suggéra Sam, mi-figue, mi-raisin.

— Me marier ! se récria Travis. Sam ! Qu'est-ce qui te prend ? Songes-tu à quelqu'un de particulier, ou bien dois-je aller faire ma demande à la première passante venue ?

— Je pense à quelqu'un, déclara Sam à brûle-pourpoint. Et toi aussi.

Travis secoua la tête.

— Il n'y aura jamais une autre Kitty, Sam. Je n'ai pas l'intention de chercher.

— La vie continue, Travis.

— J'ai déjà entendu ce morceau de bravoure philosophique quelque part.

— Oui, et tu l'entendras encore tant que je serai de ce monde. Le petit John a besoin d'une mère.

— Donc, pour cette raison uniquement, je serais censé me marier ? Oh, non, mon cher ami. Tu vois, je suis un aventurier, c'est plus fort que moi. Je veillerai à ce que mon fils soit toujours dans de bonnes mains, mais je n'épouserai pas une femme que je n'aime pas sous prétexte de donner une mère à John. Je suis trop égoïste pour cela.

— Mais bon sang, comment sais-tu que tu ne l'aimes pas ? As-tu jamais songé à elle sans la comparer à Kitty ? Peut-être Marilee n'est-elle pas aussi ravissante, mais elle a de la vitalité, du courage, du caractère... toutes qualités que tu admires. Peut-être parviendras-tu à l'aimer le jour où tu auras enterré Kitty.

Travis se leva avec irritation. Il ne voulait pas s'énerver avec son vieil ami. Sam croyait bien faire. Mais il avait une façon de vous pousser à bout !

— Bon, dit-il. Je te laisse. Je repasserai te voir tout à l'heure.

Il faisait frais dans le bureau. Travis s'assit, en proie à une légère migraine. Le médecin l'avait prévenu qu'il risquait d'être sujet à des maux de tête, à la suite des coups qu'il avait reçus. Cela s'estomperait avec le temps, mais il valait mieux s'allonger lorsque la douleur apparaissait. Travis suivit son conseil et alla s'étendre sur son lit, dans l'arrière-salle.

Marilee... Il poussa un long soupir.

Bientôt, il s'endormit.

Il s'éveilla instantanément en entendant la porte du bureau s'ouvrir et se refermer doucement, et tendit la main vers son revolver. Il faisait très sombre, il avait dû dormir longtemps.

Soudain, il reconnut la silhouette qui franchissait le seuil de la chambre.

— Alaina ! Sacrebleu, mais que diable fais-tu ici ?

Il bondit sur ses pieds et elle vint se jeter à son cou, mais il lui serra les poignets et coupa court aux effusions.

— Il fallait que je te voie, dit-elle en pleurant. Je voulais être sûre que tu n'étais pas grièvement blessé.

— Ça va, dit-il froidement. Et maintenant, retourne d'où tu viens.

— Oh, ne me parle pas ainsi, geignit-elle. Après tout ce que nous avons été l'un pour l'autre. Je t'aime, Travis. Et tu dois m'aimer.

— Ecoute-moi, Alaina, soupira-t-il. Tu ne m'aimes pas plus que je ne t'aime. Nous avons partagé des moments très agréables, mais c'est terminé. Tu sais parfaitement bien que je ne t'ai rien promis de plus.

— Non, ce n'est pas terminé ! Je ne te crois pas, Travis.

— Alaina, je n'ai jamais voulu te faire de peine, mais tu t'es monté la tête. A présent, je t'en prie, rentre chez toi. Tu veux savoir qui m'a défiguré comme ça ? Ton charmant fiancé !

— Stewart ? dit-elle en écarquillant les yeux. Ne sois pas ridicule, Stewart n'est pas violent !

— Peu m'importe ce que tu penses. Je réglerai

cette affaire avec lui en temps voulu, mais ne viens pas envenimer la situation.

— Qu'est-ce qui te fait croire que Stewart a quelque chose à voir avec cela ? Je ne l'aime pas, mais je n'ignore pas les sentiments que je lui inspire, et je me sens certains devoirs envers lui.

— Certains devoirs ? répéta Travis en partant d'un éclat de rire.

Soudain, il s'interrompit. La porte du bureau s'ouvrait.

— Ne bouge pas, siffla-t-il. Pas un mot.

Il traversa la pièce de sa démarche féline. Un vieil homme aux cheveux gris jetait des regards inquiets autour de lui.

— Qui êtes-vous et que voulez-vous ? demanda Travis en repoussant à demi la porte de l'arrière-salle.

L'étranger semblait en proie à la plus grande nervosité. Il fit tomber son chapeau et se baissa vivement pour le ramasser.

— Shérif, dit-il d'une voix tremblante, c'est plutôt moche.

— Qui êtes-vous ?

— Lloyd Perkins. J'habite près de Blueberry Ridge. Je suis trop vieux pour chercher les ennuis, shérif. Un homme est un être humain, quelle que soit la couleur de sa peau.

— Venez-en au fait.

Lloyd Perkins avala sa salive.

— C'est le Klan, shérif. Ils sont après un jeune nègre appelé Munroe. Il se cache du côté de chez moi depuis plusieurs semaines. Son père, Israel, lui apporte parfois à manger. Le Klan a dû les repérer, je les ai entendus parler. Ils le veulent ce soir.

— Pourquoi un Blanc comme vous trahirait-il le

Klan ? demanda Travis en lui décochant un regard soupçonneux.

— Je vous l'ai dit, geignit le vieil homme. Nous sommes tous des êtres humains devant Dieu. Ils ont l'intention de pendre ce garçon cette nuit. Je le sais. Ça fait longtemps qu'ils l'ont dans le collimateur.

Perplexe, Travis ne dit rien.

— Oh, et puis faites ce que vous voudrez ! s'écria soudain Lloyd Perkins avec colère. Moi, j'ai la conscience tranquille. Je suis vieux et fatigué. Vous, vous êtes le représentant de l'ordre, c'est votre travail. Si vous ne voulez rien faire pour ce Munroe, tant pis pour vous. J'ai déjà pris assez de risques comme ça. Et, si vous dites que je suis venu, je vous traiterai de menteur.

— Ne vous offensez pas, Perkins, dit tranquillement Travis. C'est tellement surprenant de voir un Blanc franchir la porte de ce bureau... Je n'ai pas eu beaucoup d'aide de vos concitoyens blancs, dans ce comté.

— Pourquoi je mentirais ? s'indigna-t-il. J'aurais jamais dû venir. Après tout, un nègre de plus ou de moins ! Mais j'ai pitié du pauvre Israel, ça fait un bout de temps que je le connais, vous savez. Il aime son gosse. Maintenant, agissez comme vous voudrez, moi, je m'en vais.

Il recula jusqu'à la porte et sortit non sans avoir lancé un dernier regard noir à Travis.

Celui-ci resta songeur. Il faudrait tout de même qu'il vérifie les dires du vieil homme. Blueberry Ridge était à une demi-heure de cheval. Travis retourna dans l'arrière-salle et dit à Alaina :

— Oublie ce que tu viens d'entendre. Et sors d'ici, à présent, retourne chez toi. Comment es-tu venue, d'ailleurs ?

— Comme si cela t'intéressait, renifla-t-elle. Je sais monter à cheval, figure-toi.

— Eh bien, il fait nuit. Rentre tout de suite et surtout, ne quitte pas la grand-route. J'ai du travail.

Il prit une boîte de cartouches dans un tiroir.

— Vas-tu m'expliquer à la fin ce que tu reproches à Stewart ? demanda Alaina d'une voix glaciale.

— Non. Va-t'en, s'il te plaît.

— Je lui répéterai peut-être ce que tu m'as dit.

— Comme tu voudras.

Il enfila sa veste et sortit sans lui adresser un regard.

Alaina contempla un moment la porte, les poings sur les hanches. Qu'il aille au diable ! Il la repoussait, accusait Stewart de choses terribles, puis s'en allait voler au secours d'un Noir. Elle éclata de rire. Elle aurait pu lui dire que Lloyd Perkins haïssait les nègres plus que quiconque dans tout le Kentucky ! Eh bien, qu'il s'en rende compte lui-même. Quelqu'un avait voulu lui jouer un tour. Tant pis pour lui !

Elle quitta le bureau le sourire aux lèvres.

— Alaina !

Sam Bucher était penché à la fenêtre du cabinet du médecin.

— Alaina, approchez, je vous prie. J'aimerais vous parler.

Elle soupira et obéit.

— Oui. Qu'y a-t-il ? Je suis pressée.

— Je viens de voir Travis quitter la ville, lui dit Sam avec inquiétude. Venez me dire ce qui ne va pas.

Elle commença par hésiter, puis sourit. Cela ne lui ferait pas de mal de dénigrer Travis devant son collègue. Elle pénétra chez le médecin. Ce dernier accueillait fréquemment des malades, et l'on entrait et sortait de chez lui comme d'un hôpital.

Sam l'attendait. Il vint à sa rencontre à cloche-pied.

— Vous allez tomber ! s'écria-t-elle. J'ai appris que vous aviez une jambe cassée.

— C'est vrai, mais ce n'est pas ça qui va m'abattre. Et maintenant, dites-moi où est parti Travis. Je vous ai vue entrer dans son bureau, vous savez sûrement de quoi il retourne.

— Un vieil imbécile lui a raconté des histoires et cet idiot a pris ses jambes à son cou pour foncer tête baissée dans le panneau.

— Quoi ?

— Travis est un âne. Lloyd Perkins vient lui raconter que le Klan sait où se cache ce nègre, Munroe, et hop, le voilà parti, des cartouches plein sa ceinture. J'aurais pu lui dire que Perkins crache sur les nègres à longueur de journée. On dit même qu'il fait partie du Klan. Il a voulu jouer un tour à Travis, et j'estime qu'il le mérite bien, après toutes ces méchancetés qu'il a dites sur mon Stewart !

— Donnez-moi mes bottes là, et mon pantalon ! s'écria Sam.

— Pour quoi faire ? s'étonna-t-elle. Vous n'allez tout de même pas vous lever.

— J'aimerais bien voir celui qui m'en empêchera. Faites ce que je vous demande.

Elle s'exécuta et le regarda avec amusement s'habiller devant elle.

— Mon pistolet, maintenant. Et mon fusil. Vous allez m'aider à aller chercher une carriole à l'écurie.

— Alors vous aussi, vous filez dans la montagne ! pouffa-t-elle. C'est du plus haut comique. Eh bien, je comprends maintenant que le Klan sévisse impunément. Avec deux idiots en guise de shérifs !

— Petite dinde ! s'écria-t-il. Vous n'avez donc pas

compris que c'est un piège ? Si ce que vous me dites est vrai, Travis se dirige droit sur une embuscade !

Elle porta une main à sa bouche et s'écria :

— Oh, non !

— Oh, si ! répliqua-t-il en sautillant vers la porte. Et vous auriez pu l'en empêcher si vous n'étiez pas si stupide et ignorante ! Où est-il allé ?

— A Blueberry Ridge. Lloyd Perkins a dit que ce Noir, Munroe, se cachait là-bas.

— Il a déjà dix bonnes minutes d'avance, grommela Sam. Vite, aidez-moi à descendre.

Luttant sous son poids, Alaina le soutint tandis qu'il passait un bras autour de sa frêle épaule. Une fois dehors, il lui dit :

— Courez me chercher une carriole, prenez la première que vous trouverez. Je vous attends ici, je ne ferai que vous retarder si je vous accompagne. Filez, petite, filez, et ne dites rien à personne. Dieu sait qui tire les ficelles.

Elle souleva ses jupes et partit en courant. Bientôt, elle fut de retour avec un chariot et un solide alezan brun. Lorsqu'elle eut aidé Sam à grimper, il lui dit de rentrer chez elle.

— Je veux venir avec vous, je veux me rendre utile.

— Vous en avez fait suffisamment. Je ne veux pas m'encombrer d'une femme. C'est trop dangereux. Allez-vous-en, vite, et surtout pas un mot de tout cela.

Elle le regarda un instant avant d'aller chercher son cheval. Si Travis courait se jeter dans un guet-apens, c'était sa faute à elle. Il fallait qu'elle fasse quelque chose.

De l'autre côté de la cloison, Marilee entendit la voix furieuse de son père.

— Rosa, bon sang, où est Marilee ? Et Alaina ? Que se passe-t-il dans cette maudite maison ?

— Je ne sais pas, répondit Rosa avec angoisse. Je vous ju', missié, j'ai pas vu M'ame Ma'ilee depuis qu'elle est descendue ce matin et, la de'niè' fois que j'ai vu Alaina, elle pa'tait fai' un tou' à cheval.

— Bon sang de bois ! Il fait nuit et mes deux filles ont disparu ! Qu'on envoie du monde à leur recherche !

Rosa secoua la tête avec inquiétude. Il se tramait quelque chose de louche, songeait-elle. Quand Stewart Mason avait cette lueur dans l'œil, il mijotait un mauvais coup.

Elle entra dans la lingerie et regarda la lourde caisse. Jordan Barbeau n'aurait sûrement pas le temps de l'ouvrir avant plusieurs jours. Elle vérifia que l'objet ne gênait personne, et s'apprêtait à ressortir lorsqu'un bruit attira son attention. Il était tout proche, mais comme assourdi. Les yeux agrandis par la terreur, Rosa contempla le mur. Des fantômes ? Elle se secoua, honteuse. Les fantômes n'existaient pas ! Un nouveau bruit ! Cette fois, ce n'était pas un effet de son imagination. La caisse ! Cela venait de la caisse ! Elle approcha sur la pointe des pieds.

Soudain, elle comprit que le bruit provenait de l'autre côté du mur et laissa échapper un petit cri.

Bravant le risque, Marilee demanda :

— Rosa ? Rosa, c'est toi ?

— Qui va là ? murmura-t-elle avec crainte.

Marilee frappa contre la porte.

— C'est moi, Rosa. Moi ! Laisse-moi sortir !

Rosa rassembla toutes ses forces pour écarter la lourde caisse. Alors, stupéfaite, elle vit le miroir s'ouvrir comme une porte. Il recelait un passage secret !

Marilee tomba dans ses bras, échevelée, le visage noirci et strié de larmes.

— Il va se passer quelque chose d'affreux. Je ne pouvais pas sortir par la porte du bureau car les hommes de mon père y sont encore. Et cette caisse m'empêchait d'ouvrir le miroir. Ô mon Dieu, faites qu'il soit encore temps !

Mais, lorsqu'elle regarda par la fenêtre, elle vit que la nuit était tombée. Il serait peut-être trop tard pour sauver la vie de Travis.

24

Le pas des chevaux claquait sur la terre durcie des collines. Bientôt, Travis devrait ralentir, puis continuer à pied. Blueberry Ridge était un sous-bois touffu. Une bonne cachette pour un homme.

Sam serait fou de rage lorsqu'il découvrirait son escapade. Travis espéra que ses adjoints faisaient bien leur travail d'espionnage. L'idée d'affronter ce maudit Klan au complet ne lui plaisait guère ; il en avait plus qu'assez de tout cela, de ces lâches qui terrorisaient les Noirs, des assiduités d'Alaina, des sentiments confus qu'il nourrissait à l'égard de Marilee. Il était temps de bouger. De rentrer voir John, puis de repartir au Nevada.

Il tira sur les rênes. Derrière des nuages bordés d'or, un quartier de lune éclairait les premières pentes de Blueberry Ridge. Travis savait, par Israel, où se cachait Munroe. Il avançait aussi vite qu'il le pouvait. Quelques centaines de mètres plus loin, il franchirait un col. Derrière, il trouverait la crique et la cabane. Il attacha son cheval à un bosquet, prit son fusil et se lança dans les bois.

En vingt minutes, il arriva en vue de la crique qui

s'étendait en contrebas. Il s'installa à plat ventre entre deux arbres et pointa son arme sur la porte du cabanon. La partie s'annonçait presque trop simple : avec leurs robes blanches, ces idiots formeraient des cibles idéales. Il n'avait qu'à attendre.

Une brindille craqua derrière lui. Il se retourna vivement. Mais c'était déjà trop tard. Les canons de deux revolvers étaient braqués sur lui.

— Enfin, croassa Mason avec jubilation. Nous vous tenons enfin, shérif. Et sans nous donner trop de mal, en plus. Nous ne sommes pas si sots que vous l'imaginez, et vous n'êtes pas si futé que vous vous plaisez à le laisser croire.

Travis ne dit rien, consumé par une rage impuissante. On lui avait tendu un piège, et il s'était précipité dedans !

— N'essayez pas de faire le malin, l'avertit Mason en le désarmant. Et maintenant, vous allez vous lever bien gentiment. Un seul geste brusque et vous êtes mort.

Travis obéit en réfléchissant à toute allure. Il pouvait sûrement s'en sortir. Les deux hommes étaient-ils seuls ? Pourquoi ne portaient-ils pas leur déguisement ?

— Tournez-vous, maintenant, ordonna Mason.

— Au moins, vous n'êtes pas affublés de vos élégants costumes. Où est le reste de votre bande de couards ? Je vais avoir le droit de les regarder en face, eux aussi, avant que vous ne me tiriez dans le dos ?

L'autre homme le poussa rudement du bout de son pistolet et grogna avec hargne :

— La ferme, espèce d'ordure.

— C'est moi qui commande, Bruce, dit rapidement Stewart Mason. Tais-toi et fais ce que je te dis. Vous, Coltrane, avancez en direction de la cabane.

Travis s'exécuta, sans cesser de parler.

— Joli petit piège, que vous m'avez tendu. Où sont vos acolytes ?

— On n'a pas besoin d'eux pour ça. Ils ne sont même pas au courant.

Lorsqu'ils furent devant la bicoque, Mason ouvrit la porte et alluma une lanterne. Il la souleva au-dessus de sa tête et fit signe à Travis d'entrer.

Ce dernier serra les dents lorsqu'il vit Israel allongé par terre, pieds et poings liés, bâillonné. Ses yeux jaunes reflétaient la terreur. Munroe gisait à côté de son père, impuissant lui aussi, mais la rage éclairait son regard. Il se tortillait frénétiquement. Mason lui donna un violent coup de pied.

— Pas de ça, sale nègre !

Munroe poussa un gémissement.

— Voyez-vous, shérif, poursuivit Stewart, ce garçon est un vrai trublion, toute la ville le sait. Ce soir, il a volé des poules à Lloyd Perkins, qui l'a reconnu.

Son visage fut déformé par un sourire mauvais.

— Ensuite, Perkins est allé porter plainte chez le shérif. Vous êtes parti arrêter Munroe, mais vous vous êtes battus et il vous a tué. Il allait s'enfuir lorsque Perkins est arrivé avec quelques voisins. En bon citoyen, il a craint que Munroe n'ait d'autres nègres ici avec lui, et que vous ne soyez tombé dans une embuscade. Pauvre Munroe, au moment où il traversait la crique pour s'enfuir, Perkins et les autres lui ont crié de se rendre, mais il n'a rien voulu savoir. Ils ont été obligés de tirer, et il s'est noyé.

Travis essaya désespérément de gagner du temps.

— Et Sam ? Vous imaginez qu'il va avaler votre petite mise en scène ?

Les deux complices échangèrent des rictus, puis Mason répondit :

— Sam Bucher ne devrait pas tarder à arriver.

Cette partie-là de notre plan était la plus délicate. Quelqu'un va l'amener ici dans une carriole. On croira que Munroe l'a eu, lui aussi. Il doit déjà être mort, d'ailleurs.

Le sang de Travis ne fit qu'un tour et il se jeta sur Mason, qui esquiva le coup tandis que Lonnie Bruce abattait la crosse de son arme sur la nuque de Travis. Celui-ci s'écroula, le corps transpercé par mille aiguilles de feu. Il lutta contre l'inconscience. *Sam. Sauver Sam.*

— Avant que je ne vous tue, poursuivit calmement Mason, j'aimerais que vous nous disiez tout ce que vous savez exactement sur le Klan.

— Vous pouvez crever ! murmura Travis en se relevant tant bien que mal. Personne ne croira un mot de votre histoire. Il y a une personne qui connaît la vérité. Qui était là quand Perkins est venu me voir. Cette personne a tout entendu.

Mason jeta un regard nerveux à son compagnon, puis eut un nouveau sourire triomphal.

— Vous mentez, Coltrane.

Travis se força à sourire à son tour, malgré la lancinante douleur qui lui tenaillait la nuque.

— J'avais une... une femme dans l'arrière-salle.

Mason plissa les yeux et son sourire s'évanouit.

— Qui ? Parlez, sinon je découpe ce sale nègre en morceaux sous vos yeux.

Il tira un coutelas de sa botte et le brandit en l'air, menaçant.

— Dites-moi, Mason, fit Travis avec arrogance, qu'est-ce qui n'allait pas entre vous et Alaina ? Je n'ai jamais eu aucun mal à la satisfaire, moi. Elle en redemandait toujours. Comme elle l'a fait encore ce soir.

Le visage de Mason se tordit sous l'effet de la colère.

311

— Espèce de sale menteur ! Barbeau lui a interdit de vous revoir !

— Et pourtant, elle est bel et bien venue, dit Travis avec calme. A vrai dire, j'ai pour règle de ne jamais parler des dames avec lesquelles je me distrais, mais avec vous je n'ai pas pu résister.

— Dis donc, intervint Lonnie Bruce avec inquiétude, si c'est vrai, on est dans le potage. Personne n'ignore qu'elle a le béguin pour lui et, s'il meurt, elle va hurler tout ce qu'elle sait. Tuer un nègre est une chose, mais si on me soupçonne d'avoir assassiné un shérif fédéral...

— Tais-toi ! Tais-toi donc ! cria Mason. Il ment, c'est certain. Sinon, je verrai ça moi-même avec Alaina.

— Alors finissons-en, s'impatienta Lonnie Bruce. Tuons le négro.

Un lent sourire se dessina sur le visage de Mason.

— Ouais. Tu as raison, tenons-nous-en au plan.

Travis demanda rapidement en désignant Israel :

— Et lui ? Que direz-vous pour justifier sa mort ?

— Qu'il a reçu une balle perdue. Ne vous occupez pas de ça, Coltrane, préparez-vous plutôt à me faire une belle confession. Si vous êtes sage, je vous tuerai sans douleur. Mais attention, je peux aussi faire traîner les choses en longueur...

Il coupa les liens qui retenaient les chevilles de Munroe.

— Allez, viens, grogna-t-il. Dehors.

A cet instant, Lonnie Bruce se jeta à plat ventre sur le jeune Noir et s'écria :

— Attends, Mason ! J'ai entendu quelque chose. Je crois que quelqu'un vient. Et toi, négro, si tu remues, je t'étrangle.

Travis saisit l'occasion et plongea vers les deux hommes. Il cogna leur tête l'une contre l'autre, puis les écarta pour les heurter de nouveau. Ils s'écroulèrent sur le sol.

Il saisit le couteau de Mason, coupa prestement les cordes qui retenaient encore les poignets de Munroe et lui dit :

— Détache Israel, vite. Et ensuite, filez d'ici tous les deux.

— Mais... Et vous, shé'if ? Ils ne vont pas vous 'ater ! s'écria Munroe.

— Je me défendrai, déclara Travis les dents serrées en saisissant le fusil de Lonnie Bruce.

— Ça, ça m'étonnerait !

Travis sursauta. Sam se tenait dans l'encadrement de la porte... Lloyd Perkins braquait un revolver sur son ventre.

— Quelle bonne idée j'ai eue de venir m'amuser un peu ici. J'ai chopé ce salopard qui clopinait à travers bois. Lâchez cette arme, shérif.

Travis obéit.

— Et toi, le négro, jette ce couteau et recule contre le mur.

Aux pieds de Perkins, Mason gémit, remua et souleva légèrement la tête.

— Allez, lève-toi, lui dit Lloyd.

Travis remarqua l'angoisse que trahissait sa voix. Lloyd Perkins était âgé, il craignait de ne pas pouvoir maîtriser la situation tout seul. Tant mieux. Travis jeta un coup d'œil à Sam, qui avait la mine sombre.

— Comment as-tu su ? lui demanda-t-il.

— Alaina. Oh, Travis, il fallait que j'essaie !

— Tu n'as aucun reproche à te faire, c'est moi qui me suis jeté dans la gueule du loup, et tout ça est de ma faute à moi.

Tout en parlant, Travis essayait de transmettre des messages silencieux à son vieil ami. Lloyd relâchait lentement sa garde tandis qu'il s'efforçait de réveiller Mason.

Sam comprit immédiatement. Alors que Lloyd se penchait davantage, Travis hocha imperceptiblement la tête et Sam ne fit ni une ni deux. Il souleva la béquille sur laquelle il reposait et assena un coup à Perkins, qui s'effondra au-dessus de Mason et de Lonnie Bruce. Mais Sam s'était déséquilibré, et il tomba lui aussi.

Mason se ressaisit avec un hurlement de rage. Il attrapa le pistolet de Perkins. Travis braquait le sien, mais dans la confusion des corps affalés il craignait de blesser son ami.

— Sam, écarte-toi !

Sam tenta de s'exécuter, en poussant un grognement de douleur. Soudain, Mason émergea de la mêlée, bras tendu. Travis n'avait pas le choix. Il tira. La balle atteignit Mason droit entre les deux yeux. Une deuxième balle atteignit Lonnie Bruce au cœur.

Lloyd Perkins poussa un cri.

— Ne tirez pas ! Ne me tuez pas ! Je vous en prie...

Sam le frappa et l'autre retomba par terre.

— Pousse-toi de là, sale vipère, rugit-il en ramassant sa béquille. Espèce de vieux crétin ! On ne va pas gaspiller une balle pour une vieille bique comme toi.

Travis éclata de rire. Peu d'années séparaient les deux hommes, mais Sam était un dur à cuire ! Il l'aida à se relever, puis se tourna vers Munroe.

— Ça va, vous deux ?

— Oh, oui ! s'écria le jeune garçon. Ça va t'ès bien. Vous venez de nous sauver la vie. Que Dieu vous ga'de.

— Et toi, Sam ? Tu as dû rouvrir la fracture...

— J'ai un mal de chien, grogna Sam, mais ça va aller. Ne t'inquiète pas pour moi. Qu'est-ce qu'on fait, maintenant ?

314

— Munroe et les autres n'ont plus rien à craindre de la part du Klan. Je crois que c'est bien fini, maintenant que Mason est mort. Au moins dans la région. Il ne reste plus que le grand patron. Je vais te raccompagner chez le médecin, puis j'irai m'occuper de lui.

— Tu crois que tu as assez de preuves contre Barbeau ? Avec son influence et sa fortune, il est capable de réussir à s'en tirer.

— Je sais, mais au moins nous pouvons sérieusement entacher sa réputation.

— Et puis, ajouta Sam rapidement en jetant un regard noir à Perkins, il m'a raconté leur plan, tout à l'heure. Les hommes qui étaient censés venir me cueillir sont capables de débarquer ici.

— Ça m'étonnerait, fit Travis en secouant la tête. De toute façon, nous n'allons pas nous éterniser.

Perkins le regardait avec des yeux ronds.

— Vous allez me tuer, shérif ? s'écria-t-il soudain en versant un torrent de larmes. Vous tueriez un vieil homme de sang-froid ?

Travis le considéra un instant, songeur.

— Je vais vous dire une chose, Perkins. Vous vous êtes mis dans le pétrin en tendant un piège pour assassiner un shérif fédéral. Je ne vais pas vous tuer, mais vous le regretterez, parce que vous allez pourrir en prison jusqu'à la fin de vos jours et votre sort ne sera guère plus enviable.

— Pitié ! cria-t-il en sanglotant. Ayez pitié !

Travis soupira.

— Bon, ça va, ça va, Perkins. Vous êtes vieux, la prison vous achèverait. Maintenant que Mason est mort et que le grand chef va être arrêté, le Klan est disloqué. Je vais vous laisser partir. Mais d'abord, je veux connaître le nom de tous les membres du Klan.

Lloyd poussa un cri d'angoisse.

— Ils me tueront ! C'est impossible.

— C'est très possible, au contraire, lui dit Travis avec assurance. Ils iront tous en prison, et ne pourront rien contre vous. Vous quitterez le pays, vous changerez de nom et disparaîtrez. Si vous ne coopérez pas avec moi, Perkins, c'est la prison. Décidez-vous.

Il y eut un long silence. Enfin, il déglutit et croassa, à la limite de l'hystérie :

— D'accord. Mais il faudra me protéger, hein ?

— Parlez.

Lloyd cita les noms, lentement d'abord, puis avec précipitation, et il conclut :

— C'est tout ! C'est tout ce dont je me souviens. Laissez-moi partir et me cacher. Tout le monde saura que c'est moi qui ai parlé. Laissez-moi partir.

Travis se leva.

— Très bien...

A cet instant, Sam s'écria :

— Quelqu'un vient !

Il braqua son fusil vers les bois, puis laissa échapper un cri de surprise :

— Sacrebleu ! Elle m'a suivi !

Alaina se précipita vers Travis.

— Oh, le ciel soit loué, Sam est arrivé à temps !

Elle se tut soudain et s'écarta de lui. Elle couvrit son visage horrifié d'une main tremblante et poussa un cri déchirant en voyant le corps inerte de Stewart Mason.

— Non ! hurla-t-elle en se jetant toutes griffes dehors sur Travis. Non, non ! Tu l'as tué, espèce d'ordure ! Tu l'as tué, tué !

Travis la secoua brutalement, puis la gifla. Elle trébucha en arrière et il enserra ses poignets entre ses mains.

— Ecoute-moi, femme, je n'avais pas le choix. C'était lui ou moi. Et maintenant, calme-toi.

Voyant qu'elle ne menaçait plus de l'attaquer, il la lâcha. Puis il déclara :

— Il est temps que nous partions d'ici. Sam, Munroe va te raccompagner en ville, avec Israel. Restez-y jusqu'à mon retour. Alaina et moi allons dans la même direction, nous ferons route ensemble.

— Qu'est-ce que cela signifie ? siffla-t-elle.

— Et vous, Perkins, poursuivit Travis sans relever son interrogation, rentrez chez vous. Ne dites rien à personne sur ce qui s'est passé ce soir. J'enverrai quelqu'un chercher les corps demain matin.

Perkins disparut sans demander son reste. Sam et Munroe s'engagèrent dans les bois, clopin-clopant.

— Je n'ai aucune intention d'aller où que ce soit avec toi, fit Alaina en se mettant à pleurer. Je l'aimais ! Je ne le savais pas, mais je l'aimais ! Et je ne le laisserai pas ici comme ça. Je te hais, Travis Coltrane. Je voudrais te voir mort !

Travis pointa vers elle un doigt menaçant et gronda :

— Bon Dieu, Alaina, fais ce que tu veux, je m'en moque ! Reste ici pour pleurer sur la dépouille de cet incapable. Tu rentreras chez toi comme tu voudras.

Il tourna les talons et sortit à grandes enjambées. Elle le suivit avec fureur.

— Et où crois-tu aller comme ça ? demanda-t-elle d'une voix pointue. Tu viens de tuer l'homme que j'aimais, et maintenant tu t'imagines que tu peux tranquillement t'en aller ?

Il fit volte-face.

— Tu te trompes, Alaina. J'ai tué le seul homme qui t'aimait, et c'est maintenant que tu t'en rends compte. Même une ordure comme Mason valait mieux que pas d'homme du tout, n'est-ce pas ?

— Menteur ! hurla-t-elle. Espèce de sale menteur ! Tu m'aimais, toi aussi. J'en suis sûre, tu m'aimais ! Travis se retourna sans répondre.

Il en avait assez du Kentucky. Assez de se battre. Assez de supporter des femmes comme Alaina Barbeau.

« Oh, pourquoi, murmura-t-il d'une voix brisée, Kitty, pourquoi a-t-il fallu que tu meures ? »

25

Travis Coltrane avait commis une erreur qui avait failli lui coûter la vie. On ne l'y prendrait pas deux fois.

Quelqu'un le suivait. Il en était presque certain. Il mit pied à terre, tous ses sens en alerte, et se tapit derrière un buisson d'airelles, une arme dans chaque main. Des sabots résonnaient doucement au loin. Il tendit l'oreille. Un seul cheval. Il appuya sur la détente, mais, à cet instant, la silhouette se précisa.

C'était une femme.

Travis poussa un soupir de soulagement et se leva. Marilee tira violemment sur les rênes.

— Travis !

Il la prit par la taille de ses mains puissantes et la fit descendre de cheval.

— Mais que diable faites-vous ici ?

Elle lui raconta rapidement ce qu'elle avait entendu.

— Je suis venue aussi vite que j'ai pu, conclut-elle à bout de souffle. Oh, Dieu merci, vous êtes sain et sauf.

Il lui fit à son tour le récit des événements.

— Je suis en route pour aller arrêter votre père et en finir avec toute cette histoire. N'essayez pas de m'en empêcher. C'est terrible pour vous, je le sais, mais...

— Chut ! coupa-t-elle d'une voix tremblante. Je ne sais que trop de quels forfaits il est coupable. Faites votre devoir.

Elle essaya de s'écarter, mais il la retint fermement contre lui.

— Marilee, écoutez-moi. J'admire votre courage. Je devine aisément les épreuves que vous avez traversées.

Elle baissa la tête.

— Je suis heureuse d'en finir. Il est temps que cesse l'horreur.

— C'est probablement terminé, au moins ici, lui dit-il. Mais la haine survivra, hélas, longtemps après que nous serons morts tous les deux, Marilee.

Il la contraignit à lever les yeux et murmura doucement :

— Ce n'est pas tout.

— Je vous écoute, au point où j'en suis... dit-elle avec un sourire triste.

— J'ignorais jusqu'alors combien vous comptiez pour moi. Je voulais vous dire que vous me manquerez. Je ne vous oublierai jamais.

Elle inclina la tête de côté.

— Si, vous m'oublierez. Ce que nous avons partagé ensemble, vous l'avez vécu avec cent femmes avant moi. Qui sait combien l'avenir vous en réserve encore ?

Travis serra les dents et plaqua Marilee contre lui. Leurs lèvres s'unirent en un baiser passionné, puis ils se séparèrent.

Travis siffla son cheval qui arriva au petit trot. Ils

chevauchèrent côte à côte en silence. C'est curieux, songeait-il. Il l'avait trouvée quelconque, un jour. Il savait à présent qu'elle était merveilleuse, qu'une seule autre femme pouvait la surpasser.

Une autre femme... qui était morte.

Des lumières brillaient à toutes les fenêtres de la vaste demeure. Barbeau apparut sur le seuil, écumant de rage.

Marilee mit pied à terre et regarda Travis, qui lui prit le bras pour la conduire en haut du perron.

— Bonsoir, Barbeau, dit-il brièvement.

— C'est loin d'être un bon soir, shérif, répliqua-t-il sèchement. Marilee, d'où viens-tu comme cela ? Et où est Alaina ? J'aimerais bien que quelqu'un me dise ce qui se passe sous mon propre toit.

— Entrons, dit Travis, et finissons-en.

— Marilee, monte dans ta chambre, ordonna son père. Je te parlerai plus tard.

— Non, déclara Travis. Elle reste. Elle désire assister à notre conversation, et je trouve cela légitime. Allons dans votre bureau.

Jordan haussa un sourcil furieux.

— Depuis quand un étranger décide-t-il à ma place chez moi ? Il me semble que vous oubliez qui vous êtes, shérif !

Travis poussa un soupir, lâcha le bras de Marilee et posa sa main à quelques centimètres de son revolver. Le mouvement avait été lent, délibéré. Jordan écarquilla les yeux.

— Mais que diable se passe-t-il ?

— Je n'oublie nullement qui je suis. Un shérif fédéral, et vous êtes en état d'arrestation.

Jordan Barbeau éclata de rire.

— Qu'est-ce que c'est que cette plaisanterie, Coltrane ? Je me faisais un sang d'encre pour mes filles,

320

et je vous assure que je n'ai pas de temps à perdre avec des bêtises.

— Vous savez parfaitement que ce n'est pas une plaisanterie, et pourquoi je suis ici. Allons dans votre bureau, à moins que vous ne teniez à vous donner en spectacle devant vos domestiques.

Ils entrèrent dans la vaste pièce et Travis referma la porte d'un coup de pied.

— Alaina ne devrait pas tarder. Elle est restée avec les corps. Stewart Mason et son complice sont morts.

Jordan blêmit. Il poussa un croassement et répéta :

— Mason ?

— Vous n'aviez pas songé à cela, n'est-ce pas ? Vous me tendez un piège, et c'est votre homme de main qui y reste. Amusant, non ? dit-il sans l'ombre d'un sourire.

Il poussa le père de Marilee vers son bureau et ordonna :

— Asseyez-vous là, et inutile de faire le malin, sinon je vous envoie rôtir en enfer avec votre ami Mason.

Jordan obéit sans discuter et épongea son front humide d'une main tremblante. Travis alla remplir un verre.

— C'est terminé, Barbeau. Je sais que vous étiez la tête pensante du Klan, que Mason ne faisait qu'exécuter vos ordres. Je sais que vous aviez comploté de nous faire assassiner cette nuit, Sam Bucher et moi.

Il posa la bouteille de whisky sur le bureau.

— Tenez, cela vous fera plus de bien qu'un brandy de gentleman.

Jordan contempla la bouteille, puis leva les yeux vers sa fille :

— Tu étais au courant ? demanda-t-il d'une voix rauque. Tu savais pour le Klan ?

Elle hocha la tête sans rien dire.

— Barbeau, je vous présente votre espionne. La personne qui s'est infiltrée parmi les membres du Klan pour prévenir vos méfaits. Dieu sait combien de Noirs lui doivent la vie.

— Toi ? Tu as fait cela ? C'était toi ?

Elle hocha la tête et lui raconta ce qui lui était arrivé le soir de l'orage, les projets qu'avaient alors formés pour elle Mason et Tom Higgins.

— Mon Dieu, non ! s'écria Jordan. Songer que Mason allait réserver un sort pareil à ma propre fille !

Soudain, il s'interrompit et lui jeta un regard scrutateur.

— Comment pouvais-tu connaître nos activités ?

Elle leva des yeux humides vers Travis, qui hocha la tête. Alors, elle montra du doigt la bibliothèque et murmura :

— Le passage secret. Là, derrière ce mur. Qui mène au petit atelier de couture. Je l'ai découvert par hasard et t'ai entendu parler à Stewart d'une réunion du Klan.

— Mais elle ne vous a jamais trahi, intervint Travis en la voyant au bord de la crise de nerfs. J'ai tout appris par les Noirs qui sont venus me demander de l'aide. Ils craignaient que le Klan ne la démasque. Votre fille a tout fait pour vous protéger, ajouta-t-il avec mépris.

Jordan parla d'une voix presque inaudible :

— J'aurais préféré mourir plutôt qu'apprendre que ma propre fille m'espionnait. J'étais investi d'une mission. Il fallait que je fasse reconnaître la suprématie de l'homme blanc !

— Mais, père, tu as ordonné d'assassiner Travis !

Où te serais-tu arrêté ? Tu ne voulais personne sur ton chemin !

— Ce n'est pas parce que tu ne m'as pas dénoncé que tu es loyale.

Il haussa le ton et pointa un doigt menaçant dans sa direction.

— Tu l'aurais été davantage en me prévenant. Mais cette ordure a réussi à t'ensorceler, toi aussi, et à te tourner la tête. Il lui a fallu les deux sœurs !

Travis fit un pas en avant tandis que Marilee reculait, horrifiée, en se couvrant le visage de ses mains.

— Assez, Barbeau !

Soudain, un cri perçant retentit.

— Il a raison, maudit soyez-vous, Travis Coltrane, vous et votre lubricité !

Alaina se dressait sur le seuil, le visage déformé par la haine. Elle braquait un fusil de chasse sur Travis.

— Vous m'avez séduite, murmura-t-elle d'une voix basse et menaçante ; entraînée dans le péché. Vous incarnez le mal, Travis Coltrane. Vous êtes mauvais, et vous devez mourir... Tout comme Stewart.

— Non ! s'écria Jordan en se jetant en travers du bureau alors que Travis écartait vivement Marilee et la plaquait au sol.

Le coup partit. Alaina fut renversée par le recul et tomba en criant.

Jordan Barbeau s'écroula sur son bureau, inconscient. Le sang coulait à flots de ce qui restait de son bras droit.

Alaina s'évanouit.

— Père, père ! Non ! cria Marilee en courant vers lui.

Travis souleva Jordan et l'installa doucement par terre.

— Allez chercher une couverture ! ordonna-t-il. Qu'on appelle un médecin. Et apportez-moi des torchons, n'importe quoi, pour faire cesser cette hémorragie tout de suite !

Marilee enjamba rapidement sa sœur inconsciente, et Travis s'émerveilla du sang-froid dont elle faisait preuve dans des circonstances pareilles.

Il posa une oreille sur la poitrine de Jordan. Il respirait. Travis examina rapidement la blessure. Le bras avait été arraché presque à l'épaule. S'il ne s'était pas baissé, Travis aurait été touché.

Pour la seconde fois cette nuit-là, il se demanda pourquoi il avait été épargné.

26

Un jeune homme rasé de près entra dans le bureau. Sa veste en peau de daim était ornée d'un insigne rutilant.

— Shérif Coltrane ? demanda-t-il en tendant la main. Je suis Welby Abbott. C'est moi qui dois vous remplacer.

— Je sais, fit Travis, laconique. Le shérif Bucher ne va pas tarder. Il est allé faire examiner sa jambe chez le médecin. Asseyez-vous.

Welby obéit en jetant un coup d'œil circulaire.

— Le bureau ne vous plaît pas.

— Comment pouvez-vous deviner mes pensées, Coltrane ?

— Je vous conseille d'apprendre à lire les pensées des autres, Abbott, sinon vous passerez l'arme à gauche avant d'atteindre la trentaine. Quel âge avez-vous, d'ailleurs ?

— Vingt-six ans.

Travis hocha la tête.

— Quand comptez-vous partir ? demanda le jeune homme. J'ai cru comprendre que vous étiez pressé de retourner dans le Nevada ?

— Je vais d'abord voir mon fils. Si je m'écoutais, je partirais dès le retour de Bucher, mais nous attendrons demain matin.

— C'est si terrible, ici ? demanda Welby en riant.

— Non. Mais j'y ai trop de souvenirs. Et puis, cela fait deux mois que nous nous tournions les pouces en attendant le procès.

— C'est incroyable, non, que Barbeau s'en soit sorti indemne.

— Ça ne m'étonne pas, répondit Travis en haussant les épaules. Le seul homme qui pouvait prouver qu'il était à la tête du Klan est mort. La fille de Barbeau n'a pas voulu témoigner contre son père, diminué comme il l'était...

— N'empêche, ce n'est pas très juste qu'il soit libre comme l'air.

— Oh, il ne l'est pas. Il restera dans sa propre prison jusqu'à la fin de ses jours, croyez-moi. Il n'a plus de bras droit. Plus de réputation. Pour moi, tout ce qui compte, c'est que le Klan ait été démantelé.

Quelques minutes s'écoulèrent, pendant lesquelles Travis continua à astiquer son revolver, puis Welby hasarda :

— Il paraît que vous avez une belle mine d'argent, au Nevada. Vous n'allez tout de même pas rendre votre insigne ? Un homme de votre renommée doit avoir du mal à se poser.

Travis ne répondit pas.

— Si j'étais plus âgé et plus expérimenté, comme vous, reprit le jeune shérif, on m'enverrait quelque part où il y a de l'action. Ça va être mortel, ici, maintenant que vous avez nettoyé le pays. J'irais peut-être même en Californie. Il se passe des choses pas très jolies, là-bas, avec le « péril jaune » et tout ça.

Travis leva les yeux.

— Qu'est-ce que vous racontez ? demanda-t-il posément.

Welby sourit, heureux d'avoir enfin suscité l'intérêt du célèbre Travis Coltrane.

— Les Chinois, expliqua-t-il les yeux brillants. Vous savez qu'ils débarquent en masse. Ils travaillent pour rien. Ça a commencé avec la construction du chemin de fer à l'ouest, mais maintenant ils sont beaucoup trop nombreux. Ils prennent les emplois des Blancs, et ceux-ci accusent leurs patrons de leur préférer la main-d'œuvre chinoise parce qu'elle leur coûte moins cher. Ça crée pas mal de violence, là-bas.

Travis soupira, passa un dernier coup de chiffon sur son revolver et le rangea dans son étui.

— Verrons-nous un jour la paix ? demanda-t-il avec lassitude. Si ce ne sont pas les Noirs, ce sont les Chinois. Mon Dieu, quand cela cessera-t-il ?

Il croisa les bras.

— Non, Abbott, je n'ai nulle envie d'aller en Californie. Je n'aspire plus qu'à la paix. Peut-être ne la trouverai-je pas, mais vous pouvez être sûr que je vais la chercher.

La porte s'ouvrit et Munroe entra, le sourire aux lèvres.

— Shé'if ! Comment ça va ? Moi et les miens, on est si t'istes de vous voi' pa'ti'...

— Je te présente votre nouveau shérif, Welby Abbott, lui annonça Travis. Welby, voici Munroe, n'hésitez pas à faire appel à lui si vous avez besoin de quoi que ce soit. C'est quelqu'un de bien. Alors, qu'est-ce qui t'amène en ville, Munroe ? Je croyais que Barbeau t'avait embauché, que tu étais royalement payé et très occupé. Entre nous, ça doit soulager sa conscience.

Munroe sourit et hocha la tête.

— C'est v'ai. J'ai un boulot en o'. Il nous laisse même viv' chez lui, moi et papa. Mais il m'a cha'gé de vous appo'ter un message : y voud'ait vous pa'ler avant que vous pa'tiez. Il demande si vous voulez bien y aller dîner ce soi'. Et Mam'zelle Alaina, elle veut vous voi' aussi. Elle dit que sinon elle viend'a jusqu'ici.

Travis resta un instant songeur. Il n'avait pas revu Alaina depuis la nuit où elle avait voulu le tuer. Il était passé voir Marilee, mais elle l'avait reçu avec froideur, et il avait décidé de quitter le Kentucky sans y retourner.

— Que me veulent-ils, Munroe ?

— Aucune idée. Les choses ont changé, là-bas, vous savez, Missié Ba'beau, il est plus le même. Il affi'me qu'il a été sauvé. Le pasteu' est venu le voi' un soi', et depuis, Missié Ba'beau y se dévoue au Seigneu', 'osa elle dit qu'elle le 'econnaît plus. Qu'il est devenu bon, et qu'il pleu' dans son bu'eau p'esque tous les soi'.

Il reprit hâtivement son souffle avant de poursuivre :

— Et Mam'zelle Alaina, 'osa dit qu'elle a changé aussi, qu'elle s'est 'achetée, elle aussi. Elle se 'emet pas d'avoi' blessé son pè' et d'avoi' voulu vous tuer.

Travis ne put s'empêcher de jeter un regard amusé vers Welby. Le sourire de Munroe s'évanouit.

— Oh, vous vous moquez de moi, tous les deux ! s'indigna-t-il. Je sais bien de quoi je pa'le ! Vous n'avez qu'à veni' ce soi', et vous ve'ez si je dis n'impo'te quoi. Et puis, 'osa et Willis ils ont envie de vous di' au 'evoi', eux aussi. Et tous les amis que vous

vous êtes faits là-bas. Mais sap'isti, pou'quoi vous êtes donc si obstiné ?

A cet instant, Sam entra, et Travis bondit lui tenir la porte.

— Eh bien, s'écria-t-il avec sa jovialité coutumière, vous êtes sans doute le nouveau shérif. Tant mieux. Nous allons pouvoir partir dès l'aube.

Travis fit les présentations, et Welby serra la main tendue avec enthousiasme.

— Qu'est-ce que tu fais là, Munroe ? s'étonna Sam.

Le jeune Noir lui expliqua la situation d'un ton boudeur.

— Travis, voyons ! Tu devrais y aller ! Ça nous éviterait de voir cette femme faire irruption dans le bureau, ajouta-t-il.

— Je n'ai rien à leur dire, à aucun d'entre eux, décréta Travis les dents serrées.

— Même pas à Marilee ? Tu ne vas pas lui dire au revoir ?

Soudain, Welby Abbott ne put résister davantage. Il éclata de rire et déclara :

— On raconte que vous êtes un sacré homme à femmes, Coltrane. Allez donc faire vos adieux à ces demoiselles, histoire de leur briser le cœur !

Il s'interrompit en voyant l'expression de Travis. D'une voix étrangement tendue, ce dernier déclara :

— Abbott, la seule raison pour laquelle je ne vous refais pas le portrait est que vous ne savez pas de quoi vous parlez. Je vous prierai de ne pas vous mêler de mes affaires.

Travis était assis en face de Jordan Barbeau, dans le bureau, et sirotait un brandy en fumant un cigare. Il regrettait amèrement de s'être laissé convaincre. Il n'avait vu ni Alaina ni Marilee, et les minutes s'égrenaient, interminables.

— J'ai donc compris la folie de mes actes, disait Jordan Barbeau. J'ai demandé au Seigneur de me pardonner, de m'apprendre à aimer mon prochain comme un frère, quelle que soit la couleur de sa peau. Je suis en paix avec moi-même, shérif.

Il fit un signe de tête pour montrer son bras manquant.

— C'est ça qui m'est le plus pénible, dit-il avec émotion. Non pour moi, car c'est une pénitence, mais pour Alaina. Elle ne se l'est jamais pardonné. C'est terrible, pour elle, de me voir ainsi chaque jour, amputé par sa faute. Je l'aime de tout mon cœur, mais je serai heureux lorsqu'elle se mariera et quittera cette maison et les tortures que ma vue lui inflige.

— A propos d'Alaina, fit Travis, sautant sur l'occasion, on m'a dit qu'elle souhaitait me voir et je vais devoir rentrer bientôt.

— Bien sûr, bien sûr, fit Jordan en agitant une clochette de sa main valide. Je vous remercie d'avoir pris la peine de venir, shérif. Je voulais être sûr que nous n'étions pas ennemis...

Travis leva les mains.

— En ce qui me concerne, Barbeau, tout est terminé.

La porte s'ouvrit et Willis apparut.

— Vous m'avez demandé, monsieur ?

— Le shérif aimerait parler à Miss Alaina.

— Elle attend au salon, monsieur.

Travis se leva.

— Eh bien, adieu, Barbeau, et bonne chance dans votre nouvelle vie.

Assise sur un canapé de velours rouge, Alaina contemplait le feu, pensive. Elle était toujours aussi ravissante. Lorsque Travis entra, elle se leva.

— Me haïssez-vous, Travis ?

— Non, dit-il simplement en marchant vers la cheminée. Je ne vous hais pas, Alaina. Vous ne saviez plus ce que vous faisiez, cette nuit-là. Mais si vous m'aviez tué, ajouta-t-il avec un sourire sarcastique, je vous maudirais depuis le fond de l'enfer.

Elle essaya de sourire mais fondit en larmes. Il demeura impassible. Lorsqu'elle reprit contenance, elle lui dit d'une voix calme et assurée :

— Je vous aime. Si vous étiez mort, c'est ma propre vie que j'aurais achevée. Vous êtes le seul homme que j'aie jamais vraiment aimé, Travis.

Elle fit un pas vers lui et eut un geste implorant.

— Si seulement tu me donnais une chance de te prouver mes sentiments, Travis, tu comprendrais...

— Non ! s'écria-t-il avec sévérité. Non, Alaina, répéta-t-il plus doucement. Vous êtes très belle. Vous possédez tout ce qu'un homme peut désirer, mais je ne vous veux que dans mon lit. Ce n'est pas le genre d'amour qu'un homme et une femme partagent longtemps. C'est fini entre nous.

Elle eut une moue de dépit.

— Travis, accordons-nous encore une chance...

— Non ! répéta-t-il sèchement. Je ne vous aime pas, Alaina. Je ne dis pas cela pour vous blesser, mais je me dois d'être honnête.

Comme elle ouvrait la bouche, il la lui couvrit d'un doigt.

— N'en dites pas davantage, dit-il gentiment. Vous le regretteriez plus tard. Quittons-nous bons amis.

Elle inspira, ferma les yeux et hocha la tête.

— Je vous souhaite d'être heureuse, Alaina. Je suis désolé pour tout ce qui s'est passé. Ne regardez pas en arrière. Recommencez à vivre. Vous rencontrerez quelqu'un d'autre.

— Jamais personne comme vous, fit-elle d'une voix étranglée. Jamais personne comme vous, Travis.

Il sourit.

— Heureusement !

— Vous êtes sûr que vous ne m'en voulez pas ? insista-t-elle, cherchant désespérément à être rassurée.

Il lui caressa doucement la joue.

— Non, Alaina.

Et il sortit sans ajouter un mot. Lorsqu'il referma la porte, il l'entendit sangloter mais ne se retourna pas.

Willis attendait dans le vestibule. Travis lui prit la main, la serra entre les siennes et demanda :

— Voulez-vous dire à Miss Marilee que j'aimerais lui parler avant de m'en aller ?

Willis baissa les yeux.

— Quand elle a appris que vous veniez ici ce soir, shérif, elle est partie. Je ne sais pas où.

— Bien, Willis, fit-il en lui donnant une tape sur l'épaule, prenez soin de vous et de votre peuple.

Travis quitta la maison et dévala les marches du perron quatre à quatre. Il enfourcha son cheval et partit au galop dans la nuit, vers son destin.

Mais bientôt, l'étalon ralentit et s'arrêta. Pourquoi ? Pourquoi ne continuait-il pas sa folle chevauchée ?

Parce que... Parfois le destin ne se trouve pas droit devant.

Travis fit volter le cheval. Il savait exactement où il allait.

Elle était baignée par le clair de lune, le visage rayonnant d'une lueur irréelle. Assise sur la pente verdoyante à côté du petit pavillon, dans une simple robe de mousseline bleue, le menton sur ses genoux repliés, elle regardait l'herbe avec mélancolie, une fleur sauvage entre les doigts. Elle enfouit son nez dans les délicats pétales jaunes et ferma les paupières avant d'embrasser la fleur, les lèvres tremblantes.

Elle sursauta en entendant la voix rauque.

— Laissez-moi faire. Moi au moins, je peux rendre vos baisers, belle enfant.

— Pourquoi êtes-vous venu ? demanda-t-elle d'une voix si faible qu'il l'entendit à peine.

Il s'assit à côté d'elle et écarta de son visage une mèche de cheveux châtains.

— Parce que j'étais certain de vous trouver ici. Pourquoi m'avoir fui ?

— Je ne pouvais supporter l'idée de vous revoir, répondit-elle en évitant son regard.

— Pourquoi ? Pourquoi ne vouliez-vous pas me dire adieu ? Nous n'avons donc rien été l'un pour l'autre ?

— Je ne me fais pas d'illusions, dit-elle en plongeant ses pupilles dans les siennes. Qu'est-ce qu'un adieu de plus pour un homme comme vous ?

— Il est temps, je crois, murmura-t-il, songeur, que vous sachiez certaines choses sur moi, sur les raisons pour lesquelles je ne pourrai jamais aimer une autre femme.

— Je les connais déjà. Sam m'a parlé de Kitty.

Il se raidit.

— Quand avez-vous parlé à Sam ?

— Il y a plusieurs semaines. C'est moi qui suis allée le voir, ne lui en veuillez pas, Travis. C'est votre ami. Il m'a rendu un fier service, car j'ai enfin compris, alors, le seul attrait que je pouvais présenter à vos yeux.

Brusquement, elle déchira le bustier de sa robe. Ses seins nus brillèrent au clair de lune. Il effleura les formes rondes, fermes et chaudes.

— C'est mon corps qui vous intéresse. C'est tout ce que vous m'autoriserez jamais à vous offrir. Eh bien, prenez-le, Travis. Laissez-moi au moins vous donner cela, et je chérirai cette nuit aussi longtemps que je vivrai.

Elle se mit à pleurer et, de ses mains tremblantes, elle le dévêtit, puis ôta sa robe. Elle s'allongea nue sur l'herbe. Elle écarta les cuisses, posa ses mains sur les hanches de Travis et l'attira au-dessus d'elle.

— Prenez-moi, Travis, ordonna-t-elle. Je vous aime et je vous veux, je ne peux pas lutter. Il me faut cet instant.

Ses larmes redoublèrent. Travis fit ce qu'elle attendait de lui, et elle le serra dans ses bras. Il n'y avait ni passé, ni présent, ni avenir, seulement cet instant, et il lui donnait tout ce qu'il avait à donner.

Les ongles de Marilee se plantaient dans son dos, elle se cambrait tandis qu'il l'emmenait loin, plus loin. Ensemble, ils chevauchèrent le vent jusque vers les étoiles, dans une gloire radieuse et indicible. Et lorsqu'elle cria son nom, il sut qu'une partie de lui-même s'était relevée de la tombe. Et, si c'était son seul salut, qu'il en soit ainsi !

Il la serra contre lui pendant de longs moments sans rien dire. Peu à peu, ils recommencèrent à entendre les bruits de la nuit... une chouette qui hululait, le bruissement des feuillages.

Enfin, il parla.

— Je suis venu parce qu'il fallait que je vous voie, Marilee. Je crois que je voulais vous dire ce que vous avez appris par Sam. Pour Kitty.

Il s'assit et se tourna vers elle.

— Je pars demain matin pour la Caroline du Nord, revoir mon fils. Puis je retourne au Nevada.

— Je vous souhaite d'être heureux, murmura-t-elle en regardant ailleurs. Sam dit que vous avez un fils merveilleux. Il a besoin de son père. J'espère que vous l'emmènerez au Nevada avec vous.

— Il est encore petit. Je ne peux pas l'emmener n'importe où sans personne d'autre que moi pour s'occuper de lui.

Sans lui laisser le temps de parler, il poursuivit :

— Vous souvenez-vous de ce que vous m'avez dit un jour ? Qu'aucun moment ne peut durer éternellement ?

— Oui, dit-elle avec un sourire triste.

— Aucun moment ne peut durer éternellement, répéta-t-il, comme pour lui-même. Il faudra donc créer d'autres moments.

Elle le dévisagea, dans l'expectative, et il l'attira contre lui.

— Je vous demande de créer ces moments avec moi, Marilee, murmura-t-il d'une voix enrouée. Venez avec moi. Soyez la mère de mon fils. Je vous demande...

Il marqua une pause et inspira profondément.

— Je vous demande d'être ma femme.

Elle se remit à pleurer, furieuse de se laisser aller à une telle manifestation de faiblesse, et se jeta contre la solide poitrine de Travis, comme si elle craignait que le rêve ne se terminât.

Il se mit à rire et la secoua doucement.

— Hé ? Dois-je comprendre que vous acceptez ?

— Oui, Travis. Oh, oui, oui, oui.

Il se leva et la prit dans ses bras. Au clair de lune, il l'embrassa et la maintint longuement contre lui. Puis ils s'habillèrent et se préparèrent à affronter ensemble l'avenir.

« Il faudra que cela me suffise » songea Marilee. Elle ne pouvait lui demander de l'aimer... ni être triste parce qu'il en était incapable.

Tout ce qu'elle avait le droit d'espérer, dit-elle à son cœur qui battait furieusement, c'était d'autres moments. Et cela suffirait, se promit-elle.

27

La banque était une véritable ruche. Il regarda un instant par la fenêtre. De l'autre côté de la rue, se dressait le Virginia City Hotel. Bientôt, songea-t-il avec satisfaction, ils cesseraient de vivre dans un hôtel. Il voulait une meilleure vie que cela pour son fils... et sa femme.

Sa femme.

Même après quatre mois, Travis avait du mal à réaliser qu'il était marié. Heureusement, John et Marilee s'étaient immédiatement adorés. Marilee avait déclaré que John était le genre de petit garçon qu'une femme ne pouvait s'empêcher de vouloir pour fils. Travis avait regardé avec fierté son bonhomme de cinq ans.

Mattie Glass s'était merveilleusement occupée de lui. John ne semblait pas avoir été perturbé par la longue absence de son père, et avait manifesté une joie exubérante en le revoyant. Travis était revenu au bon moment, car Mattie s'était remariée et, si Thomas Petula avait promis de veiller sur l'enfant jusqu'au retour de Travis, il aurait été injuste de demander aux jeunes tourtereaux de garder John. Et puis il avait terriblement manqué à Travis.

Mais, chaque fois qu'il plongeait ses yeux dans ceux, gris eux aussi, de son fils, Travis ne pouvait s'empêcher d'y voir la femme qui retenait encore son cœur.

Il se força à revenir au présent. L'existence était-elle déplaisante, pour Marilee ? se demanda-t-il. Il était gentil avec elle. Il la gâtait, maintenant qu'il était riche. Quant à l'affection... peut-être ne disait-il pas tout ce qu'elle aurait aimé entendre, mais il n'avait jamais été très romantique.

Les feux de la passion avaient peu à peu diminué. Il la prenait de moins en moins souvent, et il l'entendait pleurer la nuit, parfois. Que pouvait-il lui dire ? Il n'y avait même pas d'autre femme...

Depuis quelque temps, Marilee s'était mise à s'intéresser au nouveau monde dans lequel ils vivaient. Un jour, il était rentré de sa mine et l'avait trouvée toute remontée à propos de ce qu'elle appelait « l'impardonnable situation des Indiens ». Il l'avait écoutée critiquer le gouvernement : personne ne semblait se soucier de donner une quelconque éducation aux Indiens. Une semaine plus tard, elle l'avait informé avec un regard ne tolérant aucune objection qu'elle était allée trouver l'agent indien, et avait obtenu l'autorisation de créer une école pour les enfants indiens dans une mission mormone abandonnée.

Il l'avait écoutée, incrédule, et avait songé qu'après tout c'était une bonne chose. Cela l'occuperait. Pour la centième fois, il s'était demandé si Marilee n'aurait pas été plus heureuse si elle ne l'avait pas épousé. Peut-être. Il n'aurait su dire.

Les jeunes mariés n'avaient pas eu le temps de partir en voyage de noces avant de quitter le Kentucky avec Sam. Mais Marilee avait pris cela avec bonne humeur, disant qu'elle pourrait raconter à ses petits-enfants qu'elle avait passé sa lune de miel avec deux hommes !

Travis poussa un soupir. Marilee se plaisait, à l'hôtel. Ils disposaient d'une suite spacieuse et con-

336

fortable, et de dizaines de domestiques à leurs ordres. C'était le genre d'existence à laquelle elle avait toujours été habituée, et il était heureux de pouvoir la lui offrir. Mais les choses allaient changer. Il en avait assez d'avoir l'impression de vivre chez un autre. Il voulait une maison à lui, avec des hectares de terrain. Du bétail, des chevaux... Un endroit où John pourrait grandir et s'épanouir.

Eh bien aujourd'hui, se dit Travis en souriant, cela devenait une réalité. Telle était la surprise qu'il leur réservait. Il avait choisi un terrain de quatre cents hectares en bordure de la rivière Carson. Le lieu idéal pour élever des animaux, avec des pâturages et de l'eau. La maison était déjà bâtie. Oh, c'était une simple cabane de deux pièces, pour l'instant, mais, après quelques travaux, elle serait comme neuve. Il y ferait ajouter une petite cuisine et, plus tard, lorsque la grange, les étables et les écuries seraient construites, et les troupeaux installés, ils pourraient édifier une nouvelle maison. Il laisserait Marilee choisir tout ce qu'elle voudrait.

Pour l'instant, il n'aspirait qu'à une chose, quitter l'agitation de Virginia City pour les plaines et les monts paisibles du Nevada. Il était impatient de faire part de sa surprise à Marilee.

— Travis ! Je t'ai cherché partout ! Enfin, te voilà.

— Sam ! Qu'y a-t-il ?

— Un accident à la mine.

— Mon Dieu ! Grave ?

— Non, non. Un effondrement. Personne n'est mort, mais Horace Rigby, l'un des ouvriers que nous avons embauchés la semaine dernière, a été touché par une poutre. Je sors de l'hôpital, il s'en tirera sans doute avec quelques côtes cassées. Viens avec moi voir comment on peut creuser une nouvelle galerie. Nous devons impérativement installer des poutres supplémentaires pour éviter un nouvel éboulement. Si l'on creuse une nouvelle galerie dans l'ancienne, il faudra jouer très prudemment, ça risque d'être dangereux. Tu connais bien les plans qu'a faits Odom de cette mine, et il faut que tu y sois quand ils vont commencer la nouvelle tranchée. Allons-y tout de suite.

— Oh, Sam !

— Ce n'est pas le moment de t'énerver. Imagine que cela soit arrivé pendant notre absence ! Tu es le seul à connaître par cœur la disposition de cette mine, alors remue-toi !

— Ça ne peut pas attendre un peu ? J'ai des affaires à régler ici, avec mon banquier.

Sam hésita.

— Je te donne une heure, pas plus. Je vais préparer ce qu'il nous faut et je te retrouve à l'hôtel. Fais vite, Travis.

Il sortit précipitamment. Quinze minutes plus tard, Travis était l'heureux possesseur de la propriété Latford. Il courut annoncer la nouvelle à Marilee.

Elle était assise au milieu du salon, des papiers et des livres éparpillés autour d'elle. Elle lui adressa un sourire radieux et déclara :

— Je suis si contente que tu rentres tôt, Travis. Je voulais te montrer ces bouquins qui sont arrivés aujourd'hui de Boston ! C'est exactement ce qu'il me fallait pour les enfants ! Les livres d'histoire les plus récents...

Elle s'interrompit en voyant comme il la regardait, se leva et alla se jeter dans ses bras. Il l'installa sur le canapé et s'assit à côté d'elle.

— J'ai quelque chose à te dire. Une grande nouvelle. Et j'espère que tu vas partager ma joie.

Elle poussa un soupir de soulagement.

— Ouf, j'ai eu peur qu'il ne soit arrivé quelque chose. Tu as une façon d'annoncer les bonnes nouvelles... !

Il sortit l'acte de vente de sa poche et le lui tendit sans un mot. Lentement, presque avec hésitation, elle le prit, le déplia et lut. Très vite, elle haussa les sourcils, puis elle poussa un petit cri et le regarda avec stupeur avant de s'exclamer :

— Travis, mais... pour quoi faire ? A quoi servira un terrain si éloigné de la ville ?

— Ecoute-moi, Marilee, j'ai acheté cette terre pour y vivre.

— Y vivre ?

— Toi, moi et John. Il y a une cabane sur place, je vais la faire réparer, et nous devrions pouvoir emménager la semaine prochaine. Plus tard, nous ferons construire une vraie maison. Aussi grande que tu le voudras. Pour l'instant, ce qui compte, c'est de quitter cet hôtel.

Elle se leva, très raide, le visage fermé.

— Tu ne peux pas me faire cela, Travis, dit-elle d'une voix ferme. Je suis venue avec toi jusque dans cette... ces contrées sauvages. J'ai tout quitté. Tu ne sais pas quel sacrifice c'était pour moi.

— Marilee, écoute-moi.

Il se leva et lui prit le bras, mais elle se dégagea sèchement et lui décocha un regard furieux.

— Non ! siffla-t-elle. C'est toi qui vas m'écouter. Jamais je ne me suis plainte, et pourtant, ma famille et mon pays me manquent terriblement. Je t'aime. J'aime ton fils. Je le considère maintenant comme *notre* fils. J'ai essayé d'être une mère pour lui, d'être une épouse pour toi, bien que tu refuses d'en oublier une autre. *Dieu sait si j'ai essayé !*

Elle serra les poings et poursuivit :

— J'ai fini par trouver quelque chose qui me rend

heureuse, vraiment heureuse. L'école des petits Indiens. Ils ont besoin de moi autant que j'ai besoin d'eux. Tu ne peux pas me retirer cela. Tu ne peux pas me faire vivre à des milles d'ici, dans un endroit perdu au milieu de nulle part sous prétexte que tu étouffes dans cette ville, cette société, ce décor...

— Marilee, tais-toi !

Il la secoua par les épaules et lui dit calmement :

— J'agis pour le mieux, crois-moi. Virginia City n'est pas un endroit pour élever un enfant. Un hôtel n'est pas un endroit pour une famille. Nous n'allons pas dans un trou perdu, nous allons vers un empire, Marilee, un empire que nous édifierons ensemble, toi et moi. Nous aurons des employés, des domestiques, nous serons entourés. Tout ce que nous avons à faire, c'est de nous atteler à la tâche.

— L'école... gémit-elle.

— Bon sang, Marilee ! s'énerva-t-il. Ouvre une autre école là-bas. Il y a des Indiens dans tout le comté !

— Je me suis attachée à ces enfants.

— Tu t'attacheras à d'autres.

Il s'écarta de quelques pas, passa ses doigts dans ses cheveux et se retourna vivement :

— Bon Dieu, tu es ma femme ! Tu feras ce que je te demande. Et je n'ai pas le temps de discuter avec toi.

Les yeux de Marilee étincelèrent, et il vit que la colère l'emportait à présent sur sa tristesse.

— Tu te moques bien de ce que je peux éprouver, hein ? dit-elle d'une voix glaciale. Et John ? Lui as-tu demandé ce qu'il pense à l'idée de s'exiler aussi loin ? De quitter ses amis ? Il se plaît ici autant que moi, et c'est injuste de passer son temps à le déraciner. Il a besoin d'un foyer stable.

— Je suis en train de lui en construire un. Pour lui, et pour toi !

Il se maudissait de se mettre dans une telle colère. Il ferma les paupières. Sa décision était prise. Il avait la terre. Il s'y installerait. Il rouvrit brusquement les yeux, la regarda pendant de longs moments, puis murmura :

— Tu ne te plais pas, ici, Marilee. Tu n'as jamais été heureuse depuis que tu es ma femme.

— Si, Travis, répliqua-t-elle rapidement en amorçant un geste vers lui.

Puis elle se reprit et poursuivit avec prudence :

— Bien que je vive avec un fantôme.

— Tu le savais en m'épousant, répliqua-t-il, la mâchoire secouée d'un tressaillement.

— Tu aurais pu faire un peu plus d'efforts, Travis. J'ai vite compris qu'il n'y avait pas d'amour pour moi dans ton cœur de pierre. Tu admires certaines choses en moi. Tu apprécies mon corps, peut-être pas autant qu'avant, mais il te satisfait. En dehors de cela, je te suis indifférente.

Il inclina la tête, comme s'il comprenait tout cela pour la première fois.

— Crois-tu sincèrement ce que tu viens de dire ?

Elle hocha la tête.

— J'ai aussi comblé une lacune pour ton fils.

— Tu as été une bonne mère pour lui, Marilee, dit-il. Je n'ai absolument rien à te reprocher.

— Hormis le fait que je ne suis pas Kitty, dit-elle tristement. Et moi, tu ne m'aimeras jamais. Tu n'essaieras jamais de combler mes désirs.

Soudain, il tourna vers elle un visage déterminé. Il prit une profonde inspiration et déclara :

— Je crois que tu devrais rentrer chez toi, Marilee. Nous devrions divorcer.

— Divorcer ? répéta-t-elle dans un souffle. Mais

pourquoi, Travis ? Parce que je ne veux pas aller vivre dans le désert ni abandonner mes leçons aux enfants ? Je ne comprends pas !

— Je suis incapable de faire ton bonheur, Marilee. Pas comme tu le mérites. Et je refuse de te voir malheureuse.

— Je... Je ne suis pas malheureuse, dit-elle doucement. Je t'aime de tout mon cœur, Travis... J'ai prié pour que tu m'aimes un jour. Tu ne peux pas vouloir divorcer.

Elle frissonna, mais il contempla longuement le tapis avant de lever les yeux.

— Regarde-toi. Tu es pâle, anémique. Vois ce que cette existence fait de toi. Quant à John, avec le temps, il comprendra. Peut-être pourra-t-il aller te rendre visite cet été.

Sans le regarder, elle murmura avec douleur :

— C'est ce que tu désires réellement, Travis ? Que je te quitte ?

Soudain, il s'agenouilla à ses pieds et saisit ses mains entre les siennes.

— Non ! Non. Je tiens à toi. Mais je ne veux pas te blesser.

Elle se mordit la lèvre, se contraignit à rencontrer son regard.

— Je ne te quitterai pas, Travis. Je ne divorcerai pas. J'abandonnerai l'école et viendrai avec toi dans le désert, et je continuerai à faire de mon mieux pour te rendre heureux. Mais je ne te quitterai pas. Ni maintenant, ni jamais.

Il poussa un long soupir, se releva et alla regarder par la fenêtre. Il passerait donc le reste de sa vie à se culpabiliser parce qu'il lui était impossible de l'aimer, et à craindre de la blesser, sans jamais pouvoir rien y faire. Mais il ne pouvait pas l'obliger à partir.

Il se rendit compte soudain qu'elle disait quelque chose. Très lentement, il se retourna et comprit qu'il avait bien entendu.

— J'attends ton enfant, répéta-t-elle.

Derrière la porte, Sam se raidit. Il s'apprêtait à frapper lorsqu'il les avait entendus se disputer. Il secoua la tête et lutta contre l'horreur qui s'emparait de lui.

Marilee allait avoir un enfant. Seigneur Dieu, comment pourrait-il jamais annoncer à Travis la découverte qu'il venait de faire ? Impossible. Il tourna lentement les talons. Il ne pouvait pas dire la vérité à son ami. Il devrait supporter seul cet accablant secret. « *Je n'ai pas le choix* », se dit-il sombrement.

28

Soucieux, Travis jeta un coup d'œil en coin à Sam, tandis qu'ils chevauchaient vers la mine.

— Tu es malade ? demanda-t-il.

— Mais non ! répondit Sam en regardant droit devant lui.

— Qu'est-ce qui ne va pas ? Le médecin t'a donné de mauvaises nouvelles de Rigby ?

— Non, il va s'en sortir avec quelques côtes cassées et de beaux bleus. Il a eu de la chance.

— Alors, qu'y a-t-il ?

— Mais rien ! Je m'inquiète pour cette nouvelle galerie à creuser.

Travis connaissait Sam depuis trop longtemps pour ne pas savoir quand quelque chose le tracassait. Comme il insistait, son vieil ami piqua un galop.

— Ralentis ! s'écria Travis. Il fait trop chaud pour ces pauvres bêtes !

Sam obéit.

— Marilee va avoir un bébé.

Sam hocha la tête.

— Je sais, je t'ai même entendu parler de divorce. J'allais frapper quand je vous ai entendus crier, et malgré moi, j'ai écouté la suite. Pardonne-moi.

Travis haussa les épaules.

— Je te l'aurais dit tôt ou tard. Je crois que nous serions plus heureux séparés, Marilee et moi. J'ai eu tort de l'épouser, et elle en souffre plus que moi. Mais c'est trop tard, maintenant. Avec ce bébé, la question ne se pose plus. Il va simplement falloir que je fasse un peu plus d'efforts.

— Tu ne l'aimes donc pas du tout ? explosa soudain Sam. Je croyais que si. Jamais comme Kitty, bien sûr, mais j'étais sûr que tu éprouvais quelque chose pour elle. Si elle ne t'avait pas annoncé qu'elle était enceinte, l'aurais-tu renvoyée ?

— Renvoyée n'est pas le mot, Sam. Je ne sais pas. Quant à l'aimer ? Non, je ne l'aime pas. Et je ne l'aimerai jamais. Je l'estime, je la respecte et l'admire, mais cela s'arrête là. Maintenant, elle va être la mère de mon fils et je suppose que cela renforce mon affection. Mais ce n'est pas de l'amour.

— Et le bébé ? Tu es content ?

Travis n'y avait pas vraiment songé. Il hocha lentement la tête.

— Oui, Sam. Je ne me suis jamais considéré comme un père de famille, mais je suis fou de John et je chérirai tout autant un autre enfant. Après tout, c'est peut-être mieux... Marilee a droit à une existence plus agréable, je tâcherai de la traiter avec davantage d'égards. Une seule chose est certaine, ajouta-t-il avec détermination. Je ne la ferai pas souf-

344

frir, et ne laisserai personne lui faire du mal. Quoi qu'il arrive.

Quoi qu'il arrive. Sam rumina silencieusement ses paroles.

— Mais ne t'inquiète pas, Sam, si c'est cela qui te tracasse. Tout va bien aller. Je vais lui construire une belle maison.

Lorsqu'ils arrivèrent à la mine, un ouvrier courut au-devant d'eux.

— Il y a eu un nouvel effondrement ! A l'instant ! Encore trois mètres de partis. Si ça continue, toute la construction va s'écrouler.

Travis ôta sa chemise, saisit une pelle et se joignit aux autres. Le travail progressait à une lenteur insupportable. Ils ne s'arrêtaient que pour boire ou respirer un peu d'air frais. Bientôt, il fit nuit et ils travaillèrent à la lueur de lanternes. Les silhouettes sales et suantes ressemblaient à des fantômes, on aurait dit qu'ils creusaient un tombeau assez grand pour les ensevelir tous. Enfin, ils placèrent les poutrelles de soutien, et purent continuer à creuser.

Plusieurs heures plus tard, un chariot approcha. Travis cligna des yeux en voyant Marilee.

— Que diable fais-tu ici ? s'écria-t-il en posant sa pelle. C'est la première fois que je te vois conduire un attelage !

— Ne sois pas fâché, Travis, dit-elle en souriant et en désignant les deux femmes qui l'accompagnaient. Nous vous avons apporté des sandwiches, de la soupe et du café, vous devez mourir de faim.

Il la prit par la taille et la souleva en l'embrassant.

— Tu sais que tu es stupéfiante ? Tu n'aurais pas dû...

Elle rit et son visage s'anima.

— Tu me gronderas plus tard. Pour l'instant, occupons-nous de restaurer tous ces hommes.

Et elle ajouta avec un clin d'œil :

— Tu verras, Travis Coltrane, je vais devenir une vraie pionnière !

Il éclata de rire. Peut-être, songea-t-il, pris d'une soudaine vague d'allégresse, peut-être que tout irait bien pour eux. Elle l'aimait et il tenait à elle, bon Dieu, c'était déjà beaucoup !

Il se remit au travail, du cœur au ventre.

Quelque temps plus tard, Marilee insista pour qu'il avale quelque chose.

— Tout le monde a fini. Sam non plus n'a encore rien pris.

— Trouve-moi Sam, et je m'arrêterai en même temps que lui pour que nous fassions le point.

Elle revint quelques instants plus tard, inquiète. Pas de Sam. Travis jeta sa pelle et cria à la cantonade :

— Quelqu'un a vu Bucher ?

Gilbert Sacks, propriétaire d'une autre mine venu aider Travis avec ses hommes, répondit :

— Il est parti dans l'ancienne galerie il y a une demi-heure pour la surveiller pendant que les hommes postés là-bas mangeaient. Mais ils y sont retournés, Sam devrait être revenu.

Travis courut vers le souterrain en partie effondré.

— Où est Bucher ? cria-t-il. Etait-il là à votre retour ?

— Non, on pensait qu'il était parti casser la croûte. On ne l'a pas vu.

Travis saisit une lanterne et regarda l'entrée du tunnel.

— Hé ! Vous n'allez pas entrer là-dedans. Ça risque de s'effondrer !

— Sam ! appela Travis en avançant de quelques pas. Sam ! Bon Dieu, tu es là ? Réponds-moi !

Il souleva la lanterne au-dessus de sa tête et distingua soudain un autre effondrement, proche de l'entrée de la galerie. Et personne n'avait rien entendu ! A cet instant, son cœur cessa de battre.

Le vieux chapeau de Sam !

Il pivota sur ses talons et courut dehors.

— Apportez des pelles ! Des poutrelles ! Des lanternes ! Il y a un homme là-dessous !

Marilee accourut, mais il lui fit signe de s'éloigner.

— Tu n'as rien à faire ici. Reste près du chariot, nous allons en avoir besoin pour le ramener en ville. Venez, vous autres, bon Dieu ! Il va étouffer, et on ne l'a même pas encore localisé !

Gilbert Sacks apparut, le front barré d'une ride.

— Coltrane, vous ne pouvez pas emmener ces hommes là-dedans ! Dès que vous commencerez à creuser, le reste du souterrain va s'écrouler ! Et peut-être même toute cette fichue mine !

— Je sortirai Sam de là, coûte que coûte, même si je dois fouiller à mains nues.

Il le repoussa pour entrer dans la galerie. Il se jeta à genoux et commença à creuser la terre avec ses mains, sans cesser de crier :

— Sam, tu m'entends ? Je te trouverai, Sam ! Je le jure devant Dieu, je vais te sortir de là !

Il ravala un sanglot. Creuse, bon sang, creuse ! Chaque seconde qui passe peut être fatale. Creuse. On entendit un léger grondement, assez menaçant pour faire rebrousser chemin aux rares volontaires qui avaient suivi Travis.

— Vous n'y arriverez jamais ! cria quelqu'un tandis qu'une pluie de pierres s'abattait sur sa tête.

— Revenez, Coltrane ! hurla Sacks à l'entrée de la galerie. Ça va lâcher, revenez pendant que vous le pouvez encore.

Travis faisait la sourde oreille. Creuse, creuse. Maudits soient les poltrons !

— Coltrane ! Il est sûrement mort ! Vous allez vous faire tuer pour rien ! Sortez de là !

Travis sentit quelque chose de dur... Le talon de Sam ! Il avait trouvé son talon ! Il s'acharna désespérément.

— Sam ! Tu m'entends ? hurla-t-il. Oh, je t'en prie, réponds-moi.

Sam remua. C'était imperceptible, mais il avait remué. Avec une lenteur prudente, Travis finit par dégager sa jambe, puis son bassin, et enfin sa taille. Il creusa de toutes ses forces pour le tirer à lui.

— Ô mon Dieu, aidez-moi. Je me suis toujours moqué de savoir si vous existiez ou non mais, si vous êtes là-haut, aidez-moi, et jamais plus je ne douterai.

Soudain, il retomba en arrière, Sam dans ses bras. Il l'avait déterré ! Il était libre. A cet instant, la voûte de terre commença à céder.

— Accroche-toi, Sam ! hurla-t-il en rampant et en traînant son ami à côté de lui. On va y arriver, mon vieux, on va y arriver ! grinçait-il en toussant.

Gilbert Sacks entra à genoux dans ce qui restait de la galerie, attrapa Sam par les épaules ; un autre tendit la main à Travis.

Au moment où les quatre hommes atteignaient l'air libre, un rugissement gronda de l'intérieur de la galerie et, dans un formidable roulement de tonnerre, la mine s'effondra.

Agenouillé à côté de Sam, Travis dégageait frénétiquement la terre du nez et de la bouche de son vieil ami.

— Il respire ! cria-t-il. Vite, amenez le chariot, il faut l'emmener voir un médecin !

Marilee arriva avec une couverture et les regarda, impuissante, allonger Sam précautionneusement à l'arrière du chariot. Puis Travis se tourna vers elle, le visage noirci. Il la prit par les épaules et murmura :

— Reste ici avec les femmes, ma chérie. Si je ne reviens pas te chercher moi-même, je t'envoie une carriole. Nous allons devoir rouler à toute allure, et je ne veux pas que tu sois secouée.

— Ça ira, Travis, dit-elle, touchée par son attention. J'aimerais mieux aller avec vous.

— Pas question, Marilee ! cria-t-il. Et ne discute pas, je ne veux pas courir le risque que tu perdes le bébé. Attends-moi ici, je reviendrai.

— Oui, oui, bien sûr. Tu as raison.

Elle fit un pas en arrière, gênée que les autres aient entendu.

Oh, comme elle aimait cet homme. Il incarnait tout ce qu'une femme pouvait rêver, et même davantage.

Mais il ne l'aimait pas.

Elle avait songé à le quitter, à lui rendre sa liberté... et puis elle avait appris qu'elle était enceinte.

Et désormais, Marilee n'avait plus qu'à accepter les choses telles qu'elles étaient. Maintenant qu'un bébé grandissait dans son ventre, elle ne pouvait plus reculer. Elle ne pouvait qu'être heureuse de partager la vie de Travis... à défaut de son cœur.

— Nous arrivons ! cria Gilbert Sacks.

— Il est à moitié réveillé, cria Travis à son tour. Il essaie de dire quelque chose, mais je ne comprends pas quoi. Je crains une commotion interne. Il saigne du nez.

Gilbert arrêta l'attelage devant le bâtiment en planches au-dessus duquel trônait le panneau : « Hôpital de Virginia City ». Il courut chercher une civière et revint bientôt avec deux hommes.

— Faites attention, ordonna Travis. Il souffre beaucoup. Il est peut-être resté quinze minutes enterré. Il a pu être écrasé par un rocher.

Ils l'installèrent délicatement sur le brancard.

— Dépêchez-vous, je vous prie, cria une voix féminine avec impatience. J'ai un blessé par balle qui m'attend, mais je veux examiner celui-ci avant de commencer à opérer.

Travis leva les yeux. La femme était sur le seuil de la porte, à contre-jour. Elle portait une robe blanche très simple. Il remarqua vaguement un halo de cheveux blond vénitien avant de crier à Gilbert :

— Qu'est-ce que ça signifie ? Une femme médecin ?

— Je n'en sais pas plus que vous, Travis, fit l'autre en s'épongeant le front avec lassitude.

— Une femme médecin ! répéta Travis avec mépris. Je ne veux pas que ce soit une femme qui s'occupe de Sam !

— C'est déjà mieux que rien ! Il pourrait n'y avoir aucun médecin du tout !

— Avec l'effervescence qui règne dans cette ville, ça m'étonnerait que je ne trouve pas mieux qu'une bonne femme pour soigner mon Sam.

Il courut en haut des marches et arriva dans un long couloir bordé de portes. Il en ouvrit une au hasard sur sa gauche et se trouva nez à nez avec une infirmière à l'imposante carrure qui le reconduisit illico dans le hall.

— Pour qui vous prenez-vous ? siffla-t-elle. C'est un hôpital, ici, pas un saloon. Maintenant, dehors, et attendez votre tour.

— Où est l'homme qui a été blessé dans l'accident de la mine ?

— Je n'en sais rien, répliqua-t-elle sèchement.

Nous sommes très occupés ; patientez ici, on viendra vous chercher plus tard.

— Attendez ! Dites-moi juste une chose. Avez-vous des femmes médecins ici ?

— Une. Pourquoi ?

— Est-ce qu'elle connaît bien son métier ? demanda-t-il, sachant qu'il s'exposait à des représailles, mais incapable de retenir la question qui lui brûlait les lèvres.

— Très bien ! fit l'infirmière en croisant les bras. C'est tout ce que vous vouliez savoir ? ajouta-t-elle avec irritation. J'ai un patient qui m'attend.

— C'est elle qui soigne mon ami.

— Votre ami est dans de bonnes mains, vous pouvez interroger qui vous voulez autour de vous. Je n'aime pas votre attitude, monsieur. Si vous avez à être soigné ici un jour, j'espère que vous ne m'aurez pas pour infirmière.

— Pas de danger, marmonna-t-il en tournant les talons.

Quel genre d'endroit était-ce ? Une femme médecin et une infirmière garde-chiourme !

Gilbert l'observait en riant sous cape.

— Qu'est-ce qui vous fait rire ? fit Travis avec irritation.

— Vous avez trouvé adversaire à votre taille, on dirait, dit-il. Cette infirmière s'appelle Miss Cannon. Ses patients la surnomment affectueusement Boulet de Canon, ça vous situe le personnage.

— Je m'inquiète pour Sam, Sacks. Je veux qu'il reçoive les meilleurs soins.

Ils s'assirent sur des bancs de bois dans le hall et attendirent en silence. Travis songea vaguement à Marilee, qui l'attendait à la mine. Quelqu'un la raccompagnerait. Elle ne semblait pas en forme, ces derniers temps. Mieux aurait valu qu'elle ne soit pas enceinte. Elle ne paraissait pas en assez bonne santé pour porter un enfant. Enfin, soupira-t-il, de toute façon, c'était trop tard.

Des pas résonnèrent dans le couloir, et Travis leva vivement les yeux. La femme en blanc revenait. Gilbert s'était endormi, affaissé sur le banc.

— C'est vous qui accompagnez l'homme accidenté à la mine ?

Elle s'approcha de Travis, le visage marqué par l'anxiété.

Travis ne put que la dévisager, pétrifié. Son cœur refusait de battre, ses poumons, de respirer. Il sentit un vertige l'emporter. Ses oreilles tintaient.

— Monsieur, insista-t-elle. Monsieur, êtes-vous avec l'homme qui a été blessé à la mine ?

— Oui, oui, parvint-il à répondre en se levant.

— Il a plusieurs côtes cassées, annonça-t-elle en le regardant curieusement. Nous allons le garder sous surveillance au cas où d'autres problèmes surviendraient. Vous pouvez le voir quelques instants, puis il lui faudra du repos.

Comme elle se tournait pour partir, il lui saisit le poignet.

— Qui êtes-vous ? hurla-t-il soudain, incapable de maîtriser sa voix. Bon Dieu, qui êtes-vous ?

— Lâchez-moi ! s'écria-t-elle en se secouant avec colère. Qu'est-ce qui vous prend ? Etes-vous ivre ?

Il resserra son étreinte.

— Je veux savoir qui vous êtes ! ordonna-t-il. Dites-moi votre nom !

Gilbert s'était réveillé, il bondit sur ses pieds.

— Travis, qu'avez-vous ? Laissez-la !

Il le tira par le bras, mais Travis ne lâcha pas prise et continua à contempler le médecin sans ciller.

Des portes s'ouvrirent et des gens arrivèrent. De sa

poigne solide, Miss Cannon déséquilibra Travis, qui desserra enfin le poignet de la jeune femme terrifiée.

— Ne faites pas attention, Doc, rugit l'infirmière. Il n'aime pas les femmes médecins.

— Je vous assure, dit le docteur en lissant sa jupe et tapotant son sévère chignon doré, que je suis parfaitement compétente. Toutefois, si vous êtes farouchement opposé à ce que je soigne votre ami, monsieur, je vais le confier à l'un de mes collègues masculins.

Elle se retourna. Travis bondit derrière elle, mais l'infirmière et Gilbert le retinrent chacun par un bras.

— Dites-moi seulement qui vous êtes ! cria-t-il tandis qu'elle fuyait.

Elle se tourna lentement pour le regarder, ses yeux violets assombris. Il gémit. Ces yeux... Une seule femme au monde pouvait avoir les yeux violets !

— Je suis le Dr Musgrave, murmura-t-elle avant de disparaître.

Travis chancela, soudain incapable de se tenir debout. Il s'effondra sur le banc le plus proche. L'infirmière secoua la tête et siffla :

— Je devrais vous jeter dehors. Un autre éclat comme celui-ci et vous n'aurez plus jamais le droit de pénétrer dans cet hôpital.

— Je veux voir Sam avant de partir. Le docteur a dit que je le pouvais.

Miss Cannon le conduisit en maugréant au premier étage, dans un vaste dortoir. La pièce était calme et plongée dans une semi-obscurité.

— Troisième lit à gauche, sous la fenêtre, murmura l'infirmière. Au moindre bruit, je vous renvoie droit dans la cour, menaça-t-elle avant de s'éloigner.

Sam était allongé sur le dos, les yeux fermés. Travis lui prit doucement la main.

— Sam, Sam, tu m'entends ? murmura-t-il.

Les paupières de Sam tremblèrent et Travis y vit briller des larmes.

— Je l'ai vue, Travis. Je ne voulais pas te le dire... à cause du bébé... Mais je sais que tu l'as vue aussi.

— Ça ne peut pas être elle, Sam. Elle lui ressemble incroyablement, mais elle ne m'a pas reconnu.

— Moi non plus, Travis, et pourtant, c'est elle. Je ne comprends pas, mais ce dont je suis certain, c'est que cette femme *est* Kitty.

Il y eut un lourd silence.

— Tu as raison, Sam. Ce ne peut être que Kitty. Aucune autre femme ne saurait être aussi belle.

Sa voix se brisa. Après un nouveau silence, Sam lui posa la question inévitable.

— Que vas-tu faire, mon garçon ?

— Je vais découvrir pourquoi elle ne nous reconnaît ni l'un ni l'autre. Comment elle s'est retrouvée ici. Mais, avant cela, je veux savoir qui est enterré dans cette tombe ! Il faudra que je sois prudent. Je ne peux pas laisser qui que ce soit deviner ce qui se passe. Surtout pas John, ni Marilee.

Sam lui demanda doucement :

— Et ensuite ? Que feras-tu ?

Travis prit une profonde inspiration, puis expira lentement en se levant. Il esquissa un sourire d'une infinie tristesse.

— Que veux-tu que je fasse, Sam ? dit-il avec calme. Rien.

29

— Quoi ? Qu'y a-t-il ? demanda le Dr Ambrose Watkins.

Travis s'assit sans y avoir été invité.

— Je voudrais vous poser quelques questions à propos d'un médecin que vous avez ici à l'hôpital, le Dr Musgrave.

Le Dr Watkins dévisagea son interlocuteur d'un œil soupçonneux.

— Que voulez-vous savoir sur Stella Musgrave ?

— J'aimerais savoir où elle a appris la médecine. J'estime que l'on a le droit de poser cette question à un médecin. Est-ce un renseignement confidentiel ?

— Non, répondit l'autre, c'est pourquoi je vous suggère de vous adresser directement au Dr Musgrave ! Qui êtes-vous, monsieur ?

— Coltrane. Travis Coltrane. Je suis propriétaire de la mine Odom.

Le visage du Dr Watkins s'éclaira d'un large sourire. Il se leva d'un bond, contourna le bureau et serra la main de Travis.

— Ça alors ! s'écria-t-il. Capitaine Coltrane ! J'ai toujours désiré vous rencontrer. Je connais vos magnifiques exploits de guerre, j'étais avec le corps médical sous les drapeaux du général Grant en personne. Capitaine, ajouta-t-il, l'armée de l'Union est fière de vous.

— Merci, murmura Travis, clairement désireux de clore le sujet.

— Revenons à nos moutons, poursuivit le médecin en souriant. Maintenant que je suis rassuré sur votre identité, je serai heureux de vous renseigner.

A vrai dire, capitaine, je ne sais pas trop quoi vous dire. Ceci restera entre nous, bien entendu ? chuchota-t-il en se penchant en avant.

— Bien entendu.

Le médecin roula des yeux en soupirant.

— Si jamais on apprenait qu'elle exerce sans licence... Mais, croyez-moi, capitaine, il n'y a aucun danger pour les patients. En médecine, cette femme en sait autant que moi ou n'importe lequel de mes collègues, et je ne lui confie aucun travail de chirurgie délicat. Elle s'occupe des victimes de pugilats, des blessures par balle, des coups de poignard et autres interventions de cet ordre.

— Quand est-elle arrivée ici ?

— C'est une longue histoire, capitaine.

— Cela fait longtemps que j'attends de l'entendre.

Le Dr Watkins le regarda avec curiosité, puis se carra dans son fauteuil et commença :

— Elle est arrivée ici pour se faire soigner, il y a près de deux ans. Elle souffrait d'une forte fièvre, son état de santé était alarmant. Elle n'avait plus que la peau sur les os et était d'une faiblesse inouïe. Je ne pensais pas qu'elle s'en sortirait.

— Qui l'a amenée ? demanda Travis en s'efforçant de garder son calme.

— Sincèrement, je n'en sais rien. Lorsqu'elle a récupéré, elle a été incapable de nous dire qui elle était. Elle ne savait absolument rien sur elle-même. J'ai songé que c'était peut-être dû aux suites de sa fièvre ou de sa maladie. Puis le temps a passé, et il est devenu évident qu'elle était victime d'une grave amnésie. Elle l'est toujours. Je pensais que quelqu'un viendrait la chercher, mais non. Alors je l'ai laissée effectuer de menues besognes ici à l'hôpital, pour le gîte et le couvert. Peu à peu, elle a com-

mencé à aider dans les salles de soin, et j'ai été stupéfait par sa compétence.

« Oh, je lui ai posé beaucoup de questions,
poursuivit-il. Pour une raison obscure, elle n'avait
rien oublié de ses connaissances en matière de médecine. Et pourtant, tout le reste n'était qu'un grand
trou blanc. Elle ne se souvenait que d'un seul nom :
Doc Musgrave.

— C'est le Dr Musgrave qui lui a enseigné tout ce
qu'elle sait, expliqua Travis d'une voix neutre. Elle
le suivait lors de ses tournées quand elle était petite.
Pendant la guerre, elle a travaillé dans les hôpitaux
et les infirmeries. Dans les deux camps. Demandez-
lui de pratiquer une amputation, vous serez stupéfait.

— Vous... Vous la connaissez ? s'écria le médecin,
incrédule. Mon Dieu, mais que ne l'avez-vous dit plus
tôt ! Est-elle réellement médecin ?

— Je crains que non, pas vraiment, mais elle n'a
rien à envier à un médecin diplômé, comme vous
l'avez compris. Je suppose qu'elle s'est rappelé le
nom de Doc Musgrave parce que le vieux bonhomme
lui était très cher. Elle a toujours voulu être médecin. Mais pourquoi l'appelez-vous Stella ?

— J'avais une fille du nom de Stella. Elle est
morte, répondit-il avec simplicité. Cette jeune
femme est une vraie fille, pour moi. Ma femme et moi
l'avons accueillie chez nous. Elle fait partie de la
famille.

Travis demeura songeur quelques instants.

— Avez-vous constaté une évolution dans son
comportement ? Croyez-vous qu'elle recouvrera un
jour la mémoire ?

Le docteur étendit les mains, impuissant.

— C'est difficile à dire, capitaine. Il n'existe pas
deux cas d'amnésie semblables. Nous en savons si

peu sur les parcours compliqués du cerveau... Vous a-t-elle vu ? Vous a-t-elle reconnu ?

— Non. Elle m'a regardé comme un parfait inconnu.

— Hem... Mais étiez-vous assez proches ? hasarda le médecin.

— Nous sommes mariés.

Ambrose Watkins ferma les yeux. Après un moment, il les rouvrit et regarda Travis avec compassion.

— Capitaine, je sais que vous avez une autre femme. C'est ma patiente, et elle est enceinte de trois mois. Que s'est-il passé ? Croyiez-vous que Stella était morte ?

Travis lui raconta toute l'histoire, puis il secoua la tête avec désespoir.

— Je l'aime toujours. Et je ne peux rien faire...

— Kitty Wright Coltrane, répéta le médecin. Enlevée par une brute de la pire espèce, qui lui a fait subir tant d'horreurs que son esprit n'a pas supporté ce qu'il la forçait à endurer. Ce Tate a dû penser qu'elle était devenue folle. Il a voulu sauver ses arrières au cas où quelqu'un lui poserait des questions sur elle, et il vous a emmené sur cette tombe.

— J'y suis retourné la nuit dernière, dit Travis, et je l'ai ouverte. Il n'y avait rien. Ni cercueil, ni os, rien.

Le médecin tendit le bras par-dessus son bureau et toucha les mains jointes de Travis.

— Qu'allez-vous faire, capitaine ?

— Je n'en sais rien. Mais il faut qu'elle me reconnaisse, qu'elle reconnaisse son fils. C'est trop affreux !

— Capitaine, écoutez-moi ! s'écria vivement Watkins. Votre épouse est ma patiente. Elle va avoir un bébé. C'est délicat d'avoir à vous dire cela en ce moment, en plus de tout le reste, mais Mrs Coltrane n'est pas d'une robuste constitution. Je suis inquiet pour sa santé. Quoi que vous décidiez au sujet de votre première femme, je vous en prie, ne faites rien maintenant, dans l'état où se trouve Marilee.

« Quant à Stella... Je veux dire Kitty, rien n'a changé. Elle ignore toujours qui elle est, qui vous êtes, et ne sait rien sur son passé. Je comprends votre douleur, ce doit être un choc épouvantable mais, pour le bien de Mrs Coltrane, ne faites rien. Les choses peuvent continuer à suivre leur cours.

Travis se leva.

— Bien sûr. J'attendrai, nous verrons ce qui se passe.

— Je ne pense pas qu'il se passera quoi que ce soit, capitaine, annonça le médecin avec remords. Stella peut vivre ainsi éternellement ; quant à vous, vous avez d'autres obligations, à présent.

— Inutile de me le rappeler, docteur, soupira Travis, les sourcils froncés. Puis-je vous poser une dernière question ? demanda-t-il avec hésitation. Est-ce que... Voit-elle quelqu'un ? Y a-t-il un homme ?

Le Dr Watkins sourit en secouant la tête.

— Non. Cet hôpital est son seul univers. Oh, elle ne manque pas de prétendants, vous pouvez en être certain, mais elle n'est pas intéressée.

Travis sortit et referma la porte derrière lui.

Il trouva Sam assis sur son lit contre deux oreillers, la poitrine ceinte d'un bandage, réclamant de l'eau-de-vie et un cigare. Une jeune infirmière semblait aux petits soins pour lui. Lorsqu'elle fut partie, Sam demanda avec anxiété :

— Alors ? L'as-tu revue ? J'ai essayé de lui parler ce matin, de savoir d'où elle venait, ce genre de choses. On aurait dit qu'elle ne m'entendait même pas.

— Sam, cesse de lui poser des questions, dit Travis d'un air sombre.

Il se pencha et raconta à son ami la conversation qu'il venait d'avoir. Lorsqu'il eut fini, Sam pleurait sans retenue.

— Ô mon Dieu ! s'écria-t-il. Que vas-tu devenir, mon gars ? Il vaudrait presque mieux qu'elle soit morte !

— Tais-toi ! cria Travis, et il ajouta en baissant la voix : elle est heureuse. Elle fait ce qu'elle a toujours voulu faire. Elle a sa vie, j'ai la mienne, et il doit en être ainsi.

— Tu sais que tu ne peux pas rester ici en la sachant si près. Ta raison n'y résistera pas !

— Ai-je le choix, Sam ? Il faut que je songe à Marilee. Rien de tout ceci n'est de sa faute, et elle est enceinte de moi. Si elle découvrait cette histoire... Le Dr Watkins dit qu'elle est très affaiblie. Je le craignais, je lui trouve une mine affreuse.

— Et si Kitty retrouve la mémoire ? Si elle te reconnaît ?

— Je l'affronterai le moment venu, répondit Travis en serrant les dents. Bon sang, Sam ! Je ne suis même pas sûr d'avoir le courage de regarder Kitty en face.

Sam lança un coup d'œil derrière l'épaule de son ami et murmura :

— C'est ce que nous allons voir.

Elle franchissait le seuil de la pièce, ses cheveux souples et brillants encadraient son visage. Elle portait une autre robe blanche. Elle s'arrêtait pour parler aux malades et souriait, ses yeux lavande animés de cet éclat qu'avait toujours tant aimé Travis.

Il se souvint brusquement du jour où il avait vu pour la première fois ses cheveux soyeux, ses yeux dont les ombres étaient capables d'absorber un homme, leurs feux sombres. Sa peau, si douce. Ses jambes, minces, longues, fuselées, ses chevilles délicates. Ses hanches fermes, son postérieur impertinent, si chaud sous les caresses.

Ô mon Dieu, comme elle était belle, songea-t-il. La plus belle femme qu'il eût jamais connue.

Soudain, ces mêmes yeux violets le dévisageaient. Il aurait voulu s'y noyer. Mais le regard reflétait la méfiance, non le désir.

— Tiens, tiens, voici l'homme qui n'aime pas les femmes médecins, dit-elle froidement. Dites-moi, monsieur, avez-vous été surpris de constater que votre ami était encore vivant ce matin ?

Elle consultait le dossier de Sam, et elle leva les yeux.

— Eh bien, surpris au point d'en perdre la voix ?

Le visage de Travis se fendit d'un large sourire. C'était bien sa Kitty ! Jamais intimidée. Jamais peur de personne. Prête à tout affronter. La même chère Kitty !

— Je crois bien que oui, répondit-il sans cesser de sourire. Mais si j'étais à sa place, avec une ravissante jeune femme pour s'occuper de moi, je lutterais pour ma survie, moi aussi.

Elle jeta le menton en l'air et rétorqua sèchement :

— Monsieur, mon travail consiste à essayer de guérir mes patients, c'est tout. J'y parviens le plus souvent. Pour un cas comme le vôtre, ajouta-t-elle en le toisant avec mépris, je ne pense pas que je perdrais mon temps.

Sam l'avait observée attentivement. Soudain, il ne put résister :

— Docteur, cet homme s'appelle Travis Coltrane. C'était un sacré soldat pendant la guerre. Un capitaine ! Vous n'avez jamais entendu parler de lui ?

Travis lui jeta un regard furibond. L'expression de Kitty resta immuable.

— Non, j'évite de songer à la guerre, Mr Bucher.

En se penchant sur le passé, on ne fait que gâcher l'avenir.

Elle écarta Travis pour s'approcher de Sam.

— Comment vous sentez-vous ce matin ? Avez-vous mal ici ? demanda-t-elle en touchant doucement son torse.

Il fit une grimace et elle nota quelque chose dans le dossier.

— Vous allez rester allongé quelque temps. Alors, détendez-vous et laissez-vous dorloter. Et pendant que j'y pense, ajouta-t-elle en fronçant les sourcils, j'ai appris que vous aviez réclamé du whisky et des cigares. Vous n'aurez ni l'un ni l'autre tant que vous serez ici, c'est compris ?

Elle se tourna vivement vers Travis, les prunelles étincelantes.

— Quant à vous, monsieur, ne vous avisez pas de lui en apporter à la dérobée, sinon je vous fais interdire de visite. J'ai le sentiment que vous devez adorer enfreindre les règlements.

— A vos ordres, princesse, sourit-il.

Elle marchait déjà vers le lit suivant, et elle eut un imperceptible frémissement. Travis la suivit des yeux, tendu.

— C'était comme la première fois, murmura-t-il à Sam d'une voix brisée. Nous nous querellions sans cesse.

— Mieux vaut garder tes distances avec elle. Vous risquez d'aller au-devant des pires ennuis.

— Il faut que je te laisse, Sam. Je ne suis toujours pas retourné à l'hôtel. Je suis resté debout toute la nuit, et je ne sais même pas si Marilee est bien rentrée. Je repasserai plus tard.

Il sortit sans remarquer que Kitty l'observait.

Si arrogant qu'il pût paraître, cet homme n'en était pas moins extrêmement séduisant. Les sourires qu'il lui adressait étaient provocants, comme s'il savait qu'il lui plaisait. Sa mâchoire ferme, ses cheveux d'un noir de jais, ses yeux ni bleus, ni noirs, mais d'une merveilleuse nuance grise. Elle se sentit rosir. C'était un bel homme, mais un homme dangereux. Elle l'avait tout de suite deviné.

Il l'avait appelée *princesse*. Le mot lui était vaguement familier, comme s'il lui appartenait.

Absurde ! Allons, qu'avait-elle, ce matin ? Mieux valait oublier cet individu.

Marilee était debout devant la fenêtre de la chambre. Elle tourna vers lui un visage encore plus pâle qu'à l'accoutumée. Pendant un instant, il fut incapable de parler.

— Travis, qu'y a-t-il ? demanda-t-elle d'une petite voix triste. Tu n'es pas revenu, hier. Mr Sacks nous a rassurés sur l'état de Sam, et pourtant tu n'es pas rentré.

Il se jeta en travers du lit. Il sentit Marilee s'asseoir à côté de lui ; de ses doigts frais, elle lissa les mèches rebelles sur son front.

— Travis, qu'est-ce qui ne va pas ? demanda-t-elle très doucement. Parle-moi, je t'en prie.

— S'il te plaît, murmura-t-il. S'il te plaît, Marilee. Laisse-moi seul pour l'instant. J'ai la tête à l'envers.

— Tu ne regrettes pas, pour le bébé ? insista-t-elle. J'ai eu tort, je n'aurais pas dû m'opposer à cette maison dans le désert. Partons quand tu voudras.

— Nous n'y allons plus. Pas tout de suite.

Elle poussa un petit cri.

— Je ne comprends pas.

— Nous resterons en ville jusqu'à la naissance du bébé. Nous déménagerons ensuite.

— Oh, Travis, soupira-t-elle avec soulagement. Tu te faisais du souci pour moi, n'est-ce pas ? Et tu restes en ville pour que je sois plus près du médecin. Merci, mon amour, merci.

Il se tourna soudain et la prit dans ses bras avec tendresse. Elle l'aimait. Il le savait. Et elle était sa femme. Rien n'avait changé. Rien ne pourrait jamais changer. Il le savait également.

Il caressa doucement sa poitrine.

Ils firent l'amour, et Travis ne put chasser l'image de deux yeux violets, d'une chevelure blond vénitien et d'un amour interdit.

30

Il faisait froid. Un vent glacial miaulait avec rage sur le désert, et Travis frissonna malgré son épais manteau. Perché en haut d'une échelle, il clouait des planches dans ce qui serait la première de plusieurs granges.

Des nuages menaçants s'amoncelaient au nord-ouest. Il allait neiger. « Maudit hiver », jura-t-il en descendant les barreaux. Il aurait tant voulu terminer la construction avant le mauvais temps. Il regarda les poulinières et les étalons dans l'enclos. Ils lui avaient coûté très cher, et il n'avait pas l'intention de leur faire passer la mauvaise saison dehors. Le petit abri qu'il avait réparé serait toujours mieux que rien.

Il rassembla les bêtes vers leur écurie de fortune. Puis, il se dirigea vers la cabane, plié en deux contre le vent.

Enfin, il put refermer la porte. Il se félicita d'avoir songé à entreposer du bois, et il alluma une flambée. Le regard perdu dans les flammes, il songea aux derniers mois écoulés. Il avait été incapable de s'en tenir à sa promesse de rester à Virginia City jusqu'à la naissance. Savoir Kitty si près de lui était au-dessus de ses forces.

Il avait expliqué à Marilee qu'il devait préparer certaines choses avant l'arrivée du bébé et, curieusement, elle avait pris la chose avec calme. Elle avait semblé heureuse de rester à l'hôtel avec John, près du Dr Watkins.

Sam était rétabli et faisait des allers et retours entre la ville et la mine. Il avait promis de veiller sur Marilee. Et sur Kitty, mais Travis savait qu'il ne lui donnerait pas beaucoup de nouvelles de la jeune femme.

« Quel froid ! » songea-t-il en s'allongeant sur son étroit lit de camp. S'il ne neigeait pas trop, il irait en ville se réapprovisionner, et voir John et Marilee. Et il se promit de ne pas s'approcher de ce fichu hôpital. S'il s'absentait un jour ou deux, il demanderait à son voisin, Gilbert Sacks, de venir nourrir les chevaux. Sa femme attendait un bébé, elle aussi, et il ne s'éloignait plus de la propriété.

Il sentit ses paupières s'alourdir et pria le ciel de lui épargner, pour une nuit, une seule, ce même rêve qui revenait le hanter.

Il fut réveillé en sursaut. On l'appelait. C'était une voix de femme.

— Capitaine Coltrane ! Je vous en prie, laissez-moi entrer ! Je meurs de froid.

Il repoussa sa couverture et bondit sur ses pieds. Mais que diantre une femme faisait-elle dehors au milieu d'une nuit de tempête ? Lorsque la porte s'ouvrit, elle s'effondra dans ses bras, couverte de neige et secouée de spasmes.

Il la conduisit jusque devant le feu et, lorsque les flammes jouèrent avec ses reflets roux, il s'écria :

— Kitty, mon Dieu, ma chérie, que faites-vous dehors ?

Ses paupières givrées s'ouvrirent. Les yeux pervenche le considérèrent avec effroi. Elle se débattit en balançant ses bras ; l'un de ses ongles griffa la joue de Travis et elle poussa un hurlement désolé.

— Hé, doucement ! dit-il en luttant pour lui attraper les poignets et les maintenir contre son corps. C'est moi, Coltrane. Qu'est-ce qui ne va pas ?

Elle le regarda avec une telle détresse que son cœur se fendit.

— Vous êtes blessée ? Que vous est-il arrivé ? Et que diable faisiez-vous dehors par ce temps ?

Elle fixait sa poitrine et il réalisa qu'il était presque nu.

— Hem... bredouilla-t-il en se répétant qu'il ne devait pas l'appeler Kitty. Dr Musgrave, reprit-il d'une voix ferme, s'il y a quelque chose qui ne va pas, dites-le-moi. Je vais vous chercher quelque chose à boire, je pense qu'une goutte de whisky ne vous ferait pas de mal.

— Oui, dit-elle d'une voix assourdie. Oh, oui.

Elle lui tourna le dos et se laissa lentement tomber sur le sol. Travis lui rapporta la bouteille.

— Je suis désolé, je n'ai pas de verre, marmonna-t-il en enfilant hâtivement son pantalon.

Il jeta une nouvelle bûche dans le feu et s'assit par terre à côté d'elle. Il esquissa un geste hésitant vers ses vêtements. Une longue cape de laine bleue recouvrait sa robe blanche. Les deux étaient trempées.

— Je crois que vous feriez mieux de retirer ces habits pour les faire sécher devant le feu. Vous vous envelopperez dans une couverture en attendant. Sinon, vous allez attraper la mort.

Elle se leva en silence et se déshabilla dans son dos. Il résista à la tentation de se retourner, de contempler ce corps magnifique et sensuel dont il connaissait chaque courbe par cœur. Elle serra une couverture autour d'elle et revint lui tendre ses vêtements.

— Avez-vous faim ? demanda-t-il, en proie à un malaise croissant. Je n'ai pas grand-chose, à vrai dire, mais...

— J'ai dîné chez les Sacks, dit-elle d'une voix cassée. J'ai mis au monde leur bébé tout à l'heure.

— Quoi ! explosa-t-il. Vous voulez dire que Gilbert Sacks vous a laissée repartir par une nuit pareille ? Il est devenu fou !

— J'ai insisté, expliqua-t-elle calmement. Il voulait que je reste mais je pensais avoir le temps de rentrer. Puis, la neige s'est épaissie, et j'ai craint de me perdre. Je me suis souvenue d'être passée devant cette maison à l'aller.

— Saviez-vous que j'habitais ici ?

— Non.

Elle parlait vite, trop vite, remarqua-t-il. Comme si elle refusait d'admettre son existence. Soudain, il éprouva le besoin pressant de la pousser dans ses retranchements.

— Vous m'avez appelé capitaine Coltrane. Vous saviez que je vivais ici.

— Oui. Non. Je... J'ai dû entendre Mr Sacks évoquer votre présence, je ne me souviens plus.

Il lui prit la bouteille des mains et vit qu'elle tremblait. Où était son caractère ? Son aplomb ? Pourquoi semblait-elle terrifiée ? Pour la mettre à l'aise, il sourit et déclara :

— Ecoutez, doc, je suis désolé de vous avoir rudoyée lorsque mon ami était blessé. Je n'ai pas l'habitude de voir des femmes médecins. Je ne savais même pas ce que je disais, ce soir-là, j'étais si inquiet pour Sam.

— Ça n'a aucune importance, je vous assure. (Elle regarda par la fenêtre.) Si la tempête s'est calmée, je pourrai bientôt repartir.

— Avez-vous perdu la tête ? gronda-t-il. Il y a presque trois heures de route par beau temps, vous n'y arriverez jamais. Vous allez rester ici.

Elle le regarda de nouveau, et l'ancien désir qu'il avait toujours eu de se perdre dans ces profondeurs violettes et liquides le submergea soudain avec une force terrifiante.

— Ce ne serait pas correct, capitaine Coltrane.

— Correct ? répéta-t-il en riant. C'est une question de survie. Vous êtes en sécurité, avec moi.

Elle baissa la tête.

— Je suis désolée, murmura-t-elle, je ne voulais pas insinuer que vous ne vous conduiriez pas comme un gentleman.

— Je ne suis pas un gentleman, répliqua-t-il ingénument, se souvenant lui avoir déjà dit ces paroles, longtemps auparavant. Mais je respecte toujours les dames, ajouta-t-il rapidement.

Elle se lança dans un discours nerveux, comme si elle essayait à tout prix de meubler le silence.

— Je suis désolée de vous avoir réveillé. Car vous dormiez, n'est-ce pas ? J'ai appelé longtemps avant que vous ne veniez ouvrir, les bourrasques sont si violentes. L'hiver est très rigoureux, dans le Nevada. J'aurais dû rester chez les Sacks, je le sais bien, mais je voulais retourner à l'hôpital. C'est la nuit que nous avons le plus de travail. Si vous saviez ce que nous voyons défiler... Les blessés nous arrivent comme s'ils venaient droit du front. Virginia City doit être un repère de brigands. Ils viennent chercher de l'argent, de l'or, des aventures. Je sais qu'il y a aussi de braves gens, mais dans l'ensemble, c'est un ramassis de canailles. Pourtant, on dirait que cela se tasse un peu. J'ai l'impression que les aventuriers vont plus à l'ouest encore.

Elle s'interrompit pour reprendre son souffle, et il posa deux doigts sur ses lèvres.

— Docteur, je crois que nous devrions nous coucher. Prenez mon lit, il n'est pas très confortable, mais c'est tout ce que j'ai.

— Je ne peux pas vous laisser dormir par terre, protesta-t-elle.

— Je suis un vieux baroudeur, vous savez, dit-il en riant. J'ai l'habitude de dormir n'importe où.

Il se leva et lui tendit une main en se rendant compte qu'il agissait uniquement pour être en contact avec elle.

— J'avais l'intention d'aller en ville demain moi-même. Nous pourrons faire route ensemble. Enfin, si les chutes de neige nous le permettent. Où avez-vous laissé votre cheval ?

— J'ai trouvé votre écurie et l'y ai mis avec les vôtres.

— Parfait. Et maintenant, tâchez de dormir.

Il s'enveloppa d'une autre couverture et s'allongea devant le feu. Il contempla les flammes en pensant à Kitty. Quelque chose la perturbait, la troublait. Il l'entendait s'agiter dans son lit. Il avala de longues gorgées de whisky en espérant que l'alcool l'emporterait dans son magique royaume de l'oubli. Oh, comme il avait envie d'elle. A chaque battement de son cœur, à chaque respiration, il la voulait désespérément. Il l'aimait plus qu'il ne s'en était jamais rendu compte, plus, si possible, que lorsqu'ils étaient ensemble.

Il se retourna. Kitty était allongée à côté de lui par terre. Des larmes brillaient au coin de ses yeux.

— S'il vous plaît...

Elle toucha doucement sa joue ; elle tremblait des pieds à la tête.

— S'il vous plaît, ne dites rien. Tenez-moi juste contre vous.

Il obéit, et ils s'endormirent dans les bras l'un de l'autre.

Travis se réveilla en sursaut, seul. Il regarda autour de lui. Il faisait jour, la cabane était vide et les vêtements de Kitty avaient disparu. Il courut à la porte et l'ouvrit à toute volée, s'enfonçant jusqu'aux chevilles dans la neige avant de se rendre compte qu'il était nu. Il se précipita à l'intérieur, s'habilla à la hâte et ressortit. Des traces de pas conduisaient à l'écurie. De là, des empreintes de sabots menaient à la route.

Il laissa de l'avoine aux chevaux pour deux jours. Il n'avait pas le temps d'aller prévenir Sacks.

Il fallait absolument qu'il retrouve Kitty !

Heureusement, la couche de neige n'était pas trop épaisse. Le ciel était encore chargé, et il neigerait probablement de nouveau avant la fin de la journée. Il poussa son cheval jusqu'au bout de ses forces et, deux heures plus tard, il arrivait en ville. Le pauvre animal était épuisé. Travis le déposa à l'écurie de louage aux soins d'un jeune palefrenier et courut directement à l'hôpital.

Par chance, la première personne qu'il vit fut le Dr Watkins.

— Tiens, capitaine Coltrane. Qu'est-ce qui vous amène de si bonne heure ? C'est Marilee ? demanda-t-il avec inquiétude. Je vais chercher ma sacoche. Elle n'est pas encore à terme, mais je craignais que quelque chose n'arrive.

— Non, non, ce n'est pas Marilee, s'écria Travis.

Vous craigniez quelque chose ? **Pourquoi ?** Qu'a-t-elle ? C'est le bébé ?

— Elle est dangereusement anémique, déclara le médecin. Je ne sais pas ce qu'elle a. Venez prendre un café. Stella arrive tout juste de chez les Sacks, où elle a mis au monde un beau petit garçon. C'est un miracle qu'elle soit rentrée avec toute cette neige.

Ils s'assirent dans le réfectoire de l'hôpital et le Dr Watkins soupira.

— Je suis heureux que vous soyez venu, capitaine. Je voulais vous parler de l'état de Marilee. Je crois que vous devriez rester en ville jusqu'à ce que le bébé soit là. Je la trouve triste et déprimée. J'aurais aimé qu'elle se confie à moi, mais elle refuse de parler. Elle semble s'étioler. Le bébé grossit normalement, mais elle maigrit. Je vais peut-être même devoir la garder à l'hôpital pour la forcer à s'alimenter.

A cet instant, Kitty apparut, les yeux hagards, le visage très pâle.

— Il faut que je vous parle, lui chuchota Travis lorsqu'elle passa devant eux.

Le Dr Watkins les observa tous les deux et demanda sévèrement :

— Que se passe-t-il ?

Il prit Travis par le bras et murmura avec colère :

— Vous n'avez pas essayé de lui dire qui elle est, au moins ? Vous ne feriez qu'empirer les choses pour Stella comme pour votre femme.

— Non, ce n'est pas cela.

Travis repoussa l'homme et courut derrière Kitty, qui s'éclipsait dans le couloir.

— S'il vous plaît, attendez ! cria-t-il. Je voudrais seulement vous parler !

Elle se retourna et jeta un œil par-dessus son épaule. Elle ne vit pas le petit garçon qui arrivait à l'autre bout du corridor et il se heurta à elle.

— John ! s'écria Travis. Que fais-tu ici, mon garçon ?

John se précipita vers lui en sanglotant.

— Papa, papa, viens vite ! cria-t-il. Maman est très malade. Elle m'a envoyé chercher un docteur. Je me suis dépêché, mais elle va très mal. Il y a du sang partout...

Le Dr Watkins courait déjà chercher ses affaires.

— Je viens avec vous, Ambrose, lui dit Kitty.

Travis les suivit en toute hâte, serrant John dans ses bras. Une fois à l'hôtel, il grimpa les marches en trombe, sans lâcher son fils. La porte de la suite était ouverte, et la première chose qu'il vit en entrant fut le sang, les mares de sang sur le plancher.

— Elle est tombée, John ? demanda-t-il en reposant doucement l'enfant.

— Non-on ! Elle saignait et elle m'a dit d'aller vite à l'hôpital.

— C'est bien. Assieds-toi gentiment sur le canapé, et je viendrai te chercher.

John obéit et Travis se précipita vers la chambre.

Elle était allongée sur les draps écarlates, le visage exsangue, paupières closes.

— Marilee, ma chérie, lui dit-il très doucement. Tu m'entends ?

Elle ne répondit pas. Terrifié, il lui prit le pouls. Il était faible, mais elle vivait. Le Dr Watkins arriva à cet instant et écarta Travis, qui retourna dans le salon. Il ne pourrait que gêner.

Il se figea en voyant Kitty agenouillée devant John, le petit garçon blotti contre sa poitrine. La mère consolait son enfant, mais aucun des deux ne le savait. Jamais Travis n'oublierait cette vision.

— Ça va aller, John, murmurait Kitty en lissant les cheveux en bataille. Avec l'aide de Dieu, ta maman va guérir.

John renifla. Les yeux violets et chauds de la gentille dame l'avaient déjà réconforté. Soudain, il décida qu'il était un homme et se redressa.

— C'est pas ma vraie maman, tu sais, dit-il. Mais c'est pareil. Je l'aime comme si c'était elle ma vraie maman.

Il hoqueta et poursuivit :

— Ma vraie maman, elle est morte et elle est montée au paradis. J'espère que Dieu il va pas me prendre cette maman-là aussi.

Son petit corps se convulsa dans un sanglot et il gémit :

— Je veux pas que ma maman elle meure !

Kitty le serra plus fort encore, enfouit son visage dans ses cheveux et ils pleurèrent ensemble, la mère et le fils, sanglotant pour la femme qui gisait dans la chambre voisine.

31

Travis buvait un café noir, assis dans le bureau du Dr Watkins. Combien de temps encore l'attente allait-elle durer ? Cela faisait trois heures qu'ils avaient emmené Marilee.

L'employé de l'hôtel avait confié John à la garde de sa femme. Travis avait été formel : le garçonnet ne devait pas venir à l'hôpital.

Un bruit de pas le fit bondir vers la porte. Le Dr Watkins entra, sa blouse tachée de sang. Le sang de Marilee !

Le médecin éluda d'un geste les questions et referma la porte derrière lui. Il s'assit derrière son bureau, prit une profonde inspiration et déclara :

— Bon. Je vais vous en dire autant que je le peux à ce stade. Votre femme est encore en vie. L'hémorragie a cessé. Son état est stationnaire pour l'instant.

— Le bébé ? croassa Travis.

— Le travail n'a même pas commencé.

— Alors, bon Dieu, pourquoi est-ce qu'elle se vide de son sang ? cria Travis. Que se passe-t-il ?

— Le placenta a dû être séparé de là où il est censé être attaché dans son corps.

— A votre avis, cela peut durer encore longtemps ?

— Le bébé ne sera à terme que dans six bonnes semaines. J'espère qu'elle pourra le porter jusque-là. Je ne peux me prononcer. Les médecins sont impuissants, hélas, face à de telles situations, Coltrane. J'aimerais pouvoir vous en dire plus. Ô bon Dieu, j'aimerais pouvoir en *faire* davantage.

— Est-ce qu'elle souffre ?

— Non. Elle dormait quand je l'ai quittée. Vous pourrez bientôt la voir.

Travis s'épongea le front, cherchant une question à laquelle le Dr Watkins pourrait répondre.

— Le bébé, dit-il soudain. Si vous mettiez le bébé au monde maintenant, elle irait mieux, non ?

Le médecin se rembrunit.

— Ils risqueraient d'y rester tous les deux. Il faudrait pratiquer une césarienne, ce qui est extrêmement dangereux. Je préférerais qu'elle entre en couches prématurément et que le bébé naisse par les voies naturelles. Elle a déjà perdu tant de sang qu'elle mourrait sûrement si je l'opérais. Non, répéta-t-il en hochant fermement la tête. Je vais attendre.

Il s'éclaircit la gorge et considéra un instant Travis.

— Pourquoi teniez-vous tant à voir Stella, ce matin, Coltrane ?

— Oh, ça n'a pas d'importance, fit Travis avec lassitude.

— Si, ça en a ! s'écria le médecin en claquant ses deux poings sur la table. J'ai fait en sorte que cette fille puisse satisfaire son plus grand désir. Elle sera médecin.

Travis regarda le Dr Watkins, redoutant la suite.

— J'ai pris des dispositions pour qu'elle aille étudier dans le meilleur institut d'Europe, avec les plus brillants professeurs. Quand elle reviendra, elle sera non seulement un médecin qualifié, mais un chirurgien.

Travis s'obligea à ne pas réagir, à ne pas même s'avouer ses sentiments. Il valait mieux qu'elle parte, il le savait. Et Watkins avait raison, elle ferait un grand médecin. Pour elle, pour eux tous, Travis était heureux qu'elle parte.

— Il ne faut pas qu'elle sache, pour vous, ni pour votre fils, poursuivit le Dr Watkins d'une voix contrite. Vous ne pouvez pas lui refuser ce merveilleux avenir.

— Pourquoi me dites-vous tout cela maintenant ? demanda Travis d'une voix cassante. Je suis assez soucieux sans que...

— A cause de ce matin ! rétorqua le médecin sur le même ton. Parce que je crois que vous l'aimez toujours, et je ne veux pas que vous la fassiez souffrir.

— Doc, objecta Travis avec un sourire sinistre. Que se passera-t-il le jour où Kitty recouvrera la mémoire ? Croyez-vous qu'elle prétendra tout simplement que son fils et moi-même n'existons pas ?

Ambrose Watkins secoua la tête.

— Peut-être ne se souviendra-t-elle jamais. Sinon, j'espère qu'elle tirera un trait sur le passé. Ne lui gâchez pas ses chances aujourd'hui. Laissez-la recevoir la formation dont elle a besoin, ajouta-t-il d'un ton presque menaçant.

Travis s'appuya contre le dossier de sa chaise et ferma les yeux.

— J'espère qu'elle s'en va bientôt. Le plus tôt sera le mieux. Pour tout le monde.

— Elle part demain.

Il y eut un long silence, puis Travis se leva.

— Très bien. Je retourne à l'hôtel voir mon fils et lui dire de prier pour... sa mère. Je reviendrai tout à l'heure prendre des nouvelles de Marilee. Si vous avez besoin de moi, vous savez où me trouver.

John courut vers Travis :

— Elle est guérie, maman ? Je peux la voir ?

— Je ne sais pas, fiston, répondit Travis en le prenant dans ses bras. Le docteur fait tout ce qu'il peut. Mais nous ne pouvons que prier. Il vaut mieux que tu ne la voies pas pour l'instant, elle a besoin de beaucoup de repos.

— J'ai bien aimé cette dame, dit John. Tu sais, papa ? La dame avec les jolis cheveux et les yeux d'une drôle de couleur.

— C'était... le Dr Musgrave.

— Elle est belle, hein, insista John. Et ses yeux ? Je n'en ai jamais vu de cette couleur...

— Lavande, dit Travis avec brusquerie. (Il s'excusa immédiatement :) Pardonne-moi, fiston. Je suis très fatigué. Et très inquiet.

— Tu devrais faire la sieste, décréta John d'un air important. Si quelqu'un te demande, je suis là, d'accord ?

Travis hocha la tête et alla se jeter sur le lit. Si seulement John n'avait pas vu Kitty ! Il eut le sentiment que son fils n'était pas près d'oublier la dame avec les jolis cheveux et les yeux d'une drôle de couleur.

— Travis, réveille-toi !

Il se redressa, immédiatement alarmé.

— Qu'y a-t-il. C'est Marilee ?

— Hélas, oui, répondit Sam en lui tendant ses bottes. Je suis passé la voir à l'hôpital au moment où le Dr Watkins allait te faire appeler.

John sanglotait sur le seuil de la porte.

— John, dit doucement Travis, tu vas retourner chez Mrs Martin, d'accord ? Ne discute pas.

— Oui, p'pa.

Lorsqu'il eut disparu, Sam jura dans sa barbe.

— Elle a recommencé à saigner. Beaucoup. Le docteur dit que le bébé arrive.

Ils coururent vers l'hôpital en silence.

Marilee était allongée, très calme, les yeux rivés au plafond. De temps à autre, un élancement de douleur lui tordait le visage.

— Ne luttez pas, Marilee, ordonnait une voix douce à son chevet. Laissez-vous aller avec la douleur. Il faut aider ce bébé à venir pour que vous alliez mieux tous les deux.

— Ne vous inquiétez pas pour le bébé, murmura Marilee dans un souffle. Dieu le fera vivre. Je le sais.

— Vous vivrez tous les deux, prononça fermement la voix. Accrochez-vous.

Marilee sourit.

— Voulez-vous un garçon ou une fille ?

Elle leva les yeux vers la jeune femme penchée au-dessus d'elle. Les yeux violets étaient frangés des cils les plus épais qu'elle eût jamais vus. Et ces cheveux...

— C'est vous, n'est-ce pas ? demanda simplement Marilee.

Plus rien n'aurait pu la surprendre.

— Je suis le Dr Musgrave, dit la femme. Je vais vous aider à mettre ce bébé au monde.

Marilee haleta, puis chuchota :

— Je crois que je l'avais deviné il y a quelque temps, mais maintenant... j'en suis sûre.

Kitty sourit et écarta une mèche du front humide de Marilee.

— Sûre de quoi ? Vous êtes fiévreuse mais, rassurez-vous, ce sera bientôt terminé, et vous allez avoir un magnifique bébé. Il sera un peu petit, mais nous prendrons tout particulièrement soin de lui.

— C'est bien vous ! s'exclama Marilee en essayant de se redresser.

— Non, non ! Restez allongée ! la gronda gentiment Kitty.

Une nouvelle douleur, déchirante, traversa les reins de Marilee, et elle se tordit, hurlant pour la première fois. Lorsque la contraction fut passée, elle s'effondra de nouveau sur le matelas et prononça à travers ses lèvres desséchées :

— C'est vous. Je le savais. J'avais compris, lorsqu'il a prononcé votre nom dans son sommeil, que vous deviez être vivante.

— Cessez de parler, dit doucement Kitty en posant une main sur son bras. Gardez vos forces pour faire sortir ce bébé.

Un autre élancement la traversa. Marilee cria, et la voix de Kitty dépassa la sienne :

— Il est presque là ! Tenez bon, Marilee !

L'univers de Marilee était tout entier dans cette petite pièce. Un nuage noir voulut l'engouffrer, mais elle s'accrocha à la vie. Une heure plus tard, ou peut-être seulement quelques minutes, elle entendit un vagissement.

— Une petite fille ! Marilee ! s'écria Kitty en riant. C'est une adorable petite fille ! Oh, comme elle est mignonne !

Le Dr Watkins entra et s'écria :

— Seigneur ! Le bébé est là !

— Oui, et c'est une fillette en pleine santé. Attendez, laissez-moi m'occuper du cordon. Là, vous la voyez ?

Kitty souleva le bébé pour que Marilee le regarde. Marilee essaya de le prendre dans ses bras, mais ses membres ne lui obéissaient plus. Kitty vint déposer sur son sein le minuscule fardeau.

— Mon mari ! s'écria soudain Marilee, les yeux rivés sur le bébé. Je vous en supplie, il faut que je le voie.

— Pas encore, déclara le Dr Watkins. Ce n'est pas tout à fait terminé.

— Maintenant ! hurla-t-elle avec le peu de force qui lui restait. Maintenant, vite, le temps presse.

Le Dr Watkins échangea un coup d'œil inquiet avec Kitty, qui hocha la tête.

— Je reste avec elle, chuchota-t-elle. Allez le chercher. Marilee, dit-elle en élevant la voix, ne dites plus rien. Il va venir. Reposez-vous, vous vous sentirez mieux très vite. Une fois l'arrière-faix expulsé, vous aurez encore quelques contractions, avant de vous endormir. Quand vous rouvrirez les yeux, vous verrez votre petite fille et votre mari.

Elle se tourna vers l'infirmière Cannon, que le Dr Watkins avait fait venir, et lui tendit le bébé en silence. L'infirmière l'emmena en lui adressant des sourires attendris.

Quelques instants plus tard, Travis faisait irruption dans la pièce. Il se précipita au chevet de Marilee et se pencha au-dessus de son visage livide.

— Ça va aller, dit-il avec force en maîtrisant un tremblement. Nous avons une petite fille, et nous allons être heureux, tous les trois avec John.

— Non.

Le visage de Marilee traduisait une extraordinaire sérénité. On aurait dit une madone.

— Toi et Kitty allez être heureux.

— Kitty ?

Il chancela, comme s'il avait été frappé par la foudre.

— Oui, Travis. Tu le sais. Et elle aussi, mon amour.

Elle tourna les yeux vers Kitty, qui pleurait ouvertement, maintenant.

— Elle sait qui elle est... qui tu es... Et moi...

Elle s'interrompit comme une douleur plus vive que les autres étreignait tout son être.

— Moi... Je l'ai compris lorsque je l'ai vue. J'ai su que je devais mettre le bébé au monde et... et vous quitter.

Travis comprit soudain le sens de ses paroles. Marilee voulait s'effacer.

— C'est absurde ! s'écria-t-il avec fureur.

Il aurait voulu la secouer, la raisonner, qu'elle ne se laisse pas mourir ainsi.

— Chut, Marilee. Tu divagues. Repose-toi, maintenant.

Elle leva une main lasse pour lui toucher la joue.

— Tu te souviens de ce que je t'ai dit, mon amour ?

La douleur s'amplifiait, s'emparait de son corps tout entier, lui comprimait la poitrine, l'empêchait de respirer. Dans un suprême effort, elle réussit à poursuivre :

— Tu sais... aucun instant ne dure éternellement. Et toi... (Elle avala sa salive.) Tu disais que nous allions en créer d'autres. D'autres moments. Fais-le, mon bien-aimé. Fais-le... avec la seule femme que tu aies jamais vraiment aimée...

La douleur la consuma et le sang coula soudain en un flot continu. Cette fois, rien ne put arrêter l'hémorragie. Travis vacilla sur ses pieds et se détourna en poussant un cri déchirant lorsqu'il vit le regard de Marilee perdu à jamais dans l'éternité.

Il vécut les minutes qui suivirent dans un brouillard. Il frappa le mur du poing et de la tête en hurlant : « Non ! Non ! Non ! » jusqu'à ce que le sang coule sur son visage et sur ses articulations. Deux mains puissantes le tiraient en arrière, le sauvaient de la destruction. On l'emmena dans le couloir, on lui tendit une bouteille de whisky. Il but. Avala. But encore. Et, à travers le voile, il découvrit le visage strié de larmes de Sam, qui le contemplait avec tristesse et pitié.

Mais Sam s'éloignait.

Travis cligna des paupières et vit la jupe blanche maculée de sang. Enfin, il osa lever les yeux. Des cheveux dorés encadraient le plus beau visage qu'il eût jamais vu, le visage qu'il avait craint de ne jamais revoir.

— Elle est morte pour nous, murmura Kitty en s'agenouillant à côté de lui. Ambrose lui avait dit de garder le lit, sinon elle se remettrait à saigner. Elle s'est levée volontairement. Elle voulait mourir, Travis ; elle voulait mourir pour que nous puissions être ensemble.

Il effleura doucement son visage, comme s'il avait peur qu'elle ne soit qu'une apparition, qu'elle ne s'évanouisse dans les airs.

— Il y avait quelque chose en toi, poursuivit-elle avec calme. Je ne savais pas exactement quoi. Tu me mettais en colère, et pourtant, je ressentais des émotions familières. Et puis tu m'as appelée princesse. Et, petit à petit, tout m'est revenu.

Elle appuya sa tête contre la poitrine de Travis, qui la serra avec force.

— Je ne suis pas venue te voir par hasard, la nuit dernière. Je voulais être dans tes bras une dernière fois avant de m'en aller. Et revoir John à travers toi. Oh, John... Quand je l'ai tenu dans mes bras...

Sa voix se brisa.

— Et tu aurais disparu.

— Oui. Tu avais une femme, bientôt un bébé. Je ne pouvais plus faire partie de ta vie. Mais Marilee a tout deviné. Et elle s'est laissée mourir.

Kitty leva les yeux et le contempla longuement.

— Elle nous a donné une partie d'elle-même qui continuera à vivre, Travis. Elle nous a offert sa fille, votre fille à tous les deux. Et je l'élèverai en lui disant que sa mère était une femme merveilleuse.

Elle s'interrompit un instant, et murmura avec émotion :

— J'ai le sentiment d'avoir été touchée par un ange...

— Je sais, dit Travis avec une extrême douceur.

Il l'embrassa tendrement, et la regarda avec tout l'amour qu'il avait si longtemps gardé enfoui au fond de lui.

— Et moi, j'ai l'impression que c'est Dieu qui t'a rendue à moi. Je ne laisserai plus rien nous séparer.

Leurs lèvres se touchèrent.

Ensemble, ils pleureraient la femme qui était morte pour qu'ils puissent s'aimer.

Ensemble, ils parleraient de l'avenir.

Mais l'instant présent durerait toute l'éternité.

3326

Achevé d'imprimer en France
par CPI Brodard et Taupin
le 3 janvier 2010. 56126

Dépôt légal janvier 2010.
EAN 9782290018194

ÉDITIONS J'AI LU
87, quai Panhard-et-Levassor, 75013 Paris

Diffusion France et étranger : Flammarion